悪魔のいる文学史

Tatsuhiko
ShibUSaWa

澁澤龍彦

P+D
BOOKS
小学館

目次

※作品中に登場する作家の年齢、日付などが、その後の調査により修正されていますが、ここでは作品の価値を尊重してあえてそのままにしています。
どうぞご了承ください。

エリファス・レヴィ

——神秘思想と社会変革

目に見える言語で形づくられた
この世は神の夢だ。
神の言葉は、この世のもろもろの象徴をえらび、
聖霊は、この世を神の火で満たしたのだ。
愛の、栄光の、はたまた恐怖の
この生きた書物を
イエスが我らのためにふたたび見出し給うた。
それというのも、あらゆる秘密の学問は
エホバの聖なる名前から
発した文字にほかならないからだ。

自然の法則を解し得る者にとって、
自然の一切は決して沈黙してはいない。
星々には文字があり、
野の花々には声がある。
闇夜に輝やく言葉、
数のように厳正な語句、

すべての音が一つの反響（こだま）でしかない声、
かつて祭司たちの叫び声が
エリコの城壁を震動させたように
ありとあらゆるものを動かす声。

右に翻訳して引用したのは、エリファス・レヴィの「コレスポンダンス」と題された詩の一部（十行詩十節のうちの第四節と第八節）である。すでにジャック・クレペとジョルジュ・ブランの詳細な『悪の華』の批評版にも指摘されているように、このレヴィの詩は、のちに象徴主義の理論の基礎となった、あの名高いボードレールのソネット「万物照応（コレスポンダンス）」に直接の影響をあたえた、いわば先駆的な作品ということになっている。

フランスのロマンティシズムは、ようやく最近にいたって、いくつかの重大な修正を受けつつあるようである。ハイネの嘲笑的な言葉がそれを示しているように、長いあいだ、フランス十九世紀初頭のロマン主義の運動は、ドイツ・ロマン主義の皮相な猿真似と解せられ、古典主義的クラルテを重んずるフランス文学の伝統的な体質には、曖昧な神秘や幻想の入りこむ余地はないと信じられてきたのであった。この通念をひっくり返したのがオーギュスト・ヴィアット、アルベール・ベガン、レオン・セリエ、ピエール・カステックス、あるいはドイツのエルンスト・ロベルト・クルティウスなどの批評家であって、彼らの見解によると、一般的にはレアリストと見られていたバルザックは幻視家、センティメンタルなラマルティーヌは調和の詩人、貴族主義者ヴィニーは新プラトン派的な哲学者、そして豪傑趣味のゴーティエは不安の精神の体現者ということにもなるのである。またネルヴァルの評価が急激に高まるにつれて、彼とともに生き、彼とともに挫折した、いわゆる「小ロマン派」に属する群小文学者にも照明が当てられるようになってきたことも、ここで忘れずに述べておかねばならぬであろう。

「小ロマン派」とは何か。それは叛逆と挫折の世代である。一八三〇年（『エルナニ』事件と七月革命の年）の世代と呼ばれる彼らは、大革命後の社会の反動化を身をもって経験した、いわば不安と絶望の世代であって、彼らのメランコリーや想像力は、政治的理想の挫折によって惹き起された幻滅やら、宗教的信仰の危機から生じた虚無感やら、ブルジョワの金銭万能主義に対する嫌悪やらのうちに、いよいよ鋭く研ぎすまされたのである。むろん、大部分の作家たち、ユゴー、サント・ブーヴ、ヴィニー、デュマ、バルザックらは、やがて体制に順応し、制作によって絶望感を克服し、時代の悪徳を冷静に見つめながら、芸術家としての自己を完成させる道を選ぶことになるのであるが、ここでとくに注目しなければならないのは、これらの正統ロマン派たち、あるいは大ロマン派たちの周辺に、自由なボヘミアン生活を送りながら、最も極端な「芸術のための芸術」を叫び、政治的にはかなり急進的な立場をとりつつ、しかもブルジョワ進歩主義者の俗物主義を嫌悪排撃し、あらゆる既成の権威に「否（ノン）！」をたたきつけた、いわばロマン派の傍系ともいうべき、スキャンダルを好む少数の過激な青年たちの一群がいたということである。これが「小ロマン派」だ。

要するに彼らは、世紀末の「呪われた詩人」や二十世紀のシュルレアリストの遠い先輩格に当っていたわけで、価値の転倒した大革命後の社会と人間の矛盾に最も深く魂を傷つけられた、喪失の世代の代表だったわけである。深刻なペシミズムと、ブルジョワの俗物主義に結びついた楽天的な進歩の思想に対する、抜きがたい侮蔑とから、彼らはことさら現実から目をそむけ、陰惨な恐怖にみちた反社会的な幻想や、古代の輝かしいデカダンスの夢や、さては人間の力の及ばぬ神秘や驚異の超絶的な世界に、みずからの想像力を解き放ち、酔い痴れたのであって、その異様な美にみちた毒花のごとき幻想の根柢には、必ずしも現実逃避という単純な言葉だけでは片づけられない、複雑な心理の屈折があったことを忘れてはなるまい。彼ら過激派のほとんど大部分は、この現実嫌悪の必然的な成行きから、第二帝政成立の前後に、狂気したり自殺したり、あるいは文学的落伍者となったりして、失意と不遇のうちに姿を消してしまうのであるが、これも純粋なロマンティシズムにつきまとう必然の悲劇であり、宿命であったと言えるかもしれない。

ロマン主義の運動とは、もともと論理に対して非合理なものを、知性に対して無意識的なものを、歴史に対して神話もしくは伝説を、日常的現実に対して夢を、昼に対して夜を、それぞれ称揚する精神の運動にほかならなかったが、彼ら少数の過激派によって、この傾向はさらに幻想的、怪奇的、反社会的、無政府主義的、ユートピア的、神秘主義的、秘教的な方向にまで助長されたのである。この「小ロマン派」のなかに、シャルル・ノディエ、ジェラール・ド・ネルヴァル、テオフィル・ゴーティエをはじめとして、ペトリュス・ボレル、グザヴィエ・フォルヌレ、フィロテ・オネディ、アルフォンス・ラッブ、シャルル・ラッサイー、ピエール・シモン・バランシュ、フィラレート・シャール、アルフォンス・エスキロス、ジュール・ルフエーヴル・ドゥーミエ、ロジェ・ド・ボーヴォワール、ジャン・ポロニウス、アルフォンス・ロワイエなどの、一般にはあまり名前の知られていない、しかしながら一癖も二癖もある奇矯な文学者の面々がおり、私はこの論稿のなかで、今後何回かにわたって、彼らのなかの幾人かを紹介してゆくつもりなのである。そして最初に私が「コレスポンダンス」の詩を引用したエリファス・レヴィも、一時期、たしかにこのグループの周辺に属していた風変りな人物なのであった。

エリファス・レヴィは従来、その生涯の後半期に書いた『高等魔術の教理および儀式』二巻によって、ユゴー、ボードレール、ランボー、リラダン、マラルメ、イエイツ、ジャリなどの象徴派詩人から、さらにジョイス、ヘンリー・ミラー、アンドレ・ブルトンなどの現代作家にまで絶大な影響をあたえた、十九世紀最大の隠秘学者(オカルティスト)として知られていた人物であるが、最近のボードレール学者たちの研究では、その独特なコレスポンダンスの理論によって『悪の華』の詩人に詩的霊感の源泉を提供した、小ロマン派中の異彩としても見直されるようになってきている。

ボードレールが『悪の華』の有名なソネットを書くに当って、その主題や内容を多くの先人たち、たとえばフーリエ、スウェーデンボルグ、ネルヴァル、ラヴァーテル、サン・マルタン、レティフ・ド・ラ・ブルトンヌたちから借用したらしいということは、現在では半ば文学史の常識となっている。むろん、それによってボードレールの作品の価値が減ずるということはあり得ないだろう。ところで、一九三五年にジャック・クレペが偶然に発見したという、一八四四年当時ボードレールが寄稿していた無署名共同執筆のゴシップ専門小冊子『パリ劇壇艶話』には、ボードレール自身の筆によると思われる、暗にエリファス・レヴィを諷した噂話や皮肉な戯文が多く載っていて、ボードレールがその頃、すでにレヴィを知っていたにちがいないことが証明されているのだ。のみならず、同じ題名の「コレスポンダンス」以外にも、『悪の華』のなかの数篇(たとえば「あまりにも陽気な女に」「午後の唄」「高翔」など)に、明らかにレヴィの詩と同じ調子のものを見出すことができるとクレペは指摘している。どうやら詩人はレヴィの着想をちゃっかり頂戴していたらしいのだ。

のちにボードレールが『高等魔術の教理および儀式』(一八五六年)を読んでいたのは確実で、たとえば一八五九年のプーレ・マラシ宛ての手紙には、「あなたの二つの拳固に磁気流体を満たし、それで交互に力いっぱい背中と太陽叢をたたきなさい。それは呪いの一種と見なされるはずです。『高等魔術の儀式』によれば、強い意志をもってする呪いはきっと成功するのです」とある。ボードレールが晩年、いかに魔術や隠秘学に凝っていたかについては、ジョルジユ・ブランの興味ぶかい研究（『ボードレールのサディズム』一九四八年）がある。

前にも述べたが、ロマン派や象徴派の詩人たちがいずれもレヴィの影響を受けていたのは驚くべきほどで、たとえばオーギュスト・ヴィアットによれば、ユゴーの『サタンの終り』（一八八六年）には明らかにレヴィの『自由の誓約』（一八四八年）の反映が認められるという（『ヴィクトル・ユゴーとその時代の幻想家たち』一九四三年）。またヴィリエ・ド・リラダンは一八六六年九月十一日付の手紙で、マラルメに『高等魔術の教理および儀式』を読むことをすすめている。そのためか、マラルメは隠秘学によって決定的な影響を受けた模様で、のちのヴィクトル・エミール・ミシュレ宛ての手紙には、彼から『芸術における秘教』（一八九〇年）を贈られたことを感謝している（シャルル・シャッセ『マラルメの鍵』一九五四年）。ついでに述べておけば、ヘンリー・ミラーは『わが人生の読書』（一九五二年）のなかに、レヴィの『魔術の歴史』をたびたび引用している。

エリファス・レヴィというユダヤ風の名前は、魔術師として転生してからの晩年の彼の筆名であって、若い頃の彼の本名はアルフォンス・ルイ・コンスタンである。アルフォンス・ルイをヘブライ語に翻訳すればエリファス・レヴィとなる。もしクレペの言う通り、コンスタンが当時の「最も珍奇にして典型的な人物の一人」であったとするならば、今後、文学史の領域で、この人物がもっともっと研究されなければならないのは申すまでもあるまい。単にボードレールとの関連からのみならず、また一八三〇年代から一八四〇年代へかけての、当時のロマン主義的精神風土の底流を知る上にも、この人物ほど貴重な資料を提供してくれる人物は少ないかもしれないのだ。それというのが、彼は七月王政に裏切られた小ロマン派の心にわだかまっていた、夢や希望や怨恨やユートピア願望や、神秘主義的衝動や終末思想や社会主義への接近や、その他ありとあらゆるものを一身に兼ね備えていた、まことに複雑きわまる人物だったからである。

私には、コンスタンの「コレスポンダンス」(それは『三つの調和』と題された、一八四五年刊行の詩集に含まれている)が、それほどボードレールの詩によく似ているとも思われない。芸術的見地から見て、後者の方がはるかにすぐれているのは論を俟たぬであろう。なるほど、象徴だとか、自然の語る言葉だとかいった、精神界と物質界とのアナロジーに関する表現があることはある。しかし後者の洗練された感覚的表現にくらべて、前者のそれは、あまりにも観念的、宗教哲学的であり、情緒的なふくらみに乏しいのである。詩形やレトリックの美しさにいたっては、両者のあいだに大きな隔りがあることを認めないわけには行くまい。調和もアナロジーも、すでに彼の先輩フーリエのユートピア哲学にある観念で、エリファス・レヴィがフーリエの影響を受けていたことは確実と見られるが、それがいつのことかは明らかにされていない。

フーリエにしても、ネルヴァルにしても、レヴィにしても、またのちにふれる予定であるが、奇怪なエヴァディスム(エヴァとアダムとを合成した語)なる新宗教を興したガンノーなる人物にしても、彼らが多かれ少なかれ、終末思想とユートピア的夢想と、また女性崇拝の共産主義的思想をいだいていたということは、私にはきわめて意味ぶかいことのように思われる。クルティウスによれば、「メシア思想と黙示とに沸きたつ時期には、生気のない象徴的形姿が新らしい生命に満たされることがある、ちょうど血を吸った亡霊のように。このような時期をフランスは七月革命の前後に体験した」（『ヨーロッパ文学とラテン中世』一九四八年）と。一八三〇年代の裏切られた青年層の心には、裏切られたとはいえ、おそらく現代の私たちよりはるかにもっと、歴史への信頼と未来への希望と、それに伴なう豊かな詩的感覚的ヴィジョンとが、なお余燼（よじん）のように燃え残っていたのであろう。神秘主義的社会主義者たることは、ほとんどロマン主義者たることと同義であったのではないか、とさえ思われるほどである。

一八五一年を境として、アルフォンス・ルイ・コンスタンはエリファス・レヴィに変貌する。その後自分で名前を変えたくらいだから、そこにはある種の人生裁断の決意があったにちがいない。当時、レヴィは四十一歳、ランボーの青春の神話には及ぶべくもないが、彼にも彼なりの悔恨や諦念があったことであろう。一八五一年以前の彼はロマン主義詩人であり、神秘主義的社会主義者であった。一八五一年以後の彼は隠秘学者（オカルティスト）であり、魔法道士（マージュ）である。レヴィもやはり叛逆と挫折の世代だったのだろうか。私には、この彼の思想的変貌が、何かを暗示しているように思えてならないのである。

*

一八一〇年、パリで生まれたアルフォンス・ルイ・コンスタンは、貧しい職人の一家の一人息子であった。少年時代は病気がちで、すでに超自然的な感覚に恵まれてもいたという。十二歳で最初の聖体拝受のとき、はっきりと無限の感覚を味わったと、後年みずから語っている。頭がよく、善良な子供で、ゆくゆくは司祭になることに決められていた。十五歳で聖ニコラ・デュ・シャルドネ神学校に入学したが、そこの校長のフレール・コロンナ師は動物磁気学の研究家で、ヨアキム的終末思想の持主で、その若い弟子に大きな感化を及ぼした。またコンスタンはヘブライ語や哲学を勉強して、神学研究のために名高いパリの聖シュルピス神学校に再入学した。そこで彼は、十七世紀の聖シュルピス会の創立者オリエ師の著作に親しみ、後年まで彼の精神をとらえて離さなかった、あの熱烈な聖母崇拝、女性崇拝の秘義を学んだ。しかし聖シュルピスの神学教育には満足せず、自分だけの独学で、あらゆる宗教を統一する原理を見出そうと努力したという。

それでも一八三五年には、二十五歳の若さで助祭に任命されて、コンスタンは聖シュルピス教会の伝道師となった。その翌年、最初の危機が訪れた。彼はアデール・アランバックという若い娘に恋をして、神学校を飛び出し、助祭職を棒にふってしまうのである。一人息子の暴挙に落胆して、このとき、彼の母親は自殺したと伝えられる。

その後の三年間は、いわばコンスタンの遍歴時代である。彼はサンディカリズムと女権運動の女闘士フロラ・トリスタンに会い、その女性崇拝熱をいよいよ煽り立てられるとともに、初めて社会主義思想への目をひらかせられる。次には詩人で社会主義者のアルフォンス・エスキロスと交遊し、彼の手引きで小ロマン派の文学サークルに出入りするようになる。前述のごとく、小さなグループを組織して、奇怪な女性崇拝の宗教を主宰していた彫刻家マパ・ガンノーに彼が近づいたのも、たぶん、この時期のことであろう。

ガンノーが自分の名前としていたマパは、マーテル（母）とパーテル（父）の最初のシラブルを合成したものである。その新宗教エヴァディスムの教義は、偉大なるエヴァ（フランス）の苦悩と偉大なるアダム（キリスト）のそれとが合体して、やがて人間的統一を形成するであろうという、一種の終末論的ヘルマフロディズムの教義であった。その異端的な匂いのする教義に、一時、七月王政下の警察が目を光らせたこともあったが、信者はそれほど集まらなかったようである。レヴィの伝記を書いたシャコルナックの意見によると、このガンノーをバルザックに紹介したのがコンスタンであったという。そう言えばバルザックの「セラフィータ＝セラフィトゥス」の原理には、スウェーデンボルグの天使についての論もさることながら、このガンノーの両性具有神崇拝の教義も反映しているのではあるまいか、と思われる。

私は、フーリエの共産主義的セックス解放および女性共有の思想と、ネルヴァルの大地母神イシス崇拝と、バルザックの「セラフィータ＝セラフィトゥス」原理と、レヴィの救済者としての聖母崇拝と、さらに現代のアンドレ・ブルトンの妖精としての女性崇拝とを、それぞれ比較検討してみたら面白かろうと思う。いずれも終末論ないしユートピアと密接な関係があるのである。

さて、一八三九年に、コンスタンはふたたび信仰に立ち返ろうとし、心機一転してソレームのベネディクト派修道院に滞在する。同時に彼の処女作『五月の薔薇の樹』が出るが、これはマリア崇拝の伝説集のようなもので、やはり神秘主義的色彩の濃厚なものだ。それも道理で、この頃、彼はソレームでフェヌロン、ギュイヨン夫人らの静寂主義の著作に耽溺(たんでき)し、やや後には、クリューデネル夫人の敬虔主義にも手をのばしていたのであった。そのためか、彼は当時のカトリック教育の大立物デュパンルーから、修道院への入院資格を拒否され、失望してジューイの村にしりぞき、村の学校の生徒監になる。この村で書き上げたのが、彼の最初の革命的著作『自由の聖書』である。これはラムネーやカベーの社会主義の教典と同じく、聖書から革命的な教訓を引き出したものである。もっとも、コンスタン特有の神秘主義的な愛の理念は残っている。

　この書物の公刊のために、コンスタンは「聖書の教えを不法に誤り伝えた」ものとして、八ヵ月の禁錮と三百フランの罰金刑を受け、著書の全部数を押収されることになった。かくてサント・ペラジーの獄に収監される身となったが、獄中で旧知のエスキロスに再会し、またラムネーと知り合い、スウェーデンボルグの書物を教えられて、その深遠な哲学の影響を深く蒙(こうむ)った。彼がさまざまな隠秘学の著作、ギヨーム・ポステルやラモン・ルルやアグリッパ・フォン・ネッテスハイムなどの書物に親しみ出したのも、この時期のことと推定される。
『女の昇天あるいは愛の書』の出たのが一八四一年である。この書物のなかでは、社会的地位が低く、圧迫に苦しんでいる女が、そのまま人類の救い主たる十字架のキリストと同一視されて、相変らずの奇妙な女性崇拝思想が展開されている。『ロマン派的幻視者エリファス・レヴィ』(一九六九年)の著者フランク・ポール・ボウマンのごときは、レヴィを「リュトブーフからクローデルにいたる文学的聖母崇拝者」の系列に位置づけているほどだ。アンドロギュヌスと処女性の賞讃によって、この書物は終っている。一部を次に引用しよう。

「人類の大家族が女を女王とし母とするとき、幼い子供が愛撫に飢えることはもはやないであろうし、弱者がパンに欠乏することもなくなるであろう。キリスト教の象徴は慈愛なるものを、乳に満ちた乳房のまわりに群がる多くの子供を抱きしめた、一人の女の姿によって表わしている。新らしき社会はかくなるべきであろう。キリストの言葉によって、両性はもはや一つでしかなくなり、偉大なアンドロギュヌスが創造されるであろう。人類は男であるとともに女、愛であるとともに思想、優しさであるとともに力、美であるとともにエネルギーとなるであろう。」

私たちが理解に苦しむのは、彼が牢獄を出ると、それまでの社会主義的学説をあっさり否認して、またもやエヴルーの司教に近づき、画家を職業として、宗教画を描くようになったということである。彼の描いた「橄欖園(かんらん)のキリスト」の絵が、現在でも一枚だけアヴェロン県のシルヴァネス教会に残っているそうであるが、この絵のテーマはロマン派の気に入りのものであり、コンスタンは文筆と同じく画業にも長けていたようだ。アレクサンドル・デュマの小説の挿絵を描いたり、そのほかにも多くの宗教画を手がけていたらしい。

もっとも、こうして信仰に立ち返ったとはいっても、彼の思想は到底、カトリックの正統派に合致するものではなく、その後三年の沈黙を経て、彼が一八四四年に刊行した『神の母、宗教的人道主義的叙事詩』は、彼とカトリック教会との関係を永久に断ち切ることになった。これは三部に分けられ、第一部が聖母マリアの福音あるいは社会主義の約束、第二部が最後の審判あるいは革命の終末論、そして終章が黙示録後の新世界、ユートピアのヴィジョンをそれぞれ叙している。レオン・セリエは、この散文で書かれた幻想的な叙事詩を、バランシュやアレクサンドル・スメやユゴーのそれと比較して推奨しているが、私も、その一部に目を通した限りでは、その豊かな詩的想像力とロートレアモン的メタモルフォーシスの奔放自在さにおいて、これは現在でもなお一読に値するものだと思う。おそらく、コンスタンの最良の作がこれであろう。

コンスタン自身は、この叙事詩が最も正統的なカトリック信仰を表明したものであることを主張しているが、教会側がこれをそのまま受け入れるはずはなかった。エヴルーの司教は、彼に退去を命じた。こうした彼の教会との関係を見ていると、はたして彼の言動にどれだけの誠意があったのか、疑いたいような気持にもなってくるのはやむを得まい。しかしとにかく、これで教会との関係は完全に切れたのである。

この時から、彼の新らしい生活がはじまる。すなわち、彼は特別教授によって生計の資を得て、大いに書きまくり、次々に本を出版するのだ。一八四五年には三冊の著書が出ている。その一つは、革命家から転じて神秘主義者になったイタリアの詩人、シルヴィオ・ペリコの影響のもとに書かれた『聖体祭あるいは宗教的平和の勝利』であり、もう一つは、きわめてスウェーデンボルグ的であるとともに、ラムネーやクリューデネル夫人から得たものがはっきり現われており、しかも終末論的、女性崇拝的な関心がいよいよ神秘主義の色調に濃く染め出されている『涙の書あるいは慰安者キリスト』であり、そして最後の一つは、彼のいちばん有名なロマンティシズムの書であり、哲学的詩集とも言うべき『三つの調和』である。この最後の詩集のなかに「コレスポンダンス」が含まれていることは前に述べた。

一八四六年には、社会主義の出版者として知られたル・ガロワの手で、『最後の化肉、十九世紀の福音主義的伝説』が刊行される。これはキリストが社会主義の思想を表現するために、近代のパリの町にふたたび現われるという設定の物語で、のちにフローベールが試みたテーマでもあった。

同じく一八四六年、当時三十六歳のコンスタンは、自分が教えていた十七歳の女子学生で、クロード・ヴィニョンなるバルザック的な筆名のもとに絵を描いたり文筆を弄したりする、マリー・ノエミ・カディオという娘と結婚している。この結婚から、女の子がひとり生まれたが、夫婦生活は必ずしも幸福ではなかったようだ。妻の不貞が原因で、コンスタンは彼女と離婚している。そもそもコンスタンがノエミと結婚したのは、彼女の母親で女子寮の監督をしていたユージェニーという女に、彼が惚れたのが原因だったらしい。ところが、母親よりも早く、コンスタンに恋していたその娘が、家を飛び出して男と同棲してしまった。そのとき母親は妊娠しており、コンスタンは娘の父親に迫られて、責任をとるために娘と結婚することを承知したのだという。最初から、いかにも不自然な結婚だったわけである。魔法道士として後世に名を残した人物としては、コンスタンの私生活はまことに平凡である。自宅では彼はバルザックのように、いつも僧服を着ていたという。

その後も旺盛な筆力で本を書きつづけるが、一八四八年の社会的動乱は、彼を政治の世界の論戦の渦中に捲きこみ、この期を境として、彼の文学的著述はようやく終りを告げるのである。彼の社会主義的著作の最後のものは、この年の七月に出た『自由の誓約』である。

二月革命後、コンスタンは、ジョルジュ・サンドのように、あるいはラムネーのように、徐々に政治から顔をそむけはじめる。まずミーニュ神父の印刷所で、ほとんどコンスタン自身の思想の辞典である『キリスト教文学辞典』なるものを作成する。やがて隠秘学の魅力に抗しがたく、ポーランドの著名な神秘主義者で、バルザックの『絶対の探求』の構想にヒントをあたえたと言われる、ホエネ・ウロンスキーの義弟にあたるモンフェリエとともに、「進歩的評論」なる雑誌(政治的色彩は全くない)を創刊する。こうしてコンスタンは一八五三年、その名前を変え、新たに魔法道士エリファス・レヴィとして生まれ変るのである。

その翌年、レヴィは英国に渡り、やはり隠秘学の魅力にとり憑かれていた小説家のバルワー・リットンと相識り、彼の属していた英国薔薇十字協会に加入して、その影響を決定的に受けることになる。ロンドンにおけるリットン卿の実験室で、レヴィが口寄せ（ネクロマンシー）の儀式により、テュアナのアポロニオスの霊を喚び出したという話は、彼が自分で『高等魔術』のなかに報告している。真偽のほどは保証しがたい。そのほか、彼がロンドンで識り合った隠秘学の道士には、たまたまローマ法王庁から異端の宣告を受けて、国外追放の憂目にあっていたリヨンの慈善カルメル会の教祖、ユジェーヌ・ヴァントラス師があった。

英国からフランスへ帰って、この地に薔薇十字団を再建したのもレヴィであった。薔薇十字の理想は、やがてみずからレヴィの弟子をもって任ずる、十九世紀後半のフランスの最も偉大な魔法道士の一人たる、スタニスラス・ド・ガイタ侯爵によって受け継がれることになる。

『高等魔術の教理と儀式』二巻が刊行されたのが一八五六年であり、若いランボーがシャルルヴィルの図書館で夢中になって読んだという『魔術の歴史』を含む、彼の『秘教哲学全集』全六巻が逐次刊行されたのが、一八六〇年から一八六五年にいたる期間であった。これは厖大（ぼうだい）な著述であり、扱われたテーマの広さにおいても、引用された人名や書名の数においても、真にこの分野に一新紀元を劃（かく）する隠秘学大全と称するにふさわしい労作である。これに匹敵するものといえば、私の知る限り、一八七七年に出たエレナ・ペトロヴナ・ブラヴァツキー夫人の『ヴェールをはいだイシス』全六巻のみではなかろうかと思われる。レヴィが若いランボーの精神の飛躍に力をあたえたように、第二のレヴィともいうべきブラヴァツキー夫人は、一八八〇年代におけるイエイツの精神的指導者であった。

ただ、この独創的な『高等魔術』や『魔術の歴史』には、しばしば著者の個人的な見解や、根拠のない伝説や、大胆かつ恣意的な比較や判断が雑然と混入していて、ともすると資料に基礎をおいた考証や歴史的真実を危うくしている面がないでもない。それが魔術師の魔術師たる所以であると言えばそれまでであるが、歴史研究としての資料的価値は、この場合、ほとんどないのである。したがって、その博大な知識の堆積を、私たちは一種の文学として読むしかない。そこにエリファス・レヴィの書物の面白さもあれば、また物足りなさもあると言えるであろう。そしてアブラハムやオルフェウスや孔子やゾロアストルの教えから、現代の磁気学や交霊説にまで及ぶ彼の博引旁証の事例のなかから、魔術を魔術たらしめる第一原理を引っぱり出すとすれば、それこそアナロジーであり、コレスポンダンスなのである。魔術とは、レヴィの繰り返して主張するところによれば、普遍的なアナロジーの科学なのである。しかも、この魔術の名による一種の諸神混淆(シンクレティズム)を、レヴィは正統カトリックを自称しつつ行うのだから驚くべきである。

レヴィのその他の隠秘学関係の著作としては、『大神秘の鍵』(一八六一年)、『寓話と象徴』(一八六二年)、『精霊の科学』(一八六二年)、それに死後刊行の『壮麗の書』、『大いなる鍵とソロモンの秘鑰(ひやく)』などが知られているが、『高等魔術』のあまりにも高い盛名にくらべれば、それらはいずれも取るに足りないものと言えよう。

エリファス・レヴィは一八七五年、パリで死んだ。享年六十五歳。最晩年は、世間のひとびとから完全に忘れられ、窮迫して八百屋の商売をしていたとも言われる。また死ぬ前に、教会と和解し、サン・フランソワ・グザヴィエ聖堂区の司祭の訪問を受けたとも言われる。

しかし、この一世の隠秘学の大家は、その死後、幾世代にもわたる知識人たちのあいだに、深い潜在的な影響力を及ぼしてきたのであり、今日でも、稀覯本となったその著作を求めるひとびとの数は相変らず少なくないのである。象徴派からシュルレアリストにいたる文学者たちの詩想の源泉に、これほど豊かな哲学的、形而上学的裏づけを提供しつづけてきた思想家が、ヘーゲルでもショーペンハウアーでもニーチェでもなく、却って怪しげな魔法道士たるエリファス・レヴィだったということは、私たちにとって多く考えさせられる問題であろう。

＊

社会主義者コンスタンから魔法道士レヴィへの転身は、これをもっぱら政治的な次元から眺めるならば、明らかに反動化への道程と解することができるであろう。マックス・ミルネルは『フランス文学における悪魔』（一九六〇年）のなかで、主として悪魔観という見地から、この彼の変貌の過程を仔細に跡づけている。

一八五六年、四十六歳で『高等魔術』を刊行したとき、あの自由と愛を熱烈に希求する終末論的ユートピア思想は、すでにレヴィのものではなくなっていた。一八六〇年、レヴィは『魔術の歴史』のなかで、かつて自分を獄に下らしめる原因となった革命的著作『自由の聖書』を、

「若気の過ち」として否定している。第二帝政の権力と無意識に手を結んだ彼は、いまや、一種の神権政治を夢みるにいたったかのごとくである。「自由と権力とを和解させるためには」と彼は書いている、「それらを互いに対立させるべきではなく、それらを互いに支え合うようにしなければならぬ」（『高等魔術』）と。

とはいえ、『高等魔術』の段階では、彼にはまだ自由への共感、叛逆天使ルシフェルへの共感がわずかに残っている。彼はルシフェルを「普遍的な魔力」として、「光をもたらし、燃えながら再生する天使」として表現している。隠秘学の伝承や、近代科学のさまざまな成果や、また彼の同時代人を驚かしていた磁気学や交霊説などの超自然的現象を、その理論のなかにそっくり包括しようとして、エリファス・レヴィは、この「普遍的な魔力」なるものに、きわめて曖昧な定義をあたえることを余儀なくされている。すなわち、彼によれば、この「普遍的な魔力」とは、「万物に沁みこむ流体であり、太陽の栄光から発し、大気の重みと中心の引力によって固定される光線であり、精霊の肉体であり、電磁気的なエーテルであり、生命の輝く熱素であって、古代人がイシスの帯、あるいは尾を嚙む蛇の姿として表現してきたもの」なのだ。

ここでは、悪魔の否定的性格はすっかり骨抜きにされ、いわば無色透明なものにされてしまっている。「古代人が尾を嚙む蛇の象徴によって表わした天体の光（悪魔）は」と彼はさらに書いている、「悪意としても賢慮としても、時間としても永遠としても、誘惑者としても贖主(あがないぬし)としても表象され得る。この光は生命の媒介物であって、善のためにも悪のためにも役立ち、サタンの火の形態としても、また精霊の肉体としても解釈され得るからである」と。かくて叛逆天使の存在は、神そのものの存在と等しく、必要かつ有益なものとなる。

ところで、一八六〇年の『魔術の歴史』になると、かつての革命的理想の名残りとして、わずかに残存していたルシフェルへの敬意が、ことごとく消し去られてしまう。エリファス・レヴィの形而上学は、すでに悪魔を必要としないのだ。悪魔は形而上学的本質としては存在しない、と彼は断言する。彼によれば、悪魔は現象として科学に属するのである。近代の道士は、悪魔を叛逆と増上慢の先祖と見なす学説に対して抗議しなければならぬ。「堕天使に権威を付与することは、神を中傷することにほかならぬ。叛逆天使に尊厳を付与することは、反抗を助長することにほかならず、中世に妖術使と呼ばれていたひとびとの罪を、少なくとも思考の面で犯すことにほかならぬ。」

たしかにマックス・ミルネルの言う通り、「エリファス・レヴィにおけるサタンの、ロマン主義的革命的概念から実証主義的反動的概念への進化には、彼の個人的な政治的選択が影響を及ぼしている」ことでもあろう。しかしまた、悪と反抗のロマン主義的悲劇を克服して、矛盾のない綜合の体系を打ち樹てようと志す者は、いつの時代においても、このような見かけの後退を余儀なくされるものなのではあるまいか。人間の血みどろの歴史から脱出して、魔術の抽象的思弁のなかに安息を見出そうとする者は、よかれあしかれ、このような支配的秩序の合理化にも見えかねまじい、現実の容認にたどりつくものなのではあるまいか。『魔術の歴史』の序文にレヴィは書いている、「この本の著者は、諸君と同じくキリスト教徒である。著者の信仰は、強固な深い確信にみちたカトリックのそれである」と。こういう文章を読まされる限り、レヴィは教会と完全に和解したのだ、と認めざるを得まい。

教会と和解すると同時に、彼は近代の決定論とも和解したように見える。魔術は普遍的なアナロジーの科学であって、神秘主義ではないのだ。彼が「科学」という言葉に固執するのは、同時代人の嗜好に媚びているのではないか、と思われるほどである。『高等魔術』の「結び」の章には、「私の哲学はリアリズムと実証主義のそれである」という言葉さえ出てきて、私たちを驚かせる。アナロジーの科学とは、しかし、それほど奇異なものでもなければ、特別に目新らしいものでもないのだ。フレーザーが『金枝篇』のなかで、呪術の基礎をなす思考の原理として抽出した、いわゆる共感呪術なるものが、これに当ると言っても大して間違ってはいまい。ただ、フレーザーによれば、「呪術は非論理的思考の産物であるから擬科学であり、呪術者には原理的思考がないから、決して科学には達しない」のであるが、レヴィには、少なくともアナロジーを一つの原理的思考に高めようとする努力が認められるのである。要するに、超感覚的本質的な現実(目に見えないもの、無限なもの)と各現象(目に見えるもの、有限なもの)とのあいだには連関があって、両者を結びつける普遍的なアナロジーの法則を発見することが問題なのだ。

「魔術には一つの教理しかない」とレヴィは言う、「それは次のようなものだ。すなわち、目に見えるものは、目に見えないものの発現なのである。あるいは表現を変えれば、完全な言(ことば)は、目にも見えるし感知もし得る物事のなかに、目にも見えず感知もし得ない物事と正確に釣合って存在している」と。

このアナロジーの秘密を手に入れるには、しかしまた、「教理」の知識のほかに「儀式」の実行を伴なうことが必要とされる。『高等魔術の教理と儀式』は、このことを古今東西の事例に照らして詳細に叙したもので、「教理」および「儀式」の二部に分れており、それぞれの部が二十二章から構成されているという、厳密な数のシンボリズムに支配されている。この本のなかで、著者は隠秘学のあらゆる部門、賢者の石の探求や、口寄せ(ネクロマンシー)や、黒魔術や、占星学や、媚薬や、呪いや、卜占などを総点検し、それを実行するに当っての古来の方法を披露する。自然の力、生きた火、天体の光、磁波などと、いろいろな名称のもとに呼ばれてはいるけれども、これらはすべて、唯一なる魔力の異なる発現にすぎず、その一切の活動、一切の作用はコレスポンダンスの原理に拠っているのである。「この力は、メスメルの弟子たちの努力によっては明らかにされなかったとはいえ、まさしく中世の錬金術士が化金石の原料と呼んでいたところのものである。グノーシス派の学者たちは、これを精霊の火の肉体と呼んでいた。夜宴(サバト)や聖堂騎士団の神殿における秘密の儀式で、バフォメットとか両性具有のメンデス山羊とかいった象徴的な形姿のもとに礼拝されていたものも、この力にほかならない。」そして、この力さえ自由にすることができれば、道士(マージュ)は「超人間的に、つまり人間一般の能力を越えたように」振舞うことが可能となるのである。

レヴィの言うように、これが科学と呼べるようなものであるかどうかは別として、少なくとも彼に原理的思考があったことだけは認めねばならぬであろう。彼によれば、魔術は実験に基づいた方法に依存しているのだ。「生命の普遍的な力の存在、生きた火の存在、天体の光の存在は、事実によって私たちの目に証明されている」と彼は言う、「磁気学は今日、古代の魔術の奇蹟を私たちに納得させている。透視力、霊感、急速な治癒、読心術などは、今では確認された事実であり、子供でさえよくこれを知っている。これらは新らしい発見のごとくに思われているが、じつは私たちが久しく失っていた古代人の伝承なのだ」と。

科学はもとローマ教会に伝えられたもので、教会はその秘伝の鍵（ソロモンの秘鑰）を失ってから隠秘学を異端視するようになったのだ、というレヴィの主張は、そのまま科学と魔術、あるいは教会と魔術とを和解させようという方向へ一直線につながるものだろう。「神と理性が私たちと共にあるとすれば、誰が私たちに反対し得るだろうか」とレヴィは『高等魔術』の「結び」の章で昂然と述べている。

しかしながら、レヴィの魔法道士に転身してからの教会と科学への親近を、マックス・ミルネルのように、あまりにも狭い政治的な観点からのみ眺めるのは、やはり重大な片手落ちであろうと私は考えざるを得ない。少なくとも若いランボーを熱狂させ、アンドレ・ブルトンを魅惑したエリファス・レヴィは、そのような固定した体制の擁護者としてのレヴィではなかったはずであるし、科学といい宗教といい、それらはレヴィにあって既成の概念とは全く趣きを異にした、いわば科学を超えた科学、宗教を超えた宗教としての色合いをもつものであったろうと考えられるからである。「科学、それは真理の絶対的かつ全的な所有である」(『高等魔術』)などと定義されるレヴィのいわゆる「科学」が、観察と実験、合理性と実証性を基礎とする近代科学と、大きくかけ離れていることは明らかであろう。超越と綜合へのやみがたい欲求が、レヴィをして、擬科学の領域をも科学のそれに併呑し、擬宗教の領域をも宗教のそれに包括しようという、一大野心を起さしめたのではなかったろうか。彼の若き日のアンドロギュヌス願望やユートピア願望は、彼が道士となってからも形を変えて生き残ったのだ、と見た方が、私には、より真相に近いような気がする。

レヴィの綜合と体系化への欲求がいかに激しく、いかに文体にまでそれが溢れんばかりに鳴り響いているかを知るためには、たとえば次のような『高等魔術』の「結び」からの引用を眺めれば足りよう。

「私は、アレゴリーのおびただしいヴェールで覆われた教理の、普遍的単一性と正統性とを示したのであり、モーセによってエジプトの冒瀆から救われ、預言者の秘伝(カバラ)のなかで保存され、キリスト教の学問によってパリサイ人の隷属から解放された、真理を追求したのである。そしてこの真理に、ギリシア・ローマ文明の詩的にして豊かな一切の憧憬を結びつけ、中世の偉大な聖者やルネサンスの大胆な思想家とともに、最初のそれよりももっと堕落した新らしき偽善(パリサイズム)に対して抗議したのである。すなわち私は、つねに普遍的にして、つねに単一にして、つねに生きている真理、それのみが理性と信仰、科学と服従とを和解せしめるような真理を示したのである。存在によって証明された存在の真理、調和によって証明された調和の真理、理性によって表示された理性の真理を示したのである。」

『高等魔術』が象徴派の詩人やシュルレアリストたちの心を深く捉えて離さなかったのは、さらに言うならば、レヴィにおいて確立された近代隠秘学の道士(マージュ)の理想が、絶対を求める近代詩人たちの理想とぴったり重なり合うような、いわば人間精神の存在様式の変革を予想させるものだったためではあるまいか、と思われる。

前に触れたヴィクトル・エミール・ミシュレ宛ての手紙のなかで、マラルメは、「隠秘学はあらゆる文学がこれに倣う純粋記号の始まりであり、精神の直射なのです」と述べている。倫理と詩法、エティカとポイエシスとを、その根柢において捉える隠秘学の理想が、たぶん、彼ら近代詩人たちの精神を限りなく刺激したのである。

「道士(マージュ)とは」とレヴィは断言する、「じつを申せば、ヘブライのカバラ学者たちがミクロプロソープ microprosope と呼んだもの、すなわち小世界の創造者なのである。魔術の最初の学は自己自身の認識であり、他のすべての事業を包含するあらゆる科学的事業の最初のものは、自己自身の創造(ヽヽ)なのである」と。

この言葉につづけて、さらにレヴィは次のように説明している。すなわち、

「至上の理性は不変の、したがって不滅の唯一の原理であり、変化は私たちが死と呼んでいるものであるから、この原理に荷担し同化するところの知性は、同じく変化せざるもの、したがって不滅のものとなる。つねに理性に荷担しているためには、宿命的かつ必然的な運動によって生と死の交替を生ぜしめる一切の力から、独立していなければならない。耐え忍ぶこと、欲望を断つこと、死ぬことを知ることこそ、したがって、私たちを苦痛や肉欲や虚無の恐怖から免れしめる第一の秘密なのである。」

あるいはまた、次のごとき文章を見られたい。

「道士（マージュ）は女預言者あるいは女透視術者を仲介としたり、自分自身で努力したりして、明晰な状態に到達するならば、天体の光のなかに満ちあふれた磁力の震動を意のままに感知したり、支配したりすることができるようになる。」

「人間はアナロジーによって多かれ少なかれ神の行為をする。だから、人間における神の概念は、つねに人間を無限の神とする無限人のそれである。」

このような精神的訓練による人間の条件からの超脱は、ヒンドゥー教やタントラ仏教におけるヨーガ、密教における観想や即身仏をめざす修行、あるいはグノーシス派のなかの極端な一派に見られる厳格な秘法伝授をただちに想起させるであろう。お望みならば、ニーチェの「超人」、ランボーの「見者」といったイメージをここに付け加えてもよい。レヴィにおける道士（マージュ）の観念は、ほとんど超人のそれにひとしいのである。死滅という生物学的強制法則を道徳的必然性に変えることがニーチェにとって必要だったように、また、行きづまりになった人間認識を錯乱によって打開することがランボーにとって必要だったように、エリファス・レヴィにとっても、超人間的になること、すなわち道士（マージュ）となることが必要だったらしいのである。おそらくここに、絶対を求める象徴主義以後の近代詩人とレヴィとの、認識の共通の地盤を探り当てることが私たちにとって可能となるのだ。

また、本稿の冒頭に提示しておいたように、レヴィを一八三〇年代の小ロマン派中の一異彩として見る立場をとるならば、F・P・ボウマンの指摘のごとく、彼はその僚友アルフォンス・エスキロスやヴィクトル・ユゴーとともに、政治に積極的な関心を示した数少ない文学者の一人だった、と結論することも可能となるであろう。魔法道士として転生したその後半生を後退と見るにせよ深化と見るにせよ、このことは彼の名誉をいささかも傷つけはしないのである。

グザヴィエ・フォルヌレ

──黒いユーモア

「無名の男、グザヴィエ・フォルヌレ。この名前は、われわれが迷いこんだ森のなかの大木に、その頭文字を残しさえしなかった。この森の縁には、しかし、あの間抜けなラシーヌの等身大の彫像があり、あの愚劣なラマルティーヌの大理石の霊廟があり、そしてあのボードレールの侮辱者たるポール・スーデー氏が、時の色をした肥料の堆積を運びこもうとしているのである。」

「フォルヌレよ、きみは誰なのか？　この質問に対して、彼は一篇の詩をもって答えている。すなわち『恥を知る貧乏人』と。」

「フォルヌレとは誰か？　われわれは知らない。彼は『黒い男』だ。われわれが彼に出会ったとき、『月は照り、露が置いていた』。そして愛の声である聞いたこともない一つの声が、天と地とを引き裂いていた。フォルヌレとは？　われわれが闇のなかで出会い、その手に接吻した一人の男にほかならない。」

一九二七年十月一日、「シュルレアリスム革命」誌に載った以上の文章は、いかにも超現実主義詩人の筆になるものらしい昂揚した調子の文章であり、彼らが当時、この自分たちの無名の祖先を発見して、いかに狂喜していたかを示すものであろう。事実、グザヴィエ・フォルヌレは、アンドレ・ブルトンが注目するまでは、どんな十九世紀文学史の片隅にも一度たりとも名前の出てくることのなかった、全く無名のうちに孤立していた一八三〇年代の「小ロマン派」の一人だったのである。

もう十年以上も前、私はフォルヌレの一短篇を翻訳紹介したことがあるが、ブルトンの『黒いユーモア選集』が邦訳されるまでは、おそらく、これがフォルヌレについて日本語で書かれた唯一の文献ではなかったか、と思われる。それは「草叢のダイヤモンド」と題された、文字通り珠玉のような短篇であったが、当時、私はこの翻訳を版画家の加納光於(みつお)氏に読んでもらって、絶讃の言葉を得たという嬉しい記憶があるのだ。(現在、この私の翻訳は東京創元社版の『怪奇小説傑作集　4』フランス篇に収録されている。)

生前からフォルヌレの特異な才能を認め、「フィガロ」紙上に彼に関する長文の紹介記事を書いた、ほとんど唯一の十九世紀の批評家であるシャルル・モンスレによると、一八四〇年にパリの一書肆から自費出版で刊行された、この「草叢のダイヤモンド」の含まれた『失われた時、断片のなかの断片』という題の作品集は、きわめて贅沢な書物で、文字はすべて右ページにしか印刷されておらず、しかも活字が極端に大きく、行間にたっぷり余白があったという。それというのも、フォルヌレはブルゴーニュ地方の古都ディジョンの大ブルジョワの息子で、自分の道楽のためにいくらでも金の使える身分だったからである。ネルヴァルより一年後輩、ゴーティエより二年先輩の一八〇九年生まれであるが、十九歳で莫大な財産を自由にすることができるようになったというから、たとえば同じディジョンの町の出身で、生前に一冊の詩集も刊行せず、パリで悲惨な死をとげた『夜のガスパール』の詩人アロイジウス・ベルトランなどと比較してみると、大へんな境遇の違いである。同じく「小ロマン派」という呼称で一括されても、世に容れられなかった彼らの孤独の質には、それぞれ大きな違いがあったことを認めねばならぬであろう。

ブルトンは、『黒いユーモア選集』に収められたフォルヌレに関するコメントのなかで、フォルヌレとレーモン・ルーセルとの類似を認めているが、それは、この十九世紀の地方在住の大ブルジョワの息子と、二十世紀のパリ生まれの大資産家の息子とが、いずれも生前はほとんど文壇に認められず、もっぱら自分だけのために、贅沢な自費出版で自著を刊行していたということ、また彼らが孤独を好み、金に飽かせて世間の好奇の目を惹くような、ミスティフィカシオンをしばしば行使したということによるであろう。ルーセルは旅行のために、ジプシーの家馬車のような自動車を特別につくらせたというが、フォルヌレのミスティフィカシオンは、いかなる種類のものであったか。これについては、シャルル・モンスレの記事をそのまま引用するのが適当であろう。

「ディジョンのひとびとは、いまだに五幕の散文劇『黒い男』の初演のことを忘れてはいない。それは一八三四年か三五年のことであった。作者はブルゴーニュ地方の裕福な青年であるが、田舎町のブルジョワ生活とは縁のない彼の習慣は、同郷人たちの不信の念を掻き立てるという結果を生んだ。まず服装が彼らと違っていて、これが第一の非難の種であった。すなわち、彼はビロードや外套を好み、奇妙な形の帽子をかぶり、黒と白のステッキをついていた。また彼に関して奇怪な噂がささやかれ、この男はゴシックの塔に住んでいて、一晩中ヴァイオリンを掻き鳴らしているとかいうことであった。こうしたさまざまな理由から、ディジョンのひとびとはグザヴィエ・フォルヌレを警戒していたのだった。だから、『黒い男』の上演が予告されると、彼らの好奇心はにわかに目ざめた。グザヴィエ・フォルヌレ氏は金を使った。上演の前日には、中世の衣裳をした戟槍兵(ほこやり)や伝令使たちが、芝居の外題(げだい)を大書した旗を打ち振りながら街々を練り歩いた。芝居そのものが成功するか否かは別としても、少なくとも大入りを当てにすることはできたわけだ。」

「果して、劇場は大入り満員であったが、『黒い男』は全く成功しなかった。大詰めまで行かなかったとさえ信じられる。かまびすしく野次がとび、暴徒が騒ぎを起したのである。グザヴィエ・フォルヌレ氏はその戯曲を、黒地に白い文字を浮かした象徴的な表紙をつけて印刷させた。それればかりか、彼はみずから『黒い男』という異名を名のり、多くの本をこの名で上梓したのである。同時に彼は、今までより一層型破りな生活に逃避した。この目ざわりな人物は、ひとを傷つけるような角(かど)のある人物ではなかったのに、二十年近くのあいだ、ディジョンとボーヌの住民たちを苛立たせつづけた。地方新聞は好んで彼を笑いものにし、この地方の奇人に彼を仕立てあげた。彼の孤独の生活について、さまざまな解釈が試みられ、幾度となく訴訟やスキャンダルが起ったが、グザヴィエ・フォルヌレ氏は終始これに対して頑強に抵抗した。たった一人ですべてを敵にまわしたこの闘争、この喧嘩の話をするには、小説の形で書いた方が書きやすいかもしれない。最初はつまらぬ喧嘩であったが、それはだんだん厄介な揉め事に発展したのである。」(「フィガロ」一八五九年七月二十六日)

モンスレの記事の引用はこの辺でやめておくが、こうして見ると、どうやらフォルヌレの横紙破りの奇矯な生活態度には、あの『ヴァテック』の著者たる十八世紀末のイギリスの文人、ウィリアム・ベックフォードのそれを思わせるものがあったようである。それは一口に申せば、実生活と文学とが混り合って、いつしか自分でも判然と区別することが不可能になってしまったかのごとき趣きのある、ダンディズムとミスティフィカシオンの抜きがたい趣味である。彼がいかにスキャンダル好みの自己韜晦家だったかを知るには、その作品にみずから冠した題名、たとえば『そして月が照り、露が置いていた』『無一物、貧乏人のために』『詩でも散文でもない水蒸気』『無題のもう一年間』『わが私生児に』などを見れば十分であろう。まるでシュルレアリストの詩集の題名のようではないか。

一八四〇年にパリで刊行されたアフォリズム集『無題のもう一年間』には、リトグラフによる著者の肖像画が挿入されていて興味ぶかい。『黒いユーモア選集』に挿入された複製と同じものであるが、その肖像画のなかのフォルヌレ氏は、襟の広い、胸飾りのついた黒いフロックコートを一分の隙もなく着こみ、首が見えないほど高く、同じく黒のクラヴァットをぴっちりと巻きつけ、いかにも『黒い男』の異名にふさわしく、全身黒ずくめの異様な服装である。ぴったりと撫でつけた髪、薄い唇、遠くを見ているような焦点の定まらぬ眼、そして全体の繊細な皮肉な顔つきは、見る者を何がなし面くらわせるような、まさしくミスティフィカトゥールの相貌と称してよいものだろう。この肖像画は、彼の書くものと正確に符合した、いわば彼の精神の証跡なのだ。

ブルトンも正しく認めているように、たしかにフォルヌレの作品は、「相も変らぬ奇を衒った表現が、しばしば思想の貧困をさらけ出して、真に独創的な発想と全く無駄な繰返しとが隣り合い、崇高と愚劣が競い合うといった、極端にむらのある」ものである。しかも、彼の得意のアフォリズムのなかには、しばしば当時のコンフォルミスムと妥協したかのごとき、安易な道徳感情とセンティメンタリズムの芽が顔をのぞかせていて、私たちを失望させるような要素がないとも言えないのである。彼が鳴物入りで自分の芝居を上演したり、鬼面ひとを驚かす風変りな印刷術によって自著を刊行したりしたという事実は、一見したところ、彼が大衆の注目を惹くことを狙っていたとも考えられる。しかしシャルル・モンスレが回想している、次のようなフォルヌレの自著に関する新聞広告を読まされると、もしかしたら、彼は自分の本が大衆のあいだに広く読まれることを望んでいなかったのではないか、とも考えられるのだ。「グザヴィエ・フォルヌレ氏の新著は、印刷者にその名前と住所を送付した者に限り、著者みずからその申し込み書を審査した上で配本される。」

こんな人を食った、わがままな本の売り方は、現代のジャーナリズムではとても考えられないだろうが、しかし、ひるがえって考えてみるならば、これこそ本当の本の売り方ではあるまいか、とも思われる。すなわち著者は、読ませたくない人間に読ませる必要はないのであり、読者は、いやしくも本を読もうとするならば、著者の気に入るような人間にならなければならないのである。このフォルヌレの考え方は、はたして倒錯であろうか。私には、一概にそうとも断言しかねるのである。

＊

グザヴィエ・フォルヌレの処女作は、たぶん、一八三四年、彼が二十四歳当時に出版した五幕の悲劇『二つの運命』であろう。その翌年に出版された（いずれもパリである）一幕の喜劇『二十三歳と三十五歳』と、やはり同年に刊行された『黒い男』とを含めて、彼の文学的生涯の第一歩を示す三作は、いずれも戯曲作品である。しかしモンスレの意見によれば、フォルヌレの才能の見るべきものは、これらの戯曲作品のなかにはないのである。モンスレもその面白さを認め、ブルトンも『黒いユーモア選集』のなかにその幾つかを引用しているのは、一八三八年と一八四〇年の二度にわたって刊行された、姉妹作品ともいうべきフォルヌレの二つのアフォリズム集『無題』および『無題のもう一年間』である。

これらの二作品は、いずれも「白い顔の黒い男作」という副題がついており、判型は大型の八折判で、活字も大きなロマン字体であるから、きわめて贅沢なものだ。箴言は散文で書かれたものもあれば、詩の形で書かれたものもあり、全体が一月から十二月までに分れていて、それぞれの月に数篇ないし十数篇の箴言を収めている。『無題のもう一年間』という題名の因って来るところは、この構成にある。

前にも述べたように、このフォルヌレの箴言のなかには、著者のセンティメンタリズムと通俗道徳が露骨に見え透いていて、まことに月並な感を免れないものが少なからずあるのであるが、稀には、かのドイツのゲオルク・クリストフ・リヒテンベルクのそれにも比すべき、詩的直観の冴えとアナロジーの警抜さを示しているものがある。今、それらのなかから、とくに私の目にとまった幾つかのものを引用してみよう。（ただし、ブルトンが引用しているものと重ならないように注意しながら。）

「己惚れは人間の心の鍵穴だ。お世辞がその鍵だ。」

「謝肉祭（カルナヴァル）のとき、ひとはその仮面の上にボール紙の顔をつける。」

「思考とは精神を刺す蚊である。」

「柩（ひつぎ）は死者たちのサロンだ。彼らはそこで蛆虫のお客を迎える。」

「未来とはガラスの欠けた鏡である。」（以上『無題』より）

「空虚の充実を、そして充実の空虚を信じたまえ。」

「なぜ人間は昼間よりも夜のあいだに多く死ぬのか。吝嗇（りんしょく）家がその財宝をかくすからだ。」

「しばしば言われることだが、もし神が遍在しているのならば、人間はどこにいればよいのだろうか。」

「十五歳の女は母親を怖れ、二十五歳の女は世間と雨を怖れる。三十五歳の女は、――死ぬこと以外に何も怖れない。」

「霧は太陽のコケットリーである。」

「もっとも悲しいことの一つは、人間それぞれに名前があると考えることだ。それは《お前はおれの兄弟ではない》ということを意味するのだ。」

「大きなサロンは解剖教室だ。そこに動きまわっているのは外科医たちだ。そこで切り刻まれる屍体は、感情という屍体だ。」(以上『無題のもう一年間』より)

一月から始まり、十二月にいたって、「終り」という言葉が出てくるが、その「終り」の次のページから、さらに「終りの後」という、補足的な二十篇ばかりのアフォリズムを含むページが続いているので、読者は狐につままれたような気持になる。最後に全巻を締めくくる文章は、次のごときものである。

「さて、読者よ、いよいよおさらばだ。今度こそ、これですべてだ。しかしやがて、私は二部作の書物のなかで、ひとはいかに相手が生きているあいだ愛することができるか、また死んだ後に愛することができるかについて、ふたたび諸君に語ることになろう。この書物の最初のものは『空虚な柩』と題され、あとのものは『満ちたる柩』と題されることになる予定である。」

この著者によって予告された二部作は、しかし、ついに実現されなかった模様である。

戯曲とアフォリズムを試みた後に、フォルヌレは詩を書き出した。これが一八三八年に刊行された『詩でも散文でもない水蒸気』という、八篇の詩を含んだ、まことに奇妙奇天烈な題名の詩集である。「狼狂ペトリュス・ボレルの大胆さや、ラッサイーの狂言綺語については、すでに多くのことが語られた。しかし、グザヴィエ・フォルヌレ氏によって、それらはすべて乗り越えられた」とシャルル・モンスレが述べているように、またアンドレ・ブルトンがサン・ポル・ルーやロートレアモンを引き合いに出して語っているように、フォルヌレの詩は、そのイメージにおいても語法においても、彼の作品中もっとも不羈奔放なものである。

私は、この『詩でも散文でもない水蒸気』に含まれた「恥を知る貧乏人」という詩を、やはり十年以前、拙著『サド復活』（一九五九年）のなかに訳出して紹介したことがあるけれども、今、それをふたたびここに再録してお目にかけたいと思う。

穴のあいたポケットから
引っぱり出して、
目の前に置いた。
つくづく眺めて、
「かわいそうに！」と言った。
湿った口から
息を吐きかけた。

ふっと心をとらえた
おそろしい考えに、
ぞっとした。

溶けて流れた
氷の涙で
濡らしてやった。
大市場よりもっと
隙間だらけの部屋だった。

ごしごし擦ってやったが、
一向に温まらず、
ほとんど感覚も失せていた。
刺すような寒さに
かじかんでいたからだ。

ある思いつきを吟味するように

宙にかざして
吟味した。
それから針金で
寸法を測った。

皺の寄った唇で
触れてみた。――
物狂おしく
こう叫んだ、
「さようなら、接吻しておくれ！」

唇に押しつけた。
それから　捩子（ねじ）のゆるんだ
重苦しい音を出す
腹の時計の上で
組み合わせた。

殺すことに意をきめた、
片一方の手で
そっと触れた。
――そうだ、たとえ一口でも
腹の足しにはなるぞ。

ぽきりと曲げた、
へし折った、
目の前に置いて、
ちょん切った、
水で洗って、
運んで行って、
こんがり焼いて、
食ってしまった。

――まだ子供のころ、彼はよく聞かされていたのだ、
「ひもじくなったら、片方の手を食うがいいよ」と。

この詩は、まさに人肉嗜食(アントロポファジー)の「黒いユーモア」を絵に描いたような傑作で、かのスウィフト、サド、ボードレール、あるいはスタンリー・エリンのそれに匹敵する、この分野のもっとも重要な作品たる地位を失わないであろう。周知のように、スウィフトは『貧家の子女を社会的に有用ならしめんとする方法についての私案』において、アイルランドの貧乏人の赤ん坊を料理して食うことをすすめ、サドは『ジュリエット物語』において、若い女の肉だけを食うことを習慣としている、アペニン山脈の食人鬼ミンスキーの肖像を描いてみせたのである。またボードレールは写真家ナダールに向って、ある日、だしぬけに「僕と一緒に子供の脳漿を玩味してみないかね。聞くところによると、それは榛(はしばみ)の実の味がするそうだが」と言ったのであり、スタンリー・エリンは『特別料理』において、古馴染みの客の肉を料理して出すレストランの物語を構想したのである。人肉嗜食が「黒いユーモア」と密接な関係を有しているのは、申すまでもなくそれが社会学的、心理学的に見て、近親相姦などと全く同様に、種族の願望を具現した一つの禁忌(タブー)だからにほかならないが、とくにフォルヌレの詩の場合に特徴的なのは、それが反転して自己自身に向っているということ、すなわち、内向人肉嗜食(エンド・カンニバリズム)の傾向を示しているということであろう。おそらく、これはナルシシズムに関係があるはずであり、そういえばベラ・グランベルジェ博士の『ナルシシズム』(一九七一年)にも、この詩が引用されているところをみると、症例としても珍らしいものなのかもしれない。

さて、一八四〇年にいたって、『詩でも散文でもない水蒸気』につづいて上梓されたのが、今度は散文集である『失われた時、断片のなかの断片』であった。フォルヌレの作品集としては、かなり大部のものであるが、前にも述べたように、余白が多く、しかも右ページにしか文字が印刷されていないという特殊性のため、ますます大部のものとなったようである。それは七篇の短篇小説から成っていて、それぞれの題名を示せば、「夢」「アラブリュンヌあるいは夕の貧者」「白痴とハープ」「二つの眼のあいだの一つの眼」「絶望」「草叢のダイヤモンド」および「パリの九時に」である。乞食や貧乏人や自殺者をテーマとした、おしなべて暗い、悲惨な、死のイメージにつきまとわれた物語ばかりであるが、そのなかでも、「怪奇、神秘、やさしさ、恐怖が、かくも強く一本のペンの下に結婚したことはない」とモンスレをして讃歎せしめた、二十ページにも満たない珠玉の名品「草叢のダイヤモンド」は、現在では、多くのフランス幻想小説アンソロジーに採択されて、かなり人口に膾炙するようになっているはずの物語だ。その邦訳があることは、前に述べた通りである。

私のひそかに考えるのに、フォルヌレには、ユーモアやイロニーの効果を伴なった、悲惨なことや残酷なことを好んで筆にする傾向があるけれども、その魂のもっとも深い部分には、天上的な純一無垢な愛に憧れる、ノヴァーリス風のロマン派的心情が横溢していたのではあるまいか。そう言えば、彼の作品には、子供や貧乏人がよく出てくることにも注目したい。自分は大金持の資産家であったのに、彼のなかには、つねに無一物の清浄な心境を羨む気持があったように見受けられる。『マルドロールの歌』の恐怖動物誌のリストを作成したのはガストン・バシュラールであったが、フォルヌレの詩や小説にも、多かれ少なかれ象徴的な動物の姿がちらちら出没するのが見えるようである。子供、動物、貧者、恋する女、――これらはいずれも単純性の美徳を具えた者たちだ。何なら無垢の美徳と言ってもよい。

「草叢のダイヤモンド」は、恋する女の運命の悲劇を、きわめて詩的象徴的な構図のなかに、ぴったりとおさめた佳作である。

物語の筋は単純そのもので、ある若い女が媾曳のために、荒れはてた庭のなかの一軒の廃屋を目ざして駈けて行く。そして、ようやく廃屋にたどりつくと、恋人の姿はどこにも見えず、いつまで待っても恋人は現われないのである。そのとき、草叢の螢（ダイヤモンド）が突然、黄色くなる。螢が黄色くなるのは、人が変死する前兆なのだ。むろん、若い女はそのことを知らないが、何となく、はげしい胸騒ぎに居ても立ってもいられなくなり、「ああ、あの方は亡くなったのかもしれない！　今にも亡くなろうとしているのかもしれないわ！」と叫ぶと、いきなり、その場を逃げ出すのである。そうして「駈けに駈けて、ばったり倒れたのが、今しも何者かによって殺められたばかりの、恋人の身体の上であった。」その翌日、彼女は同じ場所で、毒を仰いで自殺する。「死んだ男のために全身黄色くなっていたこの螢は、翌日の同じ時刻に、今度は女のために黄色くなった。」……

読者である私たちには、この女の恋人が、どういう理由で、どういう方法によって殺害されたのか、全く解らない。しかし、そんなことは問題ではなくて、ここで重要なのは、もっぱら若い女の恋人に捧げる一途な愛の激発であり、彼女の不安な予感であり、恐怖であり、廃園であり、廃屋であり、夜であり……要するに運命の悲劇の雰囲気そのものなのである。この一作に関する限り、フォルヌレの散文家としてのスタイルも申し分ないように思われる。ジャン・パルーが適切にも述べたように、それは「まさに散文の彫金術」(アンソロジー『怪奇な物語』の序文、一九六三年)なのだ。

マルセル・シュネデールによれば、「草叢のダイヤモンド」は「詩的幻想のもっとも貴重な、もっとも感動的な例」(『フランス幻想文学』一九六四年)であり、ピエール・カステックスによれば、フォルヌレはこの作品において、「同時代の他のいかなる作家よりも高く深い、悲劇の特質に達したように思われる。」(『ノディエからモーパッサンにいたるフランス幻想譚』一九五一年)

このように、多くの現代の批評家あるいは文学史家に、その作品の真価を認識させつつあるグザヴィエ・フォルヌレには、かつてシャルル・モンスレが名づけた「無名のロマン主義者」といったような渾名は、すでに捨てなければならない時がきているのではないか、とも思われる。二十世紀ラルースには出ていないが、グラン・ラルース辞典には、彼に関する記事が数行ながら出ているというのも、いかにも彼が、ごく最近にいたって初めて名前を知られるようになった作家だという感をいだかしめるに十分ではあるまいか。

グラン・ラルース辞典のグザヴィエ・フォルヌレの項目には、左の通りに記してある。

フォルヌレ（グザヴィエ）、フランスの作家（ボーヌ生まれ。一八〇九―一八八四）。黒いユーモアと皮肉との混り合った多くの戯曲および数冊の書物（『失われた時、断片のなかの断片』一八四〇）の著者。シュルレアリスムの先駆者の一人と見なされている。

この記事を眺めて、つくづく思うのは、シュルレアリスムならびに「黒いユーモア」という概念が市民権を得て、そこで初めてグザヴィエ・フォルヌレの文学史における復活が可能になった、ということだ。もしシュルレアリスムの運動がなかったならば、彼はいまだに文学史の彼方の忘却の淵に、文字通り「黒い男」として、百年の眠りを眠りつづけていなければならなかったはずなのである。

＊

ここで、エルドン・ケーの『グザヴィエ・フォルヌレ、通称《黒い男》』（一九七一年）とフランシス・デュモンの「南方手帖」小ロマン派特集号（一九四九年）所収の論文に基づいて、フォルヌレの生涯の要点を簡単に叙述してみよう。

小ロマン派として一括されるすべての詩人や文学者がそうであったように、フォルヌレもまた、紛れもないブルジョワ階級の出身であった。彼らの多くが口では激越な共和主義の理念を唱えながら、その生活や行動において、ブルジョワ的コンフォルミスムの残滓（ざんし）をついに払い切れなかったのは、たぶん、この深く染みついた階級的な教養や偏見のためなのである。フォルヌレの笑止な政治思想については、のちに触れる。

フォルヌレ家は、その起源を遠く十六世紀にまで遡ることのできる、ブルゴーニュ地方のボーヌの町の旧家であった。先祖はスイスのローザンヌから移住してきたとも言われている。富裕な商人の一族で、父のジャン・アントワヌ・フォルヌレは近隣一帯の大地主であり、一人息子のグザヴィエが生まれるより少し前に、ソーヌ・エ・ロワール県のショドネー小教区の小さな村ミマンドに、豪奢な別荘を建てさせた。この別荘は、のちにグザヴィエが好んで隠遁所として利用した場所である。グザヴィエには四歳年長の姉がいたが、早世したらしい。一八〇九年八月十六日に誕生したアントワヌ・シャルル・フェルディナン・グザヴィエ、すなわち後年の「黒い男」は、かくて十九歳で父の死に逢着すると、遺産相続人の筆頭として、ありあまる土地や財産を一手に受け継ぐことになったのである。

金持の文学青年として、グザヴィエが二十歳を過ぎる頃から、凝った活字や造本の書物を何冊も自費で出版したことについては、すでに述べたので繰り返さない。ここでは、伝えられる彼の風変りな生活ぶりについて、幾つかの事実を御紹介しよう。

前に引用したシャルル・モンスレの「フィガロ」紙の記事によると、フォルヌレは「ゴシックの塔に住んでいて、一晩中ヴァイオリンを掻き鳴らしている」ということであったが、この噂は、ある程度までは信憑性があったと考えられる。というのは、彼はヴァイオリンの名手で、家には父の遺した貴重なストラディヴァリウスがあり、若い頃、名高い当時のコンセルヴァトワール教授バイヨのもとで、演奏や作曲理論を勉強したということが知られているからである。ボーヌの町で、しばしば彼は慈善音楽会をひらき、自作のヴァイオリン曲を演奏したことがあったともいう。彼が音楽の知識に造詣が深く、生涯にわたって音楽を愛しつづけたということは、『失われた時』に含まれる短篇「白痴とハープ」のモティーフからも容易に推測し得るところであろう。この短篇は、醜悪悲惨な乞食が一夜、ある邸の窓から洩れてくる音楽を聞くことによって無限の歓喜を得、至福の状態のうちにそのまま死んでしまうという、いわばフォルヌレの気に入りのテーマを扱って、もっとも成功しているものの一つなのである。

フォルヌレの奇矯な生活ぶりを示すもう一つのエピソードは、マクシム・デュ・カンが「両世界評論」(一八八一年八月一日)に書いてから、二十世紀の批評家もこれを受け売りするようになった、真偽のほどは保証しかねる次のごとき事実である。すなわち、ボーヌにおける彼の邸には、銀の涙を散らした黒ビロードの壁紙を貼りめぐらした部屋があり、フォルヌレはごく若いうちから、その部屋の黒檀の柩のなかに蒲団を敷いて寝る習慣だった、というのである。よほど黒い色が好きだったと見える。柩をベッドの代りにしていたというのは、一種の屍体愛(ネクロフィリア)のあらわれであろうが、私たちは、同じような趣味の持主として、ここでユイスマンスの『さかしま』の主人公デ・ゼッサントを思い出してもよかろう。デ・ゼッサントもまた、「喪の宴」と称して、戯れに自分が死んだつもりになり、何から何まで黒ずくめの装飾の室内で、友人たちを集めては宴会を催すことを好んだのだった。さらにまた、私は世紀末の大女優サラ・ベルナールを思い出さないわけには行かない。彼女も自宅にいつも柩を置いておき、自分がそのなかに入って、死人のふりをするのを殊のほか喜ぶという、奇妙な性癖の持主だったと言われているからだ。いかにしてロマン主義のダンディズムが屍体愛に結びつくのか、私にはこれをただちに解き明かす用意がないけれども、ペトリュス・ボレルやボードレールの例に照らしても、それが「ブルジョワどもを驚かす」という、一種のアンチ・コンフォルミスムの精神から出ていることだけは明らかであろう。

「死は私の恋人だ。さあおいで、死よ！　おお、私の大好きな女神よ！」と歌っているのは、アンドレ・ブルトンによって「死におけるシュルレアリスト」と称せられたところのアルフォンス・ラッブである。死の崇拝は、バイロン風の吸血鬼信仰(ヴァンピリズム)を重要な霊感の源泉の一つとした小ロマン派すべてに共通しており、それは遠く、十九世紀末のデカダン作家たちの精神風土にまで反映している。

フォルヌレがその生涯に幾度となく係り合い、そのために莫大な財産を使い切ってしまったとさえ言われた訴訟事件も、彼のいささか異常な性格を示すものと称してよいかもしれない。つまらない名誉毀損とか中傷とかいったことで、地方新聞紙上でたえず派手に喧嘩をしているフォルヌレの一生を見ると、それも一つの売名行為だったのではあるまいか、と疑われるほどであるが、彼自身はいちいち本気だったらしいのだ。本を出したり芝居を上演したりするたびに、待ってましたとばかり新聞でさんざん嘲弄され、生活上のスキャンダルをも書き立てられて、この地方の変った名物男に仕立てあげられていた彼には、一種の被害妄想コンプレックスが根強く巣食っていたとも考えられるであろう。彼は世間の嘲笑を無視することができず、つねに猛然と反撃するのである。

フォルヌレには死ぬまで正式の妻がなく、一時期、情婦のような関係の女が身辺にいたらしいが、そのうち二人の名前が知られている。

一人はジャンヌ・サレーと称し、ディジョンの町の貧しい刺繍女工であったが、一八四五年頃、フォルヌレと知り合い、やがてミマンドの別荘にきて彼と一緒に住むようになった。しかし男出入りが多く、そのためにフォルヌレはしばしば癇癪を起し、彼女に対して暴君的に振舞ったという。邸にきてからしばらくして彼女は妊娠したが、そのときはフォルヌレも自分の子だとばかり思っていた。ところが生まれてみると、日数の計算が合わず、自分の子でないことが判ったので、赤ん坊はジャンヌの父親に引き取らせた。そうこうするうち、フォルヌレは彼女を毒殺未遂の嫌疑で裁判所に訴えた。ソースをかけた野菜を食べたところ、気分が悪くなったというのが理由である。この裁判は証拠不十分で彼女が勝ち、結局、フォルヌレは損害賠償として二万フランを支払わせられることになった。

もう一人、情婦として名前が知られているのは、一八四七年頃から、やはりミマンドの別荘で一緒に暮らしていたエミリー・マルタンという娘である。ボーヌの町の桶屋の娘で、当時二十歳そこそこだった。彼女は一八四七年と一八五一年に、二人の男の子を続けて生んでいる。もちろん私生児であるが、フォルヌレは正式に役所へ届け出て、二人とも自分の子として認知している。しかも最初の息子が生まれたときには、彼は喜んで記念のために贅沢な小冊子を自費出版したほどだった。『わが私生児に』と題された作品がそれである。瀟洒な薔薇色の表紙のついた、全十二ページの大型八折判で、大きな活字で組んだ一篇の詩が収められている。しかし男の子の母親は、二番目の子を生んでからフォルヌレと別れ、実家に帰って別の男と結婚したようである。

このような人目をはばからぬ奔放な女性関係が、小さな田舎町でスキャンダルの種にならないはずはなかった。わざわざパンフレットを出版して、私生児が生まれたことを広告しているようなものなので、世間の目には、フォルヌレの行動はますます淳風美俗に対する不敵な挑戦のように映ったのであろう。なかには、彼を母親殺しの犯人として明からさまに非難する者もあった。フォルヌレはこれに対して、ただちに名誉毀損の訴えを起した。むろん、この母親殺しの噂には、はっきりした証拠があるわけではない。しかし一八四二年に六十歳で死んだフォルヌレの母親が、彼女の財産の遺贈に関して、長いあいだ息子と争っていたという事実があるのを知ると、少なくとも、そういう噂が立つだけの原因はあったのだということが分る。ボーヌの町の記録保管所に残っているフォルヌレの町長宛ての手紙には、死んだ母は精神病だったから、彼女の遺贈に関する意志は無効としなければならない、という意味のことが書かれていて、私たちの興味を惹く。しかし本当のところは、残された乏しい資料だけからでは何とも言えないのだ。

あまりにも周囲に敵が多く、これを相手に戦うために、たえず訴訟にかかずらわっていなければならなかったフォルヌレは、みるみる財産を使い果たし、その生涯の終り頃には、ほとんど落魄の身と言ってもよいほどの落ちぶれようであったらしい。墓地を買うだけの金も残さなかったので、死んでからも墓石が建てられず、彼の骨はどこかへ紛失してしまったということである。「黒い男」の墓は、だから現在でも存在しないのである。

*

フォルヌレが一時期、熱病のように政治熱に取り憑かれたということも、忘れずに書いておかなければならない。あたかも一八四八年、二月革命が近づきつつあった。文学青年のダンディーであった彼が、畑違いの政治の領域に接近を試みたのは、文学の領域で味わった絶望や挫折感を、別の領域で回復しようとしたためだろうか。世間の無理解に業を煮やして、空しい栄光を求める努力を放棄したためだろうか。いずれにせよ、彼は死ぬまで詩や小説を書くことを決してやめはしないが、大方の批評家の意見では、一八四〇年以後の彼の文学上の仕事には、もはや見るべきものは何もないのである。一八三〇年から一八四〇年まで、この短かい十年間がフォルヌレの重要な活躍期であり、それ以後の彼は、徐々に現実との妥協のうちに鋭鋒を鈍らせてゆく、衰え疲れた詩人でしかないのである。彼が情婦とのあいだに私生児をもうけた時期も、政治熱に浮かされた時期とほぼぴったり一致する。

ところで、一八三〇年から一八四〇年までの十年間と言えば、フォルヌレばかりでなく、すべてのフランスの小ロマン派が彼らなりの実り多き仕事(世間には認められなかったが)を残した時期である。これはとくに注目に値する事実であるが、一八四〇年を境として、彼らは一様に沈黙してしまうのである。ラッサイーのように狂熱の生涯を慌しく閉じた者を別とすれば、すべての小ロマン派詩人が急速に創作力を枯渇させ、痛ましくも現実と妥協し、ブルジョワ的になってしまう。社会的には栄光を手に入れた者もあるが、文学的にはほとんど落伍者に等しくなるのだ。政治家となり、上院議員として死んだアルフォンス・エスキロスの場合がよい例だろう。あるいはディジョン美術学校長におさまったセレスタン・ナントゥイユの例を見てもよい。オペラ座の支配人となり、レジョン・ドヌール勲章を受けたアルフォンス・ロワイエの場合もしかり。一方、社会的に悲惨な境遇に落ちた者には、植民地の役人の職を求めてアルジェリアに赴き、やがて百姓となったペトリュス・ボレルがある。一家の生活を維持するために大蔵省に入り、死ぬまで平々凡々たる官吏の生涯を送ったフィロテ・オネディだって、前半の過激な共和主義詩人ぶりにくらべれば、まことにブルジョワ的な後半生だ。いずれの場合においても、往年の意気さかんな反抗詩人や共和主義詩人の面影は、すでに一八四〇年以後の彼らのなかに見出すことはできないのである。すなわち一八四〇年以後、小ロマン派は事実上、滅びたのである。フォルヌレはパリの文壇からは孤立していたけれども、彼の場合も例外ではなかった。

小ロマン派とは、前にもたびたび述べたように、一八三〇年代の巨匠たち（ユゴー、ミシュレ、バルザックの三頭政治に支配された）のなかにあって、いわば遅れてきた世代、ロマン派のなかのもっとも過激な傾向（真紅のロマン主義！）を代表する若い世代である。刻々と反動化する歴史と社会の流れのなかで、彼らの活躍期が花火の閃光のように短かく儚いものであったとしても、それはそれでやむを得ない必然だった、と考えるべきであろう。そもそもロマン主義とは、ロマン主義的な魂が通過すべき青春の表現そのものである、という逆説的な言い方でしか表現され得ないものらしいのだ。

フォルヌレの政治活動については、ごく簡単に述べるにとどめよう。

一八四八年の革命が、いずれにせよ彼にとって一つのチャンスとなったようである。当時、ブルゴーニュ地方には王党派、保守派、自由主義派、また詩人アロイジウス・ベルトランが主筆を務める共和派などの新聞が乱立し、互いに鎬（しのぎ）を削るという有様であったが、一八四八年にいたって、また一つ新たな政治新聞「民衆のこだま」がボーヌで創刊された。フォルヌレはこの新聞に三千フランの出資をして、みずから編集長となり、新聞の名前も「真の愛国者」と改め、きわめて穏健な共和主義の論陣を張り出したのである。共和主義と言っても、ボレルやオネディの口にしていたような過激な共和主義とは大違いで、ラマルティーヌのブルジョワ自由主義、人道主義を支持するような、すこぶる曖昧な性格のものである。当時、インテリや学生たちのあいだに共鳴者を多く見出していたサン・シモン、フーリエ、ブランキ、プルードンらのユートピア的社会主義、無政府主義、あるいは共産主義などの思想にも、フォルヌレは全く関心がないかのごとくであった。

それればかりではない、秩序派の反動が着々として地歩を固めるにしたがって、フォルヌレの政治的論調も急角度に反動化するのである。打ち続くプロレタリアートの反乱に怖れをなしたか、やがてフォルヌレは、あの六月事件の労働者弾圧の張本人、ブルジョワ的秩序維持派の大黒柱たるカヴェニャック将軍を支持するにいたる。そしてさらに四八年十二月における大統領選挙の結果、王党派と結託した野心家ルイ・ナポレオンが勝利を占めるにいたると、それまでの意見を彼はがらりと変えて、みずから自己批判し、ブルジョワジーとプロレタリアートの相対立する二階級を調停する、新大統領の巧妙な政策に拍手を送るようにさえなる。……

要するに、以上のごときがフォルヌレの気まぐれな政治的活動であった。それは文学において挫折と幻滅を味わった者が、より安易な道で栄光をつかもうとした、まことに無定見な、みじめな記録でしかないのである。

しかし彼の文学活動は、たとえその後半生に見るべき成果を挙げ得なかったにせよ、とにかく死ぬまで続いたのだ。

一八五五年、フォルヌレはパリで劇場支配人とのあいだに裁判沙汰を惹き起す。理由は、彼の戯曲を上演するという約束で、金だけ受け取った支配人が約束を無視したからであった。それでも同じ年に、パリのミシェル・レヴィ書店から自費出版された五幕の戯曲『母と娘』が、パリの場末の小さな小屋で上演された。むろん、成功とは言えなかった。

一八五九年、「フィガロ」紙に長文の紹介記事を書いた批評家シャルル・モンスレが、初めてフォルヌレの文学的価値を認めた。モンスレは彼を「無名のロマン主義者」と呼び、「この未開拓の土地に批評の鶴嘴(つるはし)を打ちこむならば、純粋な金属の鉱脈が輝き出るかもしれない」と述べた。

フォルヌレの最後の作品は小説『カレッサ』(一八五八年)、詩集『詩の影』(一八六〇年)、それに箴言集『思想の草叢』(一八七〇年)などであるが、往年の珠玉篇とくらべればいずれも興味は薄く、ただ風変りな活字の印刷が人目を惹くのみである。実際、フォルヌレの書物は、その贅沢さ故に古書店で値があがり、近年にいたって再評価されるまでは、もっぱら愛書家のあいだでのみ珍重されていたのである。

晩年のフォルヌレは、ボーヌの自宅とミマンドの別荘に引き籠り、ときどき慈善音楽会に出席する以外にはほとんど外出せず、家族もなしにたった一人で、極端に孤独な生活を送っていたようである。すでに裁判のために財産はすっかり使い尽してしまっていた。死んだのは一八八四年七月七日、享年七十四歳である。

伝説によると、彼の葬式は、ふたたびボーヌのひとびとの目を驚かしたそうである。すなわち、死んだ詩人の柩は、真黒な布で全身を覆った一匹の馬の引く馬車に積まれ、同じく黒い衣裳をまとった一人の下僕に手綱をとられて、墓地まで運ばれて行ったという。死の観念に憑かれていた「黒い男」の、これは最後のミスティフィカシオンであったろうか。

*

生前にはモンスレただ一人にしか認められなかったグザヴィエ・フォルヌレの独創性は、本稿の冒頭に述べておいたように、アンドレ・ブルトンとその僚友たちによって、あらためて世に公にされた。シュルレアリストたちは一貫して、フォルヌレの作品をロマン主義時代のもっとも貴重な産物と考え、その散佚(さんいつ)した稀覯本の発掘されるにしたがって、次々に彼の作品の断片を機関誌に発表して行く努力を怠らなかった。題名だけが知られていて、まだ発掘されていない作品もある。

すでにたびたび述べてきたように、フォルヌレの独創性とは、その奇矯な生活と文章における「黒いユーモア」の発現である。それは社会に対する気違いじみた挑戦のようなものであったから、彼のまわりに社会の抵抗が生ずるのはやむを得なかった。ただ、彼のなかには同時に二人の人間が棲んでいた。一人は独創的な幻視者であり、もう一人はブルジョワの俗物である。おそらく、この二重性が彼の挫折を説明するだろう。この弱点のために、彼は思い切って現実と妥協することもできず、またネルヴァルのように幻視者の純粋な生涯をつらぬくこともできなかったのだ。もう少し洞察力に恵まれていたら、彼は早くから、その才能のエクセントリックな面だけを切り捨てることによって、大作家とまでは行かなくとも、少なくとも二流作家ぐらいにはなることができていたにちがいないのである。しかし平凡な二流作家として十九世紀文学史上に名前を残したフォルヌレを、私たちは今日、決して再読しようとは思うまい。

ペトリュス・ボレル

——叛逆の狂詩人

二十三歳で処女詩集『狂想曲(ラプソディ)』をひっさげて、ロマン主義運動の華々しい革命を指導し、三十五歳で貧窮の果てに文学を捨て、五十歳で北アフリカの一角に頓死した狼人(リカントロープ)ことペトリュス・ボレルの、おそろしく短かい文学的生涯こそ、小ロマン派のなかの破滅型文学者の挫折した生涯の完璧な見本のようなものであった。「ペトリュス・ボレルなくしては、ロマン主義のなかに一つの欠隙が生ずることであろう」と言ったのは、彼を敬愛していたボードレールである。ボレルがみずからリカントロープ（狼人）と称したのは、その恐ろしげな名前でブルジョワどもの心胆を寒からしめようと思ったからだという。テオフィル・ゴーティエはその『ロマン主義の歴史』のなかで、「私は彼が非常に強い人だと思っていたから、仲間のなかでも特異な大人物になるものと考えていた」と語っている。その彼が、そもそもいかなる理由で、みずから文学を放棄し、世間から完全に忘れ去られたばかりか、今日、文学史の上でさえ、ほとんど無視されるにひとしい冷遇しか受けないような状態を余儀なくされているのであろうか。たとえば、今世紀のもっとも代表的なフランス文学史だと思われるアルベール・ティボーデのそれのなかで、ボレルはどんな扱いを受けているであろうか。ティボーデは皮肉な調子で書いている、「ペトリュスに不利だったのは、いかなる時代にもそれぞれ固有のペトリュスがおり、最初にその様式を築いた者も、やがて忘れられて、すがたを消してしまうという習慣である。しかし、ロートレアモンやジャリに興味をもつ者なら、ペトリュスを思い出して、せめて一時間でも、その本を読んでやらずばなるまい」と。

私は、今から十三年ばかり前に、ボレルの『シャンパヴェール悖徳物語』中にふくまれる一短篇「解剖学者ドン・ベサリウス」を戯れに翻訳して、ある同人雑誌に発表したことがあるけれども（現在、東京創元社『怪奇小説傑作集 4』に収録されている）、それは必ずしも私がロートレアモンとジャリのみに興味をもっていたからではなかった。右に引用したティボーデの文章のなかの、ロートレアモンとジャリの名前にならべて、私は、聖侯爵サドの名前をもぜひ付け加えるべきだと思う。そこで初めて、文学史の欠隙が埋まり、マリオ・プラーツ教授が『ロマン主義的苦悶』のなかで綿密に考察したような、「聖侯爵の影の下に」眺められた、十八世紀末から十九世紀末にいたるおよそ百年間の、ある精神風土の系譜が完全に脈絡を見出すことになるからである。

実際、特筆すべきことだと思われるが、ペトリュス・ボレルは一八三〇年代の文学者のうちで、もっとも早くサドを声高に賞揚した作家だったのである。すでに七月王政の反動期に入り、ゴーティエをはじめとするかつての共和主義的ボヘミアン詩人たちも、ワットーの「艶めかしき宴」やロココ文化に漠然とした郷愁をおぼえるようになっていた一八三九年、ペトリュス・ボレルは、大革命前夜のバスティーユ牢獄の血なまぐさい臭いにみちみちた、徹底的に反時代的な小説『ピュティファル夫人』を発表して、批評家連中の黙殺と冷笑を買っているが、この作品のなかに、一七八四年二月二十七日、主人公のアイルランド人の青年パトリックが、バスティーユ牢獄で偶然にサド侯爵と出遭うシーン（第二巻、第二十章）が描かれているのである。

「二人の囚人のうちの一人は、フランスの栄光とも言うべき人であり、殉教者であった」とボレルは書いて、この人物の牢獄から牢獄を経めぐった異常な経歴をざっと紹介してから、さらに、「私がこのフランスの栄光という言葉によって表わそうとしていたのは、何をかくそう、君たちみんなが汚らわしいと非難する本、そのくせ君たちみんながポケットのなかに忍ばせている本の、有名な作者のことなのである。読者よ、お気にさわったら御免なさい。つまり、私が言わんとしていたのは、至高にして全能なる貴族サド伯爵殿(ママ)のことだったのである」と書いているのだ。そしてこの言葉こそ、一八一四年にシャラントン精神病院でサドが窮死してから以後、初めて語られた彼に対する賞讃の言葉だったのである。文学史の暗い夜空に蒼白い光芒を放つ孤独な星たちが、互(かたみ)に共感の瞬きを交し合っているかのような印象を私は受ける。……

ルイ・ブーランジェが一八三九年のサロンに出品した絵をもとにして、セレスタン・ナントゥイユが銅版画にしたペトリュス・ボレルの肖像画は、アンドレ・ブルトンの『黒いユーモア選集』にも収録されているから、御存知の方も多かろうと思う。この絵のなかで、真黒なフロックコートを着、顎鬚を生やし、白手袋をはめた手を巨大な一匹のスパニエル犬の頭にのせているボレルは、ブルトンの表現によれば、スペクトラルな（幽霊じみた）すがたをして立っている。とくにその眼が印象的だ。このベラスケスの画中から抜け出してきたような優雅な人物について、ゴーティエは次のように書いている。

「彼は、たった一度しか会わなかった場合でも、二度と忘れられない面影の一人だった。この若い真面目な顔は、完璧な端正さを見せ、肌はオリーヴ色で、瑪瑙色の出てきた名匠の画面のように軽い琥珀色をおびていたが、きらきらした物悲しげな大きな眼、グラナダを夢みるアベンセラージュ家の人々のような眼の輝きが添えられていた。真赤な唇が花のように口髭の下で光り、この東洋的な不動性をもった面に生命の火花を投げかけていた。細かい絹のような、ふさふさした顎鬚は、安息香の匂いがし、土耳古太守のように念入りに整えられていて、この血の気の薄い美しい顔を、その黒い翳で縁どっていた。その顎鬚にあくまでも重大性をもたせるために、ペトリュスは、頭髪を非常に短かく刈り、ほとんど角刈りにしていた。」

「ペトリュス・ボレルの存在は、何とも言えない印象をあたえたものだが、私はついにその原因を発見してしまった。彼は現代人ではなかったのである。どこを見ても近代人らしいところが彼にはなく、いつも過去の奥底から現われ出た人物のように思われた。つい昨日、その祖先の人々と別れてきたのだと言えそうなところがあった。ロマン主義の理想のもっとも完璧な見本であり、バイロンの作中人物のモデルにもなれそうなペトリュスは、みなから讃美され、天才と美貌とを誇り、肩にマントの垂れを撥ねあげ、仲間を従えて歩きまわっており、そのうしろに曳かれる影法師を踏むことは禁制とされていたのである。」(『ロマン主義の歴史』)

ブーザンゴ派と呼ばれた当時の前衛的な芸術青年のグループのなかには、現代のヒッピー族やビート族のように、社会的慣習の一切を軽蔑し、異様な服装をしてブルジョワどもの目を驚かすことを好む者がいて、それが一種の流行のようになっていたようであるが、なかでもボレルは飛び切りのダンディーで、ひときわ異彩を放っていたらしい。しかし、この新らしい文学運動の中心的人物、その才能と威風で若い仲間たちを圧倒していた「輝ける星」も、わずか十年に満たないその文学活動を終えるとともに、まだ三十代の若さで、肉体的にも精神的にも急速に老い衰え、ついに完全な人生の落伍者となって、歴史の舞台裏に消えて行かねばならなかったのであった。

ボレルの悲劇は、一口に言うならば、おそるべき早熟の悲劇であり、もって生まれた極端な厭人癖(えんじんへき)と激越な憎悪とを作品のなかに結晶させることができず、ロマンティシズムを目的としてでなく手段として生きてしまった者の悲劇だと言うことができるだろう。二十三歳で最初の飛躍ともいうべき『狂想曲』を書いてしまってから、ボレルはほとんど変化しないのである。次々に新たな問題意識をもって新たな領土を開拓し、徐々に完成への道を歩む、世の大成した芸術家の生涯と、ボレルの生涯とはあまりにもかけ離れている。適応力を欠いた古代の象が生物学的法則によって滅びるように、この時代錯誤のロマン主義者は、最後までロマン主義を生きようと欲したがために、滔々(とうとう)たるブルジョワ合理主義の海に溺れて死んだのである。狼人(リカントロープ)はついに市民社会では生きのびることができなかったのである。

「後になって私たちをあれほど圧迫した民主主義的かつ市民的な情熱とは逆に、この文学的であると同時に共和主義的な精神（ボレル）は、王家と市民階級とに対する無際限な無制限な無慈悲な貴族的憎悪と、芸術において色彩と形態の過度を示す一切のもの、同時に強烈であり厭世的でありバイロン的である一切のものへの普遍的共感と、この二つのものによって同時に揺り動かされていたのであった。つまり、特異な性質のディレッタンティズムであり、それはただ、退屈した騒ぎ好きの青年たちが閉じこめられていた当時の厭うべき状況によってのみ、説明され得るものだ。もし王政復古が順調に光栄のうちに発展して行ったならば、ロマン主義は王制から離れ去りはしなかったであろうし、その存在理由をも見出し得なかったことであろう」とボードレールが書いている。炯眼（けいがん）な詩人は、のちのちまでも私たちを悩ますことになった、あの芸術家と社会との対立の図式を、早くも見抜いているかのごとくである。

*

ボレルの伝記（一八六五年）を書いたジュール・クラレティによると、ボレル家は正しくはボレル・ドートリヴ家と称し、グルノーブルとサン・マルスランのあいだに城のある中世以来の古い貴族の出で、ペトリュスの父は激烈な王党主義者として、フランス大革命のあいだ、革命軍に抵抗するリヨンの「ふくろう党」に投じていたということであるが、この立派な家系は、ネルヴァルやロマン派の研究によって知られるアリスティッド・マリーの調査（一九二二年）によると、どうやら捏造された伝説でしかないらしい。ペトリュスの弟に有名な系図学者となったアンドレ・ボレルという男がいて、この男が自分の家系をもっともらしく粉飾し、これを兄の伝記作者に語ったらしいのである。事実は、ボレル家は先祖代々、リヨンの町で金物商を営んでいた平民の家系でしかなかった。ペトリュスは、この金物商の父親から生まれた、男八人女六人の十四人兄弟姉妹中の、第十二番目の息子であった。未来の狂詩人は、一八〇九年六月二十九日に誕生している。ネルヴァルより一歳年下、ゴーティエより二歳年上である。

『シャンパヴェール悖徳物語』（一八三三年）の序文に、ペトリュスは自分が死んだものと想定して、この小説を書くまでの自分の文学的生涯を、あたかも第三者の筆によるかのごとく回想風に叙しているが、それによると、彼の極端な厭人癖と反抗精神は生得のものであったようだ。幼児のころ、彼は着物を着るのが嫌いで、無理に着せようとする親たちに対して猛烈に反抗したという。原始生活と孤独に憧れるのは、この時代のロマン主義者の一般的傾向と言えようが、後年、デフォーの『ロビンソン・クルーソー』を翻訳したこともある彼には、ブルジョワの住む都会を逃れたいという欲求が、何か子供っぽい執念のように煮えたぎっていたようである。「もし私が生活というものを夢みたとすれば、それは砂漠の駱駝曳きの生活であり、アンダルシアの騾馬曳きの生活であり、タヒチ島の生活であった」と彼は書いている。果然、彼は売文生活に窮すると、三十六歳でアルジェリアに渡るのである。

一家がリヨンからパリへ移り住むとともに、少年ボレルは首都の神学校へ入学させられるが、十六歳で神学校を中途退学して、父親の希望により、アントワヌ・ガルノーという建築家の仕事場（アトリエ）に徒弟として住みこむことになる。しかし、古くさい建築学の見習奉公は彼をいらいらさせ、彼はそこを飛び出して、次に画家のユジェーヌ・ドヴェリアのアトリエに移り住む。伝説によると、ボレルはこの建築見習奉公時代、とても人の住めないような風変りな家を設計し、施主が怒って抗議をすると、すでに四分の三まで完成していたその家をぶちこわしてしまったという。またその当時、彼は極端な貧乏のため、建築途中の家の穴蔵のなかに住み、餓えをしのぐべく、もっぱら馬鈴薯を煮て食っていたともいう。

ボレルが新たに見出した絵の師匠ユジェーヌ・ドヴェリアは、彼より四歳先輩であるが、すでに名作『アンリ四世の誕生』によって、赫々たる名声につつまれ、若いロマン主義者たちの讃仰の的になっていた。その短かく刈った頭とふさふさした顎鬚は、ボレルによく似て、彼もまた、ベラスケスかティツィアーノの画中から抜け出してきた人物のように思われた。この先輩のアトリエで、ボレルは若い芸術青年、詩人や画家や建築家の卵たち、ボードレールの表現によれば「退屈した騒ぎ好きの青年たち」と交わりを結ぶようになるのである。

若い芸術家たちのグループにおけるボレルの出現は、アリスティッド・マリーの表現によれば、「メロドラマの第二幕における、オーケストラの伴奏のついた、待ち望まれた主人公の登場のように、震えるような感動を捲き起した」という。ゴーティエが回想しているように、「ボレルの牽引力から逃れ出ようとする者はなく、この旋回運動にひとたび入ってしまうや、あたかも自然法則で動いているかのように、誰もが奇妙な満足感を味わいながら旋回している」のだった。

ペトリュスが『エルナニ』事件に際して、ゴーティエやネルヴァルやナントゥイユらととももに大活躍を演じたことはよく知られている。彼はガルノーの仕事場の仲間を大ぜい連れてきて、劇場の平土間を占領させたのである。ゴーティエの赤チョッキがスキャンダルの種になったとすれば、建築家の徒弟たちの一隊を指揮していた狼人（リカントロープ）の異様なマスクと黒ずくめの服装も、それに劣らぬ恐怖のセンセーションを捲き起したことであろう。

当時、ヴォジラール街の角にあった彫刻家ジャン・デュ・セニュールのアトリエに集まっていた若い芸術青年の会合を「プティ・セナークル」と称したが、このセナークルに集まる錚々たる連中のなかには、ゴーティエによって、ゴシックのステンド・グラスに描かれた天使のように美しい「中世的青年」と呼ばれた画家セレスタン・ナントゥイユあり、そのやさしさが「光輝をおびた物体から出るよう」に輝き出ていたジェラール・ド・ネルヴァルあり、カスティリヤの貴族のように豪奢なユジェーヌ・ドヴェリアあり、淳朴で複雑な気質をもった劇作家ジョゼフ・ブーシャルディあり、スカンディナヴィア人のように縮れた金髪とアフリカ人の顔をした、オセロという渾名の詩人フィロテ・オネディあり、ペトリュスと親しい建築家レオン・クロペあり、「パニュルジュのような図々しさでブルジョワどもを煙に巻く」詩人建築家ジュール・ヴァーブルあり、そのほかアルフォンス・ブロ、オギュストゥス・マッキートなどの面々があった。

この血の気の多い連中が、詩論や芸術論にだけ明け暮れしていると思ったら大きな間違いで、彼らは時に街頭へ進出し、騒然たる政治的群衆のなかへ紛れこむこともあったのである。王制の鎖を断ち切ったはずなのに、大革命の熱狂が冷めてみると、ふたたびナポレオンのがっちりした鉄の体制のなかに捉えられていたことに気がついたフランスの知識階級は、それでもなお、解放への漠とした希望を捨て去ることができず、自然哲学によって管理された理想都市の神秘的な幻影や、原始キリスト教の神話や象徴と二重写しになった、素朴な千年王国論や共産主義社会の幻影をあてどもなく追っていたのだった。花開いたかと思うとたちまち消えた七月革命の幻影は、さらに焦燥にみちた期待の泥沼のなかに彼らを沈めずには措かなかった。かくて社会の小刻みに揺れ動く過渡期の時代にふさわしい、懐疑主義と狂熱、神秘主義と挫折感の奇妙に混り合った、不思議な教説の数々が、この時代に誕生を見たのである。前に紹介したマパ・ガンノーの終末論的ヘルマフロディズム、フーリエの共産主義的セックス解放、アンファンタンの宗教的自由恋愛の思想などが、その典型的なものであった。

ペトリュス・ボレルのいわゆる共和主義には、しかし、このような終末論的、ユートピア的色彩はほとんどなく、むしろ純粋に文学的なものだったようである。どちらかと言えば政治的意識が尖鋭であったと考えられている、あの前衛芸術グループ、ブーザンゴ派にしたところで、ボレルはその派の一方の旗頭であったが、彼らの街頭デモは、文学青年の放歌高吟の馬鹿騒ぎにすぎなかったもののようだ。それでも一度だけ、ジュール・クラレティの報告によれば、ボレルは警察の御厄介になっている。一八三一年のある朝、彼は一人の仲間とともにルーアンに小旅行に出かけたが、彼らの異様な服装が田舎の住民の疑惑を招き、知らせを受けた憲兵に二人とも逮捕されて、一晩、豚箱に留置されるという異例の経験をしたのである。もちろん、彼らが何の軽犯罪も犯していないのに一晩も留置されたのは、「パニュルジュのような図々しさ」で警官をからかったためにちがいなかろう。

「そうだ！　私は共和主義者だ」とボレルは『狂想曲』の序文に書いている、「しかし私の内部にこの高邁な思想を花咲かせたのは、七月の太陽ではない。私は子供のころからの共和主義者であって、カルマニョール服に赤や青の靴下留めをちらつかせる共和主義者でもなければ、倉庫の演説家や民衆の樹（ポプラ）の栽培家でもないのだ、私は山猫が考えているような共和主義者なのだ。つまり、私の共和主義とは狼狂（リカントロピー）だ！――私が共和主義を標榜するのも、この語が私にとって、社会と文明の許し得る最大の独立を表わしているからにほかならないのだ。私はカリブ人ではあり得ないから共和主義者なのである。私には莫大な量の自由が必要だ。共和主義はこれをあたえてくれるだろうか。私にはその経験がない。しかし、この期待がその他多くの幻影と同様、かりに幻滅に終ったとしても、私にはミズリー州が残っているだろう！……」

ボレルがみずから狼人たらんとするのは、狼となって人間どもの咽喉笛に喰らいついてやりたい、という端的な憎悪の表われにほかなるまい。だから、もし彼の言うように、彼の共和主義が彼の狼狂そのものだったとすれば、それは政治概念などでは全くなくて、一種の人間憎悪の形式、厭人癖の形式でしかないということになる。ボレルはサン・ジュストを讃美し、この恐怖政治の大天使の言葉をしばしば自分の詩のエピグラフとして引用するが、それも、サン・

ジュストの革命思想とはほとんど関係なく、ただ彼の頑固一徹な党派心のうちに、皆殺しの天使の死の顔を眺めていたいがためであろう。同じ理由から、ボレルがサド侯爵に魅惑される成行きも十分に理解される。これを要するに、ボレルの共和主義とは、反体制思想として表わされた人間憎悪の形式でしかなく、もしも共和主義の古い理想が勝利した場合には、ただちに反動思想に転化するような性質のものだったと思われる。たぶん、一八四八年の二月革命とともに、ボレルの共和主義は、その存在理由を見出すことができなくなったにちがいない。

*

文学活動に従事した期間が極端に短かかっただけに、ボレルの作品の数は少なく、代表作としては、生前に単行本の形で刊行された詩集『狂想曲』（一八三二年）、短篇集『シャンパヴェール悖徳物語』（一八三三年）、長篇小説『ピュティファル夫人』（一八三九年）の三作を数えるのみである。そのほかには、新聞や雑誌、あるいはアンソロジーに発表された数篇の詩、二十数篇の短篇小説、それに批評文や翻訳などがあるにすぎない。予告の題名が発表されただけで、ついに実現しなかった作品もかなりある。

『悖徳物語』は、パリ、ハバナ、マドリッド、ジャマイカ、リヨンなどの諸地方で展開される七つの短篇を集めたもので、集中にみなぎる残酷趣味は、ボレルをして、サド侯爵とロートレアモンの系譜の中間に位置せしめるに十分であるように思われる。ボレルは奇妙な綴字法(オルトグラフ)を用いたり、異様な新造語（ネオロジスム）を考案したりするミスティフィカシオン趣味の持主であるが、それが内容のいささか古風なゴシック・ロマンス的雰囲気とよく調和して、ピトレスクな印象をいよいよ強めている。

前にも触れたように、この本の序文には、シャンパヴェールという名前で呼ばれている作者が自殺したということが述べられており、この短篇集は、じつは彼の遺作だという想定になっているのである。ボレルはあたかも第三者のような筆致で、自分の生い立ちや、自分の精神的肉体的な特徴や、処女作『狂想曲』が捲き起したスキャンダルなどを語り、さらに自分の詩集からの数篇の抜萃を示しさえしている。この奇怪な自己顕示欲は、序文の最後に付け加えられたアフォリズム風の断章にも見てとることができよう。「商人と泥棒は同義語だ」という文章をふくむ、その数篇の断章には、サド侯爵風の激越な感情の論理によって、ボレル独特の近代商業資本主義への呪詛が吐露されている。いま、その一つ一つを引用する余裕がないので、最後の短かいアフォリズム風の文章のみを掲げておこう。

「パリには二つの巣窟がある。泥棒の巣窟と人殺しの巣窟だ。泥棒の巣窟は株式取引所、人殺しの巣窟は裁判所である。」

前に私が翻訳した「解剖学者ドン・ベサリウス」は、この『悖徳物語』の三番目に収められた短篇で、集中では傑作に属する方であろう。医学史上に名高い近代解剖学の祖たる、実在の人物アンドレア・ベサリウスを主人公とした、いわば歴史物であるが、もちろん作者の空想によってグロテスク風に潤色されている。
序文でも、作者が自殺したという設定になっているように、自殺と殺人と強姦がボレルの固定観念で、『悖徳物語』中のほとんどすべての短篇に、このいずれかのテーマが現われているのは興味ぶかい。六番目の短篇「学生パスロー」は、ボードレールの「人殺しの酒」の粉本として知られているが、これも主人公が女を殺し、最後に自分も死ぬという物語であり、集中最後の「狼人シャンパヴェール」という短篇も、全く同じ殺人と自殺の物語である。

『ピュティファル夫人』が書かれたのは、ボレルがたぶん貧困と都会嫌悪とから、パリを離れてシャンパーニュ地方のモンモールに近い、ベジルという小さな村に移り住んでからのことである。本の扉に、「L・Pに捧ぐ。この本は汝のもの、汝のために書かれしものなり」とあるのを見ると、このシャンパーニュ地方の村に隠遁した孤独者ボレルに、当時、愛人がいたということになる。名前は頭文字だけで、その正体を容易に明かさぬ配慮が見てとれるが、しかし一般に知られているところでは、このL・Pなる婦人の正体は、かつてフランス座の舞台に立ったことのある女優リュサンド・パラドルだということになっている。

それはともかく、彼の唯一の長篇小説である『ピュティファル夫人』は、やはり殺人と流血趣味にみちみちた、大時代のゴシック・ロマンス風のもので、しかも恐怖時代の革命パンフレット作者のそれのような、旧制度下のフランス王家の奢侈（しゃし）や淫逸を露骨に諷した部分も見てとれるのである。この時代錯誤の長篇小説は、『悖徳物語』のようにスキャンダルにさえならなかった。つまり、完全に無視されたのである。ただ一人、一八三九年六月三日の「デバ」紙上で、この作品を徹底的に弾劾するために三ページの紙面を費した批評家があった。かつて「パリ評論」誌に、サド侯爵を非難する駄文を三十ページにわたって書きつらねたことのあるジュール・ジャナンである。

「前提は猥褻で、結論は血みどろの、このような書物が批評を逃れられるとしたら、批評の名誉はどうなるのか」とジャナンは居丈高な調子で言っている。伝説によると、このジャナンの記事が出る前に、ボレルは彼に批評を依頼したのだそうである。それに対するジャナンの返答は、次のようであった。「あなたの著書について何か言わねばならないとすれば、私はただサド侯爵と比較するだけです」と。

ジャナンの酷評に対して、ボレルは何の抗議もしなかったようであるが、この狂詩人がアルジェリアで孤独のうちに死んでから二年後の一八六一年、「幻想派評論」誌に、『ピュティファル夫人』を高く評価する真の知己の文章が現われた。すなわち、「私はしばしば自問したものであるが、『ピュティファル夫人』の多くの場面でまさに叙事詩的才能を示したペトリュス・ボレルのような人物が、また朗々たる響きと、強烈でほとんど原始的色彩をもつ、『ピュティファル夫人』の序文を成しているあの奇妙な詩を書いた詩人が、なにゆえ、またいかにして、多くの場所で、あれほど多くの不手際を演じ、あれほど多くの衝突や障害につまずき、あれほど多くの不運の底に沈み得たのであろう」と。この文章の筆者はボードレールである。さらにボレルの死から八十年後、「未曾有の大いなる革命の息吹きにつらぬかれた素晴らしい作品」と称して、『ピュティファル夫人』に最高の讃辞を捧げたのは、かのアンドレ・ブルトンである。

もう一つ、しばしば引用されるボレルの小説作品に、雑誌「ラ・シルフィード」（一八四三年、第八巻）に発表された短篇『ゴットフリート・ヴォルフガンク』というのがある。これはよく出来たエドガー・ポー風の怪異譚の傑作であるが、残念ながら、現在では、ワシントン・アーヴィングの『ある旅人の物語集』（一八二四年）に含まれた、一短篇からの剽窃であることが証明されている。すでに才能の枯渇を意識しはじめた頃の、苦肉の策であったのかもしれない。ボレルは『ロビンソン・クルーソー』の名訳者として知られているので、英語には堪能であったはずである。

『ゴットフリート・ヴォルフガンク』の内容を簡単に説明しておこう。——スウェーデンボルグの神秘哲学に耽溺したドイツ人の学生が、恐怖時代のパリで、毎晩のように夢のなかで熱愛する未知の恋人に出会うという、神経症的な孤独の生活を送っている。ある晩、ギロチンの設置された広場の近くで、黒ずくめの服装をした若い女性に遭い、それが夢のなかの恋人にそっくりなので、家に連れてきて愛を語るが、翌朝になってみると、彼女が肘掛椅子の上で死んでいる。驚いて警官を連れてきて、しらべてみると、彼女は前日ギロチンにかけられて死んだ女であり、首に巻いた黒ビロードのネッカチーフをはずしてみると、彼女の首はすでに切断されている。……

この短篇は、よほど小説家の創作欲をそそる筋立てになっているらしく、さらに七年後にアレクサンドル・デュマが、このボレルの『ゴットフリート・ヴォルフガンク』を直接の下敷として、別の短篇『ビロードの首飾りの女』（一八五〇年）を書いている。ただし、デュマはいかにも通俗作家らしく、主人公の学生を、恐怖時代のパリにやってきたドイツの作家ホフマンとし、相手の女を、ダントンの愛人であった踊り子とするという、ロマネスク的配慮を示しており、しかも、このエピソードは死んだ先輩シャルル・ノディエから聞かされたものだ、と断わってさえいるのだ。私たちとしては、デュマの厚かましさに呆れるほかはないだろう。一八五〇年といえば、ペトリュスはまだアルジェリアに生きているのであり、雑誌「ラ・シルフィード」もまだ継続刊行中なのだ。文学生活を棄てたとはいえ、どんな機縁からペトリュスが、このデュマの小説に目を通さないものとも限らないではないか。それとも、この時すでにペトリュスは、それほど世人から忘れ去られた作家でしかなかった、というのだろうか。

*

さて、ボレルの悲惨な晩年について述べなければならない。

出版社から印税として、たった四百フランしか受け取ることができなかった『悖徳物語』の刊行後、ボレルは生活のために、式典用の道徳訓話、学校や官庁や農事共進会などの演説草稿を書きまくらなければならなくなった。この極度な貧窮生活のために、ブルジョワ実利主義や商業資本主義を呪詛する彼の執念が、いよいよ鋭く研ぎすまされたのは当然であったろう。彼の忠実な友であった例のスパニエル犬も、ついに餓えて死に、主人の手で掘られた穴に埋められる運命とはなった。

ベジルの村では、ボレルは荒壁の小屋に住み、痩せた土地から木の根や草の実を集めて、かつがつ餓えをしのいだ。肉体的、精神的な衰弱のために、創作の筆も鈍りがちであった。かつての僚友フィロテ・オネディに宛てた手紙に、気力の衰えと創作の困難を綿々と訴えたものがある。

不評判で売れ行きも悪かった『ピュティファル夫人』の刊行後、ボレルはやがて、かつての狼人の狷介(けんかい)孤高ぶりも忘れたかのように、新聞雑誌にかなり頻繁に執筆するようになる。しかも、それが昔のような、極端な憎悪と怒りと呪詛と、また貴族的な誇りによって染め出されたものではなくなって、何やら水で薄められたような、妥協的なものになっているのは痛ましい限りである。東方旅行から帰ってきたネルヴァルと協力して、新たに出版社を設立する計画をめぐらしたりもするが、これも無残に失敗する。

時代も変ったのだ。一八四〇年以降、ロマン主義の嵐はおさまり、歴史は一つの極期を通りすぎて、安定化への下降線をたどりはじめていた。狼人の声は、嵐のなかでしか鳴り響かない。かつての僚友であったブーザンゴ派のボヘミアン詩人たちも、すでに散り散りになっている。そしてペトリュス・ボレル自身、貧困と絶望にやつれ果て、すでにかつてのペトリュス・ボレルの影でしかなくなっていたのである。

クラレティの伝記によると、一八四五年のある日、ゴーティエがパリの大通りで、蒼白い顔をして歩いているボレルに出会った。「ねえ君、職があるんだけどね」とゴーティエが声をかける。「どんな職かね」とボレル。「君はいつも自由な原始生活に憧れていたろう? アルジェリアの任地なんて嫌かね?」「いや、行くよ」——こうして話がきまったのである。職は当時欠員のあった、モスタガネム植民地検査官の役であった。この職に何とかして有りつこうとして、ボレルが大臣に宛てて書いた請願書が残っているが、その手紙のなかで、まことに哀れをそそるのは、彼が自分の昔の文学的業績を必死になって隠そうとしている点であろう。

一八四六年一月二十五日、ボレルは船でアルジェに着いた。しかし植民地の役人の職も、なかなか楽ではなかったらしい。よくよく不運な人間と言わなければならないが、彼は事務能力がないという理由で、減俸処分を受けたり譴責（けんせき）処分を受けたりした挙句、何度も解雇されては、また復職し、モスタガネムからコンスタンティーヌ、ボーヌ（アンナバ）、オラン、そしてふたたびモスタガネムと任地を転々するのである。これも伝説だが、報告書を詩の形で書いたという話が残っている。しかし当時のボレルに、そんな勇敢なことができるわけがない。

プティブル的な家庭の幸福を求めようとしたのであろうか、ボレルはこのアルジェリアで、一八四七年、十九歳年下のガブリエル・クレーという娘と結婚さえしているのだ。翌年には男の子が生まれている。いったい、家庭をもち子供をもった狼人などというものが信じられるだろうか。

一説によると、このガブリエルという若い娘は、ボレルの昔の情婦の娘で、彼はアルジェリアに出発するに先立って、まずガブリエルと結婚し、母と娘を二人とも連れて海を渡ったのだという。そうすると、ボレルはアルジェリアで女二人と暮らしていた、ということになるのだろうか。

一八五五年、ボレルは検査官の地位を解任され、自分で畠を耕して生きて行かねばならない境遇に落ちた。協力者として、本国から姪のジャンヌを呼び寄せ、手に入れた数ヘクタールの痩せた土地を、彼女と共同で開墾することになったのである。ボレルの住んでいたモスタガネムの家は、現在でも残っているそうであるが、それは砂漠のような石ころだらけの道のはずれに建つ、奇妙な四角い塔のような建物だという。家の前に、ボレルの植えた棗椰子(なつめやし)の樹が今でも立っている。太陽に灼かれた不毛な土地なのだ。

私たちは、ここでゆくりなくもランボーの後半生を思い出しはしないだろうか。しかし三十七歳で死んだランボーにくらべると、すでに四十六歳で、頭はすっかり禿げ、髯は真白になり、眼は光を失って、以前の美丈夫ぶりを思い出させるものは何も残っていないボレルの方が、はるかに悲惨のような気がしないこともない。もう彼は死を待つばかりだった。同じ年に、かつての僚友ネルヴァルがパリの裏町の一隅で謎の縊死(いし)をとげているが、そんなニュースも、たぶん、彼のところまでは届かなかったにちがいない。

それから四年後の一八五九年七月十七日、彼は満五十歳で死んだが、この最後の死に方にだけは、往年のリカントロープの叛逆精神の片鱗が窺えて、せめてもの慰めを私たちにあたえてくれる。ボレルは北アフリカの真夏の炎天下に決して帽子をかぶらず、「自然はやるべきことをやるのであって、これに手を出すのは、おれたち人間の役目じゃない。おれの髪の毛が脱け落ちるということは、おれの額が今や、むき出しになってもよいということなのだ」とうそぶいていた。そして数日後、日射病で死んだのである。

モスタガネムの司祭館には、ボレルの死亡を記録した過去帳が残っており、それによると、彼は教区の墓地に正式に埋葬されたということになっているのであるが、その後、墓地はつぶされて整地されてしまったらしく、あの狼人の骨はどこへ投げ棄てられたか、今となっては全く不明になってしまったそうである。

*

ボレルの作品を、文学的価値という見地からでなく、その人格から自然に生じたものとして眺めるならば、まず第一に気がつくことは、自殺に対する偏愛が認められるということであろう。すでに見てきた通り、厭世主義の自殺は彼の固定観念なのである。その点で、彼のペシミズムに匹敵するのは同時代者のなかでただ一人、アルフォンス・ラッブ（のちに紹介する）のそれのみであろう。ペシミズムによる叛逆ということは考えられるにしても、社会的関心や共和主義の理想がどこまで本気のものであったかは、したがってボレルの場合、甚だ疑問であると申さねばならぬ。ともあれラップもボレルも、自殺を一つの人間的価値として、その手に絶対をつかむための一つの試みとして、冷静かつ毅然たる目でこれを直視したのであった。だから、ゴーティエの『アルベルテュス』とボレルの『シャンパヴェール』とを比較するのは大いに間違っていよう。ゴーティエはその大言壮語や虚勢にもかかわらず、死を前にして恐怖に戦(おのの)くタイプの人間である。同様にまた、貧乏と失恋に生涯を苦しみ抜きつつ、しかも懸命に生きようとしたマルスリーヌ・デボルド・ヴァルモールやエジェジップ・モローの死生観と、ラップやボレルのそれとを同一視するのも明らかに間違っていよう。ラップは、いわばロートレアモンが消えたようにみずから死を選んだのであり、ボレルは、いわばランボーのように生きながら死んだのである。

ラップ、ボレル、フォルヌレ、ランボー、ロートレアモンのような正真正銘の狂詩人と、デボルド・ヴァルモール、モロー、デシャン兄弟、ギュタンゲールのような感傷的詩人とのあいだの相違が歴然とあらわれるのは、だから彼らの死についての考え方においてなのである。前者を特徴づける「黒いユーモア」が、後者には全く認められないのだ。この「黒いユーモア」なるものが、いわばみずから死と戯れる者に特有の、マゾヒスティックな性格のものであることは自明であろう。「攻撃であり嚙みつきであり、したがって知性や精神の働きで予め計画され、準備されたものであるコミックやイロニーとは反対に、ユーモアは、危険を嗅ぎつけた時のかたつむりやはりねずみの筋肉の収縮に似た自衛作用である。」（「クラプイヨ」誌第三十三号、一九五六年）――「黒いユーモア」がイロニーと対立するのは、マゾヒズムがサディズムと対立するようなものであろう。そう言えば、小ロマン派に属する狂詩人たちは、シャルル・ラッサイーやラスネール（のちに紹介する）をも含めて、いずれも何とマゾヒスティックであることか！　ボレルが炎天下に決して帽子をかぶらず、ついに日射病で死んだのも、私には、彼の「黒いユーモア」の最後の爆発と考えれば考えられないことはないような気がする。

ピエール・フランソワ・ラスネール

——殺人と文学

最近、私は必要あって、フランスの一八三〇年代の、いわゆる「小ロマン派」と呼ばれる群小詩人たちの作品や伝記を読み散らかしながら、文学の領域を逸脱しやすい危険なロマン主義的精神というものの宿命について、考える機会にしばしばぶつかった。彼らのなかには、自殺や狂気や犯罪によって、文学的落伍者になったり破滅したりした者がきわめて多いのである。彼らはいずれも、絶望を克服するに足るスタイルをついに発見し得なかった不運な文学者であった。時代の犠牲者という言葉は私の最も嫌うところのものだが、彼らをそう呼んでも間違いではあるまい。おそらく、制作によって絶望感を克服し、文学者として完成するためには、社会的関心や倫理的関心をすっぱり断ち切った、たとえばフローベールのような、典型的な書斎のニヒリストたる必要があったのであろう。

この一八三〇年代の「小ロマン派」と同じ世代に属する、犯罪文学者として逸すべからざる人物に、一八〇〇年生まれの詩人ピエール・フランソワ・ラスネールがいる。彼こそは軍隊脱走、手形偽造、強盗、殺人などといった数々の犯罪を犯し、ついに逮捕されてギロチンにかけられた、ロマン主義の反抗とダンディズムの理想を絵に描いたような、正真正銘の犯罪紳士であった。ボードレールのような鏡の前の修道僧めいたダンディーではなく、フロックコートの懐ろに匕首(あいくち)をのんだ、いわば行動するダンディーである。白い手のブルジョワという境遇から、あえて下層社会の泥棒仲間に身を落とし、悪の道をまっすぐ突っ走り、裁判所で社会と道徳を愚弄して、笑って死んで行った剛毅な男である。

殺人を犯した文学者や芸術家は、必ずしも歴史にその例を見ないわけではない。しかしながら、中世の詩人フランソワ・ヴィヨンにしても、ルネサンス末期の彫刻家ベンヴェヌート・チェリーニにしても、喧嘩や決闘によって思わず相手を殺してしまったという、いわば心ならずも犯した殺人の下手人にすぎなかったのに、このラスネールのみは、もっぱら金を盗むため、自分の復讐のために、冷静に無感動に、何人もの男を計画的に殺害したのである。成り上り者で、こちこちのカトリック信者で、家父長的権威をふりまわす商人の父から疎んぜられ、里子にやられて育てられたラスネールには、幼時から、家庭に対する根深い怨恨があったとおぼしい。死の前に獄中で書かれた有名な回想録によると、いかに彼が母の愛に飢えていたかということが読みとれて、いっそ憐れをそそるほどである。後年、この怨恨と自己憐憫（れんびん）の芽が大きく育って、彼をして社会や人類や道徳を激しく呪詛し、憎悪させる動機となったらしいのである。

しかも、ラスネールはサドのような旧制度の特権階級の貴族ではなかったし、大革命後の反動期に青春を送って、社会変革の理想にはほとんど絶望していたから、その思想にも行動にも、奇妙にイロニックな、苦い敗北主義につながるものがあった。それこそロマン主義の世代に共通したものであって、彼の反抗も、結局はダンディーの反抗ということになるのである。天性の詩人であり、形而上学的冥想的な資質を多分にもっていたが、十分な文学的修練を積むだけの余裕がなかったため、ロートレアモンやランボーのような、あるいはスウィフトやヴォルテールのような、力強い詩人にも辛辣な批評家にもなることができなかった。むろん、フローベールのような、ロマン主義から脱却した、憂欝な書斎的ニヒリズムの化けものたる小説家にもなることができなかった。そのかわり、ダンディーとしての名前を残したのである。若いフローベールが垂涎万丈の思いで、その友人エルネスト・シュヴァリエ宛ての手紙に、ラスネールの名前を引用しているのも道理である。

「ラスネールもまた自己流の哲学をつくったのです」と十八歳のフローベールは書いている、「奇妙な、深刻な、苦渋にみちた哲学を！　この血も涙も涸れた憐れな偽善者は、何たる懲らしめを道徳にあたえたものでしょう。なにしろ道徳の尻を公衆の面前でひっぱたき、泥と血のなかへ道徳をひっぱりこんだのですからね。私は彼のような、ネロのような、サド侯爵のような人間を眺めるのが大好きです」と。

実際、ラスネールの犯罪が新聞に大きく伝えられ、七月王政の社会にセンセーションを捲き起したとき、世人は葬り去った過去の闇のなかから、突如としてサドの亡霊が現われ出たかのような、不吉な印象をいだいたものであったらしい。サドの名前と結びつけて、この犯罪文学者の哲学を論評するジャーナリストもいたようである。ゴーティエはバイロンの劇詩の主人公と結びつけて、詩集『七宝と螺鈿（らでん）』のなかで、彼を「陋巷（ろうこう）のマンフレッド」と呼んでいる。

もっとも、当時、ラスネールの回想録が大いに売れたのは、一つには、彼のメランコリックな美貌や、法廷における自若たる態度に心酔し、その不幸な生い立ちに涙を流す感傷的な女性読者がいたためであろう。これは昔も今も変らない。それから現在にいたるまで、多くの通俗小説家に題材を提供しているにもかかわらず、ラスネールの神話はふっつり忘れられた。二十世紀においては、わずかにアンドレ・ブルトンが『黒いユーモア選集』のなかで、彼をシュルレアリスムの系譜につながる者として称揚し、コリン・ウィルソンが『殺人百科』(一九六一年)や『殺人の哲学』(一九六九年)のなかで、彼を一種の哲学的な犯罪者として紹介しているのを数えるのみである。私がもう二十年近くも以前、ラスネールに初めて興味をいだくようになったのも、ブルトンの書物によってであることを付け加えておこう。

*

少なくとも五人以上の人間を殺しているはずであるが、ラスネールの実際の犯罪は、ウィルソンも述べているように、それほど目ざましいものではない。ラスネールが完璧なラスネール自身になるのは、たぶん、警察に逮捕され、確実に自分が死刑になることをさとってからなのである。ブルトンがもっぱら描き出しているのも、この死を前にした殺人犯の沈着ぶり、ユーモア的精神態度を決して忘れない平静ぶりだった。それについては後述しよう。

一八三四年十二月十四日、当時三十四歳のラスネールは、かつて刑務所内で知り合ったシャルドンという男を殺害した。シャルドンはサン・マルタン街に住む男娼で、祭具を売って金を溜めているという噂の主であった。ラスネールはアヴリルという十八歳の手下を連れて、シャルドンのアパートへ何食わぬ顔で乗りこみ、アヴリルがシャルドンの首を締めているあいだに、背後から鋭い錐をぐっさり突き刺した。シャルドンが倒れると、アヴリルが斧で彼の息の根をとめた。隣室には、ベッドに寝たきりのシャルドンの老母がいたが、ラスネールは彼女の顔を錐で滅多突きにした。そして五百フランと数個の銀器を盗み、毛皮のマントをひっかけて、まず二人でトルコ風呂へ行き、血の汚染を洗い流してから、レストランで食事をし、さらにヴァリエテ座で芝居を見た。のちに法廷で、この犯行後の芝居見物について述べると、傍聴人のあいだに動揺のざわめきが起った。二人の犠牲者の屍体は二日後に発見された。

それから約二週間後の十二月三十一日、ラスネールは贋手形を振り出して、マレ銀行の集金人ジェヌヴェをモントルグイユ街に呼びつけ、金を奪って殺そうとした。これは綿密な計画にもとづくもので、彼はマオシエという偽名を使って、あらかじめ、ここに部屋を借りていたのである。今度の共犯者は、やはり昔の刑務所仲間のフランソワという男だった。しかし今回は相手に騒がれて、ラスネールは集金人の肩に切りつけたものの、殺すまでには至らなかった。フランソワは、叫び声をあげる男の口をふさごうとして、指に嚙みつかれた。危険をさとって、二人は「泥棒、泥棒」と叫びながら部屋を逃げ出した。ジェヌヴェは重傷を負いながらも、部屋で集金鞄をしっかり握っていた。

その前にも、ラスネールは一度、失敗をやっているのである。かつて彼の情婦だったことのある、盗品の故買を業とするジャヴォットという女が、彼の以前の盗みの証拠を握っていて、その筋に密告する恐れがあったので、自宅に呼びつけて殺そうとしたところ、短刀が彼女の首にかかっていた鎖のロケットに妨げられて、うまく刺さらず、十五分も揉み合っているうちに、物音を聞きつけた隣室の者がやってきて、犯行はついに未遂に終ってしまったのだ。

ジェヌヴェ殺害未遂事件後、パリを落ちのびたラスネールが、ふたたびディジョンで偽造手形を行使しようとして、とうとう警察の手に逮捕されたのは、翌年の二月二日のことであった。その頃、腕利きのパリ警視庁警部カンレールは、シャルドン事件とジェヌヴェ事件の犯人を割り出そうとして、懸命の捜査をつづけていた。最初、ラスネールは偽造手形事件で逮捕されたので、殺人事件の容疑者ではなかった。ところが、たまたま監獄にいた彼の二人の共犯者、フランソワおよびアヴリルが、カンレールの巧みな尋問に誘い出されて、マオシエ（じつはラスネール。そのほかにも彼はガイヤール、レヴィなどという偽名を使っていた）の人相特徴を明かしてしまったのである。それからそれへと糸を手繰って行くうちに、ボーヌ警察に逮捕された偽造手形事件の犯人が、シャルドン事件の首魁の人相特徴にぴったりだということが判明し、ラスネールはただちにラ・フォルス監獄に身柄を移された。

裏切るはずはないと思っていた自分の手下が、すすんで警察に情報を提供したという事実を知ると、ラスネールは動揺の色をかくせなかった。彼は仕返しとして、二人の共犯者を死の道連れにしてやろうと決心し、それまで黙秘していた犯行を洗いざらいぶちまけた。彼は監獄付属病院の一室に移され、供述書を取られ、やがて裁判にまわされることになった。裁判になれば、死刑は確実であろう。

新聞はこの殺人事件を大々的に採り上げ、犯人の経歴をくわしく紹介し、彼の政治的な詩、王を諷刺した小唄などを紙面に掲載した。そのため、ラスネールは共和主義者と間違えられたが、じつは彼は根っからのロマン主義者で、もともと政治には深い絶望しかいだいてはいなかったのである。「なるほど自由と平等の原理は美しい。しかし、そんなものがただの一日でも、この地上に確立されたことがあるのだろうか。諸君は私に悪党の汚名を着せるが、この長く求められながらも一向に実現しない、自由と平等の幻影が、これまでに流させた血に値するものであるかどうか」と彼は『回想録』に書いている。

毎日のように、監獄の病室にジャーナリストや、文士や医者や弁護士や、それから物見高いパリの紳士や有閑夫人までが、この稀代の悪人の姿を一目見ようと押しかけた。彼の部屋は、まるでオペラ座の人気役者の楽屋のようになり、刑務所の役人は、おびただしい面会人を整理するのに汗だくになったと言われている。

面会人は、予約をして席を確保しなければならなかった。いっぺんに大ぜい収容できるように、病室の壁が三つぶち抜かれた。ラスネールは人々の質問に答えて、自分の少年時代の思い出やら、情事やら、犯罪やらの事実を淡々と語った。慇懃(いんぎん)で、物静かな態度を決して失わず、ときどき痛烈な皮肉を放った。人々はまるで今をときめく文豪ヴィクトル・ユゴーの家を訪問したかのように、神妙な顔をして聴いていた。女たちは、犯罪者の優雅な物腰に、さわやかな弁舌に、酔ったような気分になるらしかった。

ある熱狂的な女性ファンが、「お芝居を書く気はございませんの?」と質問すると、ラスネールはにっこり笑って、「その気もあるし、取っておきのテーマもあるんですがね、奥さん、残念ながら時間がなくて……」と答えたという。また、あるイエズス会の坊さんが毎日のように監獄を訪問して、彼を回心させようと努力したが、ラスネールは終始、「私は無神論者です」と答えるのみだったという。

裁判は一八三五年十一月十二日から始まった。毎回、傍聴人が廊下まであふれ出し、ラスネールが被告席につくと、裁判長は騒ぎを静めるのに一苦労した。被告の冷静沈着ぶりたるや、驚くべきものがあった。二人の共犯者を道連れにするために、彼らの主張を片っぱしからくつがえし、ときどき憐れむような皮肉な眼ざしを彼らに投げたり、たまらなくなって可笑しそうに笑ったりした。自分の行為を弁明するどころか、彼は近づく死を待ち望んでいるように見えた。弁論の終りに、彼は次のように述べている。

「私は赦免をお願いしようとは思いません。私の生命はもうどうでもいいのです。私に欲がないというわけではありませんけれども。もし社会が私に人生の楽しみや幸運を恵んでくれるというのならば、私にも受ける気はありますが、生命となると! 私はもう生命に執着はないのです。ずっと前から、私は過去に生きておりました。八ヵ月このかた、死は私の枕もとに坐っておりました。私は赦免をお願いもしないし、期待もしないし、望みもしないのです……もうそれには及ばないのです。」

裁判の判決は、もちろん死刑であった。アヴリルも死刑、フランソワは終身刑となった。当時は終身刑になると、徒刑場に送られて苦役を課せられ、それが死よりもつらいので、フランソワは必死になって死刑を求めたが、容れられなかった。

判決がきまると、ラスネールはパリ裁判所付属牢獄へ移された。ここへも毎日のように、面会人が大ぜい押しかけた。名高い骨相学者が、まだ生きているうちから彼のデス・マスクを取りにきて、研究資料にしようとした。この骨相学者に対しても、ラスネールはきわめて慇懃に応対したが、『回想録』のなかでは、さんざんからかっている。この頃から、彼はほとんど不眠不休で、残されたわずかの時間のあいだに、自分の呪われた一生を記録することに全精力を集中しはじめたようである。それと同時に、十五歳当時からずっと続けている、彼の唯一の精神的楽しみともいうべき、詩作にも耽り出した。ブルトンの『黒いユーモア選集』に収録されている「死刑囚の夢」という詩は、次のような甘美な調子で始まっている。

夢みる時は幸福なるかな！
眠らずに夢をみるのは楽しきかな。
一時間足らずで私は仕上げる
心地よき限りの物語を。
私は思いのままに自分の世界をつくり

無上の運命が私のものとなる、
しかし王の運命をえらぶことは
決して私に思いつかない。
私は孤独な隠れ家で
未来のことは気にかけず
たっぷり空想にふけるのだ、
空想に思い出を混ぜて。
不幸でも萎れることのなかった
私の青春のみずみずしい夢よ、
私の老年を明るくしてくれ、
人が死のうとする時は老年だ。

…………

死刑執行の日は、シャルドン親子が殺害されてから一年以上も経った、一八三六年の一月九日であった。酷寒の朝、暗いうちから起されて、共犯者のアヴリルとともに、荷車で死刑場に運ばれて行くあいだ、ラスネールは、生涯の最後の冗談をとばした。「墓場の土は冷たいだろうな」と。アヴリルもそれに答えて、「毛皮を着せて埋めてくれって、頼んでみろよ」と言った。二人は最後には和解していたのである。

死刑場はまだ暗かった。最初にアヴリルの首が斬り落されると、今度はラスネールの番であった。ギロチンの刃の下に、彼はすすんで自分の首を差し出した。そのとき、不思議なことに、ギロチンの刃が中途で止まって、落ちてこなかった。五度も失敗し、六度目にようやく刃が落ちて、彼の首が断ち切られたという。こんな故障は、めったにないのである。享年三十六歳であった。

*

「金のあるあいだは、私は善良で人のために尽くす人間だった。たしかに私は、多くを無駄に使っていた。しかし私はいつも必要なものだけはあると思っていた。そうでなければ、私は別の生き方をしていたろうし、もっと真剣に将来のことを考えていただろう。しかし私の資産がなくなり、いたるところで私が爪弾きされ、貧窮と飢えがやってくると、憎悪が軽蔑に取って代った。深刻な、ひりひりするような憎悪である。その憎悪のなかに、私はついに全人類を包みこんでしまった。それ以来、私はもはや自分の個人的利害のためではなく、もっぱら復讐のために闘うようになった。」

「いったい、私が金の魅力に惹かれて、シャルドンの家に行ったとでも思っておられるのだろうか。とんでもない話だ！　私は自分の人生を血で正当化するために、私を拒絶した社会に対して血の抗議をするために、シャルドンを殺しに行ったのだ。それが私の目的であり、私の希望だったのだ。」

こんな激越な呪いの言葉が、ラスネールの『回想録』には頻々と飛び出してくる。裁判の終った日（一八三五年十一月十五日）から処刑の前夜（一八三六年一月八日）まで、ほぼ二ヵ月を要して書き上げられた『回想録』は、宗教問題や個人攻撃に類する部分がところどころ警察の手でカットされているとはいえ、人間情念の一大ドキュメントとして、汲めども尽きぬ興趣にみちていると言えよう。べつだん、犯罪の描写があるから面白いのではなく、いかにして自分が犯罪者になったかという、魂の記録に重点が置かれているから面白いのである。とくに父と母、それに自分の少年時代の分析が詳細をきわめており、いささか過去追慕主義者らしいセンチメンタルな、しかしながら透徹した目が光っている。

一八〇三年、リヨンの近くのフランシュヴィルで生まれた少年ラスネールは、両親の愛を一身に受けて誕生したのではなかった。母親は子供を十三人生んで、残ったのは六人だったというが、両親は、ラスネールより四歳年長の長男ばかりを可愛がって、その他の子供には目をかけなかった。ラスネールは生まれ落ちるとすぐ、乳母の手に引渡されて、やや成長するまで両親の顔を知らなかったという。彼は後年の自分の悪徳の根源を、この両親に愛されなかった少年時代の悲しい経験の裡に求めている。「ああ、もし私が母親に愛されていたら！」とか、「子供は、愛されることより以上の望みをもたないものだ」とかいった言葉がよく出てくるのを見ると、この極悪人の心には、人一倍、愛を求める気持が激しかったのだろうと推測される。

孤独な少年は、早くから読書に親しみ、エルヴェシウス、ディドロ、ヴォルネ、とくにルッソーを愛読した。カトリック信者の父親の強制するままに、ある神学校に入学するが、そこでも彼の見たものは、差別のある世界、偽善と不正が支配している世界であった。その後、彼が転々として学校を変えるのは、いずれも教師に睨まれて、退学させられたり放校処分になったりしたためである。リヨンの中学を追っぱらわれたのは、男色家の教師が生徒を誘惑している現場を見たので、この教師にいたく怨まれ、猥本を所持していると校長に密告されたためであった。

やがて家から金を盗むようになり、中学の校長の筆蹟をまねて、月謝の督促の手紙を父親宛てに書き、その金をごまかして使うようになった。後年の手形偽造の悪知恵は、すでにここに胚胎していると見てよかろう。この贋手紙はただちに発覚して、父親からひどく叱られる。あるとき、父親と一緒にリヨンの郊外を歩いていると、町の広場に断頭台が設置してあるのが見えた。すると父親がステッキで断頭台を示して、「ごらん。もしお前が素行を改めなければ、あんな風に死ぬことになるぞ」と言った。「このときから、私と恐ろしい機械とのあいだには、目に見えない絆が結ばれてしまった。何度私は夢のなかでギロチンにかけられたことだろう」と彼は書いている。

こうした自己憐憫と、自分の位置する情況は悲劇的であるという、一種のマゾヒスティックな宿命観が、ラスネールの生涯をつらぬく基調低音のように思われる。彼はつねに、社会は不正で自分は正しく、自分の犯罪はやむにやまれぬ宿命論的必然から犯されたものだ、と考えることを好んでいたようである。

真面目な恋愛は生涯に一度しかしていない、ともラスネールは公言している。相手は某サロンの貴婦人で、夫があり、ラスネールは彼女に近づいてから、四ヵ月近くプラトニックのままだった。この一世一代の恋愛は五年間つづいたが、当時ヨーロッパに蔓延していたコレラによって、女が死んでしまったので、一巻の終りとなった。この恋人の死で彼は深刻に悩んだらしく、まだ三十そこそこだというのに、髪の毛が真白になってしまった。それ以後、もっぱら商売女を相手にしていたが、これは彼の潔癖を逆に証明するものであろう。

最初の殺人は、イタリアのヴェロナで行われた。しかしラスネール自身に言わせれば、これは殺人ではなくて、正々堂々たる決闘なのである。ヴェロナで、彼と同じホテルに泊っていたスイス人の知り合いが、彼のところへきた手紙を間違って開封してしまい、その内容を警察に密告した。ラスネールはこれを怒り、何食わぬ顔でスイス人を夕食に誘い出し、人気のない山のなかまで馬車を走らせると、スイス人の裏切りをなじり、「さあ、ここに二つのピストルがあるから、どちらかを取るがいい」と言った。弾丸のこめられたピストルと、空っぽのピストルだった。スイス人は蒼くなって、こんな無茶な決闘はできないと抗弁した。「それなら私が先に取ろう」と言って、ラスネールは、かねて目印をつけておいた、弾丸のこめられている方のピストルを手にするや、ただちに相手を撃ち斃(たお)したのである。自殺に見せかけるために、空っぽのピストルだけを拾って、ラスネールはホテルへ帰った。

賭博場の言い争いがもとで、有名な政治家兼小説家バンジャマン・コンスタンの甥と決闘したこともある。そのとき、ラスネールとコンスタンとは同じ賭博台に向って坐っていた。コンスタンが続けて何度も負けてから、あやしげな手つきでごまかしをやった。これをラスネールが見咎めると、相手は次のように答えたのである、「私の名前を御存知なら、私が不正なことはやるはずがないと思うべきですよ」と。この身分を笠に着た返事に対して、ラスネールは、「なるほど、私には代議士で演説家の叔父さんはありません。しかし少なくとも私の一族には、二枚舌の変節漢は一人も出ていないのです」と言った。「どういう意味です、私には理解できませんな」とコンスタンも気色ばんだ。「わざわざ説明するまでもありますまい。百日天下のときの、あなたの叔父さんの変り身の早さは有名な話じゃありませんか」とラスネール。つまり、ナポレオンの百日天下のとき、それまで専制政治の敵であったバンジャマン・コンスタンが変節して、みずからテュイルリに皇帝を訪ね、皇帝の顧問官という地位を得たことを諷したのである。決闘はブーローニュの森で行われ、最初に相手が撃ったが、弾丸は外れた。次にラスネールが冷静に狙いを定めて、一発で見事に相手を斃したという。このエピソードは、ラスネールの辛辣な皮肉の切れ味の鋭さと、いざという時にのぞんでの落着きぶりとを、あますところなく示していよう。

一八二九年、ラスネールが初めて獄に下った経緯も面白い。彼自身の告白するところによると、ラスネールは「社会に決闘をいどむ」ため、「社会に禍いをもたらす者」たらんがため、みずから職業的な泥棒になることを決心したのである。バルザックのヴォートランのモデルとして知られる、強盗から転じてパリ警視庁の大立物となったヴィドック刑事の『回想録』を読んで、ラスネールは、職業的な泥棒たらんには、仲間や手下が必要であり、また盗みの手口や泥棒仲間の隠語をおぼえなければならないことを痛感した。いったい、どうすれば仲間ができ、どうすれば隠語をおぼえられるだろうか。答は簡単である。監獄へ入って、泥棒仲間と親しくつき合うに如くはない。かくて彼は、せいぜい懲役六ヵ月に値するくらいの、何か軽い犯罪を犯して、すすんで監獄に入ってやろうと計画を立てるのである。

ラスネールは貸馬車屋へ行き、貸馬車屋の主人に、田舎へ行くので一日だけ馬車を貸してほしいと頼んだ。そして馬車で田舎へ行く途中、バル・デュ・ベック街（市庁舎の近く、現在のタンプル街）の或る家の前に馬車を停めさせ、この家の者に手紙を届けてくれと馭者に頼んだのである。馭者の少年は何の疑いもいだかず、手紙を持って家のなかへ入ったが、その隙に、ラスネールは馬車を走らせて雲隠れしてしまい、かねて約束しておいた男に馬車を売り飛ばしてしまった。ところで、この馬車の荷物入れのなかには警察の許可証が入っており、許可証には、馬車の持主の住所氏名が記入してあったので、馬車が盗品であることは誰の目にも一目瞭然であった。それなのに、ラスネールは平然として、行きつけの株式取引所のカフェに坐って待っていたので、数日ならずして、馬車を買った男が貸馬車屋と一緒にやってきて、ようやく彼は首尾よく逮捕されたのである。ただ、彼は懲役六ヵ月のつもりであったのが、思いがけず一年という長い刑を宣告され、ボワッシーの刑務所に送られたのは皮肉であった。……

以上のような事実も、すべて彼の『回想録』のなかに、事細かに報告されている。一種の「十九世紀版パリ泥棒日記」としても興味ぶかいものがあるので、後年、ドストエフスキーが自分の編集する雑誌の部数をふやすために、誌面にこれを掲載したという逸話が残っているのも、なるほどと頷(うなず)かれる。

このラスネール自身の筆になる『回想録』とは別に、同じく彼の語る思い出や信条や、さらにはラ・フォルス監獄内における彼の言動などを詳しく報告した、別の著者の編集になる書物が一八三六年（ラスネールの死の年）に刊行された。『有罪判決後のラスネール』という表題で、匿名作品であるが、書誌学者のしらべるところによると、イポリト・ボンヌリエおよびルフェ・ド・リュジニャンなる二名の作者の手になるものだそうで、リュジニャンは、旅行家として知られる小説家ジャック・アラゴの変名だという。彼ら二人は、この稀代の犯罪文学者に異常な興味をもち、足繁く監獄に通って、いろいろな問題について彼に喋らせようと努力したので、自己顕示欲の強いラスネールも、二人の文学者の質問には喜んで答えたらしい。みずから詩人をもって任じていただけに、とくに文学者には好意的だったのかもしれない。コリン・ウィルソンが『殺人百科』のなかに引用している一節も、この書物から抜いたものである。ウィルソンの引用は不正確な英訳なので、原語からの和訳を私が次に示しておきたい。ラスネー

ルが代訴人の事務所で働いていたのに、前科者の前歴がばれて追い出され、失業してしまった時代の回想である。すなわち、

「私は一晩中、グレーヴ広場からコンコルド橋までの河岸を歩きまわった。一時間で十年も生きたような気持だった。自殺したくて、七月の愚かな英雄たちの眠っている墓地の正面の、デ・ザール橋の近くの手すりに腰を下ろした。水に飛びこむか？　いや、それでは苦しみが多すぎる。毒を使うか？　私は自分が苦しんでいるところを見られたくない。刃物はどうか？そう、それがいちばん穏やかな死に方だろう。そのとき以来、私の人生は緩慢な自殺となった。私はもはや私自身のものではなく、刃物のものとなってしまった！　ナイフや剃刀のかわりに、私はギロチンの大きな斧を選んだ。しかも、それが一つの復讐であることが望ましかった。社会が私の血を求めるならば、私も社会の血を求めてやろう……」

監獄に収容されたラスネールのもとに、多くの面会人が争って押しかけたことは前に述べた通りであるが、『有罪判決後のラスネール』の著者たちの観察によると、彼は必ずしも、すべての者に慇懃な態度で接したのではなかったようである。あるとき、宝石を着飾った金持らしいイギリスの貴婦人が三人、パリ裁判所付属牢獄に移されたラスネールに面会を申しこんでくると、彼は女たちの方を見向きもしないで、「うんざりだよ。動物園の象を見にくるように、おれを見にこられちゃ堪らん。くたばっちまえ！」と怒鳴ってから、うしろを振り向いて、「や、すごい美人が一人いるぞ。彼女だけになら会ってもいいね」と言ったという。

また、ある貴婦人が獄中のラスネールに、自分は有名人の肉筆書簡のコレクションをしているので、ぜひ貴方の肉筆の手紙がほしい、想像力の問題について一筆書いていただけますまいか、という意味の手紙を送ってくると、ラスネールは次のように返事を書いた。「お手紙拝受しました。残念ながら、想像力の問題について考えをめぐらすには、あまりにも時間が不足しております。しかし私も貴女と同じく、肉筆書簡のコレクションをしておりますので、貴女のお手紙は私のコレクションに加えさせていただきます。」——このあたり、皮肉屋ラスネールの面目躍如たるものがあるではないか。

*

マルセル・カルネの名作『天井桟敷の人々』をごらんになった方は、パリの浅草のようなごみごみした場末の歓楽街に、代書屋の看板を掲げた不敵な殺し屋、死んだ名優マルセル・エラン扮するところの、ラスネールなる人物が出てきたことを思い出されるであろう。これは、今まで私が紹介してきた、実在の犯罪詩人ラスネールをモデルにして、シナリオ作家のジャック・プレヴェールが造形した人物で、メロドラマの筋を別にすれば、かなり忠実な実在人物の再現となっている。

たしかに、実在のラスネールもまた、その生涯の一時期に、代書屋を業としていたことがあったのは、その『回想録』に書かれている通りである。昼間はパリのサン・マルク街で、小汚ない服装をして、寄席芸人や香具師や淫売婦や乞食とつき合っていた一介の代書屋が、夜になると、りゅうとしたフロックコートに身をつつみ、シルクハットをかぶり、髪の毛を波打たせ、細い口髭をぴんと立たせ、愛用のステッキを片手にして、紳士や貴婦人の群がる社交界や賭博場へと出かけて行く。かくて、稼いだ金は湯水のように消費してしまう、昼と夜との二重生活を、彼はみごとに使い分けていたのである。

マルセル・エランの扮する映画のなかの泥棒紳士は、刺すような皮肉な眼と、細い口髭と、波を打った捲き毛と、襞飾りのあるブラウスの袖口から出た、神経質に慄える手とが甚だ印象的であったが、おそらく、バンジャマン・コンスタンの甥と賭博場で出会ったときのラスネールも、こんなダンディーな服装をしていたのであろう。賭博場における彼のポーカー・フェイスは、あの悪事を犯すときの彼の沈着冷静ぶりを考え合わせれば、私たちにも容易に想像されよう。

アンドレ・ブルトンは、逮捕されてから処刑されるまでのラスネールの心の平静ぶりに讃歎の情を惜しみなく注いで、「道徳的見地からすれば、この強盗の良心より以上に安らかなものは、これまでになかったように思われる」と書いた。ここで、詩人としては挫折者以外の何ものでもないラスネールに、シュルレアリスムのいわゆる「黒いユーモア」の系譜に属する者としての、光栄ある地位があたえられるのだ。

「ロマン主義の遺産は、フランスの貴族ユゴーによってではなく、犯罪の詩人であるボードレールとラスネールによって管理された」とアルベール・カミュ（『反抗的人間』一九五一年）は書いている、「犯罪紳士の大先輩ラスネールは、実際に犯罪に精を出した。ボードレールにはそれほど苛酷なところはなかったが、才能は十分であった」と。こうしてみると、「もしラスネールが良い詩人だったら、ボードレールより四半世紀も前に『悪の華』を書いていただろう」というコリン・ウィルソン（『殺人の哲学』）の言葉も、あながち恣意的なものだとばかりは言えなくなってくるにちがいない。

結局のところ、ラスネールはジャン・ジャック風の誠実な自尊心と、ジュリアン・ソレル風の侮蔑的な勇気と、ミュッセ風のやや衰弱したマゾヒズムの持主であったがために、詩人として大成するにいたらず、いたずらにダンディーとしての神話的な名前のみを残すことになった、早すぎたロマン派の一人であったと結論することができるであろう。

小ロマン派群像

——挫折した詩人たち

一八三〇年二月二十五日という日付は、かの文学史上に名高い『エルナニ』事件の日付である。現在、歴史的に眺めて、この事件が真の意味で文学革命、あるいは演劇革命と言えるようなものであったかどうかは疑問であるとしても、少なくとも事件に参加した若い詩人や芸術青年たちにとっては、それは明らかに勝利の陶酔と眩暈感をあたえるものだったにちがいあるまい。この勝利をみちびき出したのは、彼らの一人である小ロマン派のフィロテ・オネディが適切にも名づけたように、「社会に叛逆する形而上学的十字軍」(詩集『火と焔』の序文より)であった。じつを申せば、この十字軍の勝利は、やがて十字軍を構成する一人一人の文学者の悲劇的な敗北と挫折に到達しなければならない、束の間の勝利の幻影にすぎなかったのであるが、彼らの若さと未経験さとには、時代の先を予見するだけの洞察力とてはなかった。また、そのような小賢しい洞察力がなかったからこそ、彼らの向う見ずな情熱と行動が、よしんば幻影であったにもせよ、それなりの成果をあげ得たのだとも言えるであろう。

この若者たちの「十字軍」を組織し指導したのは、当時二十一歳のペトリュス・ボレルと、二十二歳のジェラール・ド・ネルヴァルの両人であった。ネルヴァルはポケットに、スペイン語で Hierro(「鋼鉄」あるいは「武器」の意)と記された赤い紙片を用意していて、これを仲間たちに配っていたという。いわばゲヴァルトのための合言葉であろう。組織のなかには、二人の指導者よりもさらに年齢の若い、当時十七歳の画学生セレスタン・ナントゥイユと、十九歳のテオフィル・ゴーティエも数えられた。『エルナニ』事件の後、ネルヴァルとボレルの仲立ちによって、ゴーティエが初めてヴィクトル・ユゴーに紹介されたとき、彼は女の子のように長い髪の毛を背中に垂らしていたという。もっとも、ゴーティエ自身の語るところによれば、あまりにも有名な赤いチョッキの伝説とともに、長髪に関するそれも、「ブルジョワどもの勝手に捏造した」事実無根の風聞にすぎないのである。

ボレルとゴーティエの周囲には、彫刻家ジャン・デュ・セニュールのアトリエの常連たち、すなわちジョゼフ・ブーシャルディからオギュストゥス・マッキートまでの面々が集まっていた。いずれも若く、まだ仕事らしい仕事もせず、強烈な個性と風変りな気質と、新興ブルジョワ階級の現実主義に対する敵意と嫌悪とによって結ばれた仲間たちである。彼ら一人一人の際立った個性は、ゴーティエ晩年の回想の書『ロマン主義の歴史』のなかに、この著者特有の温情のこもった、生き生きした筆致で描き出されている。ゴーティエの本には登場しないが、やはり彼らの近くにいたと思われる小ロマン派のシャルル・ラッサイーは、貧しい仲買人の息子で、つねづね自分の痩せて骨ばった身体に劣等感をいだいていたので、嗤われる前にみずからすすんで道化の役を演ずるという風だった。彼の鼻は、人造の付け鼻にそっくりだったので、デシャン夫人はこれを付け鼻だと信じて疑わず、本当の鼻だということを彼女に納得させるためには、手で触れてもらわなければならなかったという。このラッサイーとは反対に、リヨンの裕福な金物商の十四人兄弟姉妹中の、第十二番目の息子であったペトリュス・ボレルは、気品と威厳のある美男子であった。その顔は蒼白く、褐色の顎鬚に取り巻かれ、「きらきらした物悲しげな大きな眼」が輝いていた。

このように、極端から極端まで、いずれ劣らぬエクセントリックな個性と気質の持主が集まっていたにもかかわらず、彼らのあいだに嫉妬や反目はほとんどなく、ただ服装の奇抜さを互いに誇示し合うことだけが、彼ら同士の唯一の競争だったという。ただし、ネルヴァルだけは例外で、「誰も彼もが、ルーベンス風の柔らかいフェルト帽子だとか、肩にひっかけたビロード地のマントだとか、ヴァン・ダイク風な胴着、肋骨つきの上着、飾紐のついたハンガリア式フロックコートなど、その他あらゆる異国的な衣裳をつけ、何か奇妙な扮装を凝らして、人目を惹こうとした一風変った時代に、ジェラールはきわめて簡素な、きわめて人目に立たぬ服装をしていた」（ゴーティエ、前掲書）のであった。

彼らの文学革命の理想が芸術の領域のみに限られず、一般に人間の生き方の問題、政治的あるいは社会的な自由の問題をも、それ自身のうちに含んでいたということにも、ここで触れておくべきであろう。たとえば、「鼻眼鏡を始終かけていて、寝床に入る時にもつけていた」というフィロテ・オネディの詩句（『火と焔』所収の詩篇「モザイク」中の「第三の断片・狂熱」より）に、次のごときものがある。

どんなに私は愛しているだろう、あらゆる国語において神聖なこの名を、
嵐の車の上に記されたこの畏怖すべき名を、

力と不滅をあらわすこの美しい名を、
　王たちをして穢れた寝室で涙せしめ、
　やがて世界の唯一の礼拝の対象になるであろう
　　この青銅（ブロンズ）の名、「自由」を！……

ネルヴァルやボレルやゴーティエを中心とする、この新らしいロマン派の理念を信奉する放浪芸術家たちの集団を「若きフランス」と世間は呼んだが、彼らに対する当時の新聞の反対運動には、多分に政治的な性格が読み取れる。一八三一年春から翌年春にかけて、「フィガロ」紙は彼らのなかの過激な一派を「ブーザンゴ」と呼んで、しきりに攻撃したが、それは明らかに、この一派の共和主義的な思想が気に入らなかったためと考えられるのだ。ブーザンゴとは、当時の水兵のかぶっていた革の帽子であるが、なぜこれが彼らの渾名になったのかと言えば、ある晩、「若きフランス」の一派が街頭で騒動を起して逮捕されたとき、彼らの歌っていた歌のルフランが「ブーザンゴをかぶろうよ」という文句だったからだという。いずれにしても、ブーザンゴという文学グループが実在したわけではなく、この無意味な名前は、もっぱら「若きフランス」のなかの過激派の共和主義的な言動を揶揄し、彼らの世間的な信用を失墜せしめんがための、保守的な新聞のキャンペーンのための名前だったようである。
いかに幼稚な、詩人的な発想のものであったにせよ、「若きフランス」グループに属していた青年芸術家たちの共和主義思想には、今日の私たちの目から見ても、疑問の余地はありそうにも思えない。ペトリュス・ボレルの『狂想曲(ラプソディー)』の序文を見ても明らかであるし、「聖なる平等のために自分の詩神(ミューズ)を捧げる」という、シャルル・ラッサイーの制作意図を見ても、それはあまりにも明らかであろう。食うためにやむを得ず大蔵省の官吏として一生を終えたフィロテ・オネディにしても、死ぬまで若き日のロマン主義の信念、共和主義の信念を変えてはいないのである。すでに『火と焔』(一八三三年八月刊)の序文にも、「私は私の魂のありったけをもって社会秩序を、とくに社会秩序の排泄物である政治秩序を軽蔑する」という文句が見られる通りである。

この同じフィロテ・オネディの言葉に、自分や仲間たちを指して言った「思想の山賊たち」(『火と焔』「夜々」第一の夜「地獄の首都」)という言葉がある。批評家のアルマン・オーグはこの言葉に注目し、それが「言葉の山賊たち」でなくて「思想の山賊たち」であるという点に、とくに私たちの注意を促している(「南方手帖」小ロマン派特集号所載の論文「小ロマン派の形而上学的・宗教的反抗」一九四九年)。つまり、彼らにとって文学とは、文学以外の別のものであったらしい、というのだ。彼らはことごとく、その文学的生涯に失敗したり落伍したりしているが、ここでは、とくにそういうことが問題なのではない。そうではなくて、一八三〇年代の小ロマン派にとっては、というのである。宗教的ないし形而上学的な姿勢が、彼らの美学よりもはるかに喫緊の問題だった、フランスのロマン主義は、とくに小ロマン派によって、一つの生き方、魂の一つの独創的な実験という風に解釈されたのだった。だから、彼らの感受性の奥底にあるものは、イメージや色に対する特定の趣味などといったようなものとは、まるで別のものだった。小ロマン派の作品のなかには、オーグの表現によれば、「文学外の啓示が生まの形で露われている」のである。狂人ラッサイー、狼人（リカントロープ）ボレル、自殺讃美者ラッブ、革命家エスキロス、幻視者フォルヌレ、激情家（バロクシスト）オネディ、——小ロマン派のどの一人をとっても、純粋な文学の領域をはみ出したところに、彼らの本領があったということを考えてみるべきであろう。少なくとも、狭義の「文学」は彼らの目的ではなかったのである。二十世紀のシュルレアリストたちが、彼らのなかに自分たちの先輩を見出して狂喜したのも偶然ではあるまい。さらに今日、硬化した文化をふたたび生気あらしめるものとして「狂気」や「遊び」の要素が求められているとき、この「思想の山賊たち」の横紙破りの言動から、私たちが何らかの啓示を受け取ることは必ずしも不可能ではあるまい。

　アルマン・オーグは、さらにこの「思想の山賊たち」が、徹底的な無神論者でもなく、さりとてカトリック正統派でもなく、いわば曖昧な反抗者であり、ニーチェのように「神は死んだ」と断言し得るようなニヒリズムの風土からは、まだはるかに遠い地点に立っているにすぎないということを、犀利な論理で分析している。シャルル・モンスレが証言しているように、哲学小説『ロベスピエールとイエス・キリスト』（実現しなかった）を計画したシャルル・ラッサイーは、夜、何か猛烈な瀆神の言辞を吐かなければ決して寝なかったそうであるが、ボレルにしてもオネディにしても、その点では似たようなものであり、神に対する呪いと罵言は、彼ら小ロマン派の最も気に入りの、いわば日々の祈りにも似た行為だったのである。このことは、彼らが純粋な否定からではなくて、漠然とした反抗の気分から出発していたということを示していよう。たしかに小ロマン派にとって、神はまだ死んでいないのである。そして彼らは、神を殺すことよりも、むしろ神を相手に愚痴を並べ立てることに忙しいのである。

こうしてみると、小ロマン派の共和主義も、反教権主義も、反ブルジョワ思想も、自由への熱望も、また彼らの形而上学的な姿勢も、つまるところ、創造主に対する反抗ということに還元し得る性質のものであるらしく思われる。同じことを、アルベール・カミュは『反抗的人間』のなかで次のように明快に述べている。すなわち、「ロマン主義的反抗者は個人と悪を賞揚しても、人間の味方にはならず、自分の決意を固めるだけである。ダンディズムは、どんな場合でも、つねに神に対するダンディズムだ。個人は、被造物である限り、創造主に対してしか反抗できない。彼は神を必要とし、神に一種の曖昧な媚態を示す」と。いずれにしても、ここに小ロマン派の時代的な限界があったということは認めなければならぬであろう。

*

次に、これまで言及してきた小ロマン派に属する個々の作家たちについて、その簡単な肖像を描いてみたいと思う。

もとより、小ロマン派という呼称は後世のものであり、当時にあっても特別のグループを形成していたわけでは決してないので、その概念を正しく限定するのはむずかしい。十九世紀初頭の忘れられた作家、マイナー・ポエットのすべてが小ロマン派だというわけではない。彼らの大部分が一八三〇年から一八四〇年にかけての、ごく短かい期間に作品活動をしているとはいえ、たとえばアルフォンス・ラッブのように、その頃すでに謎の死をとげていた者もあれば、またレーモン・クノーの発見した未知なる作家デフォントネーのように、一八五四年にいたって初めて作品を発表した者もある。ネルヴァル、ボレル、オネディ、エスキロスのように、パリで華々しく「ブーザンゴ」派に属していた者もあれば、グザヴィエ・フォルヌレのように、地方の田舎町で孤立していた者もある。あるいはまた、このフォルヌレの同郷人であった『夜のガスパール』の作者アロイジウス・ベルトランのように、詩稿を世に出してくれる出版社が見つからぬまま、貧困と肺結核に苦しみつつパリの慈善病院で死に、その詩集は友人の手で死後に刊行（一八四二年）されたという者もある。——結局のところ、小ロマン派なるものを定義しようとするならば、現代の私たちをも動かし得る、何らかの意味で叛逆的な文学上の試みをつらぬき、そのために失意と挫折の生涯を送ることを余儀なくされた、一八三〇年の世代を中心とした文学者たちの総称である、としか言えないのではなかろうか。さらに付言するならば、彼らはすべて、硬化しはじめた新興ブルジョワ階級の犠牲者だった、とも言えるのである。

ペトリュス・ボレルとグザヴィエ・フォルヌレについては、以前にそれぞれ一項目を設けて紹介したことがあるので、ここではふたたび採り上げない。また、ジェラール・ド・ネルヴァルとアロイジウス・ベルトランは、すでに邦訳もたくさん出ているし、多くの評家によって論評されてもいるので、やはりここでは割愛することにする。

アルフォンス・ラッブ（一七八六—一八二九）

いわば早すぎた小ロマン派である。多くの小ロマン派がまだ作品を一つも発表していないうちに、ラッブは早くも四十三歳の若さで謎の死（たぶん自殺であろう）をとげた。ジャーナリストあるいは歴史家として、それまでにも多くの著作を世に出してはいたが、ラッブの文学作品が人の目にふれたのは死後であり、ヴィクトル・ユゴーを初めとする彼の友人たちは、その死後刊行の『ある厭世家の手帖』（一八三五年）を読むにいたって、そこに端正な文体で吐露された、作者の絶望の深さと死の誘惑とに驚嘆したのである。ボードレールは『火箭（ひや）』のなかに、「永遠の音調、永遠で世界的（コスモポリット）な文体。シャトーブリアン、アルフォンス・ラッブ、エドガー・ポー」と書いている。シャトーブリアンやポーと並べられたのだから、もって瞑すべきであろう。

ラッブは一七八四年、イタリアとの国境に近いフランス南部のバス・ザルプ県（編集部註・現在のアルプ・ド・オート・プロヴァンス県）のリエズに生まれている。若い頃から英雄崇拝の傾向があり、政治的雄弁家や、古代ギリシアの美しい肉体などに憧れていた。後年、弁護士から政治家に転じ、さらに王党派から共和派に転向しているが、彼にとっては、思想の実体などはどうでもよく、ただ力と行動にみちた政治や言論の世界で活躍することのみが関心事だったのであろうと想像される。やがてパリに出て、幾つかの新聞に関係し、政治色の強いジャーナリストとして売り出し、同時にまた、生活のために、スペインやポルトガルやロシアに関する通俗歴史書のようなものを書き飛ばしていた。みずから思想家をもって任じていたから、当時のロマン主義の文学運動にはほとんど関心がなかったらしい。

ラップの人生観に一大転機があらわれるのは、若い頃、兵役でスペインへ行っていた当時に感染した、おそろしい業病の悪化のためである。アンリ・ジラール監修の「ロマンティック叢書」の一冊として刊行された『ある厭世家の手帖』の序文の筆者は、その病気の名を明示していないが（初版の「作者紹介」を書いたL・F・レリティエは露骨に書いたらしい）、私の読んだ限りでは、どうやら病気は梅毒か癩病ではなかったかと推測される。「瞼も鼻孔も唇も蝕まれていた。髭も歯も欠けていた。金色の捲き毛が肩のあたりまで垂れた髪の毛と、片方の目が残っているだけだった。それでも誇り高い視線と、自信のある素朴な微笑が、この醜い顔の上に美しい光を投げていた」とユゴーが印象を語っている。

「鏡を見るたびに私はぞっとする！」とラップ自身は述べている、「これが私の顔だろうか？　いかなる手が私の顔面に、かくも醜き痕跡を刻みつけたのか！」と。かつては美貌を誇り、ギリシア的肉体美に憧れていた彼であってみれば、この運命の激変は堪えられない苦痛であったにちがいない。とくに最後の五年間は、日ごとに目に見えて悪化する病気のさなかで、自殺のことばかり考えて暮らしていたようである。次第に執筆も困難になり、借金もふえて行き、阿片で苦痛をまぎらすようになった。それでも彼の自尊心は、他人から同情されることを極端にきらったという。彼が内心の記録に、ひそかに欝屈した思いをぶちまけるようになった成行きは、こうしてみると、あまりにも当然の成行きのように思われる。

アンドレ・ブルトンは『シュルレアリスム第二宣言』のなかで、「堪えがたい肉体上の醜さがアルフォンス・ラッブの厭世観の大きな原動力だった」などと想像するのは不毛なことだ、と述べている。たしかに、残された作品が一切だという観点に立てば、何も私たちは、ラッブの病気と厭世観とを無理に結びつける必要はないことになる。その点では、伝記を完全に抹殺して、作品だけを残したロートレアモンの例が理想的な例だろう。しかしラッブの場合、病気の事実を故意に記述から外すのも、かえって妙なことになるのではあるまいか。まあよろしい。記述をつづけよう。

一八二八年の春、新たな幸福と不幸が加わった。この無残に肉体の腐敗している男に対して、ある女が真摯な愛を捧げたのである。それは、彼には永久に禁じられていると思われたものだった。しかも、女はその年の五月、彼の腕に抱かれて慌しく死んだのである。彼の家に女中として住みこんでいた、ピカルディ地方出身の「無知で無邪気な」（ユゴー宛てのラッブの手紙より）二十歳の女だった。この愛こそ、人に嫌われることで悩んでいた病気の男にとって、この上ない慰めであったにちがいないし、この愛の喪失こそ、この世への一切の希望を打ち砕き、彼をして、ひたすら死の平和と休息を求めさせるにいたった原動力ではなかったろうか。

それから約一年半後、一八二九年十二月三十一日の夜、アルフォンス・ラッブは死んだ。死体が発見されたのは翌日、つまり一八三〇年一月一日の朝である。死因については、伝記作者のあいだでも意見の一致を見ていない。心臓麻痺か、阿片の多用による事故死か、それとも自殺か。二十五年後にジェラール・ド・ネルヴァルがパリの裏町で死んだときと同じように、ラッブの友人たちは、自殺の仮定を斥けようと努力した。しかし、いちばん考えられるのは、やはり覚悟の自殺であろう。レリティエは躊躇せず自殺説を採用しているし、ヴィクトル・ユゴーも同じ考えに傾いている模様である。それに第一、残された彼の遺稿集には、その冒頭に「絶望の哲学―自殺について」という文章があるのであり、これにつづく「生と死のあいだで」というアフォリズム集の末尾には、一八二九年十二月十三日の日付(つまり死の十八日以前)のある、作者の自殺宣言のごときものさえ読むことができるのである。

死後五年たって、作者の甥の尽力で刊行された二巻の遺著には、ルッソーや十八世紀哲学者に心酔していた作者の若書きの論文や散文詩も多く含まれているが、それらは取り立てて論ずるには値しない。ラッブがラッブ自身になるためには、苦悩が必要だったのである。すなわち、これらの遺稿に私たちが見出す感動のすべては、苦渋にみちた彼の晩年の瞑想の裡にこそあるのである。「呪われし者の地獄」と題された散文詩集と、「生と死のあいだで」と題されたストイシアン風のアフォリズム集と、「絶望の哲学」という長篇論文とが、私たちの興味のすべてでなければならない。そこには、ボレルやオネディやフォルヌレにしばしば見られるような、あのロマン主義者流の誇張された感情表現や、鬼面人を威す態の用語法などは一つもない。それも道理で、ラッブは公衆に向って、公衆の喝采を博するために、書いているわけではないのである。彼の苦悩は、きわめて現実的な苦悩なのである。「生と死のあいだで」は副題を「強者たちのパン」と称するが、そこには作者が日々の読書のあいだ、丹念に抜き書きしたとおぼしい古代作家の文章が、彼自身の文章と相前後して、おびただしく引用されている。とくにセネカやストア哲学者のそれが多いのは、彼が死の恐怖を克服する一種のアパテイアを求めていたことを語っていよう。次のごときセネカ風の文章を見られたい。


「私たちは涙のなかで生まれ、生き、そして死ぬのである。生存とは涙の代償によるものだ。」

「もしも私たちがたえず死につつあるということを深く認識し得たならば、死ぬことに慣れるという事態もあり得よう。」

「死ぬ技術を学ぶことを考えた者があるだろうか。」

「賢者は自分が死ぬのにふさわしい時期を知るだろう。そして死に対して無関心になるだろう。死神に向って冷やかに、『やあ、おいでなさい。私たちは古いお馴染みですな』と言うだろう。」

「死は誕生のように、一つの自然の神秘であり、同じ要素の新らしい組替えである。といっても、嫌がったりすることは何もない。叡智の存在の本質にも、その生成の計画にも、嫌悪すべきものは何一つとしてないからである。」

「ラップは死においてシュルレアリストである」（『第一宣言』）とブルトンは言ったが、たしかに『ある厭世家の手帖』は最初から最後まで、いかにして死と親しみ、死と馴れ合い、死を自分のものにするかという、巧緻をきわめた思索によって埋まっていると言っても差支えあるまい。「呪われし者の地獄」のなかには、「死は私の恋人だ。さあおいで、死よ！　おお、私の大好きな女神よ！　お前の怖ろしい愛情の限りをつくしておくれ。取り返しのつかないお前の抱擁で、私をきつく抱きしめておくれ。休息の深淵に、私を突き落しておくれ」という、ロマン派好みの奇怪な文章さえ見られる。

「ストイシズム、自殺というただ一つの秘蹟しかもたぬ宗教！」とボードレールが定義したような意味で、アルフォンス・ラップもまた、一個のストイシアンであったと言えるかもしれない。そうだとすれば、ジョー・ブスケが言ったように、一概に彼をペシミスト扱いするのは間違っていよう。いや、ペシミストにはちがいないとしても、死を唯一の幸福として希求するようなペシミストで彼はあったはずだ。「現在では、死の名前は恋人の名前のように、私の耳に快く鳴り響いている」とも彼は言っている。ここまでくれば、たしかにブルトンの断言しているように、肉体的な醜さとか病気とかいったようなことは、一応、彼の厭世観とは切り離して考えてもよいような気がしてくる。「死におけるシュルレアリスト」とは、そういう意味だったのかもしれない。

「古代人は、より大きな不幸を避けるために自殺をした。苦痛とか老年とか、あらゆる衰退とかを免れるために、また政治上の理想とか、社会的威光とかの失われるのを見ないようにするために、彼らは自殺をしたのである。ギリシアやローマの全歴史を見渡しても、幸福を見出すことができないので自殺をしたというような例は、ただの一つもない」と書いているのはレミ・ド・グールモン(『哲学散歩』)である。アルフォンス・ラッブの場合にも、彼は不幸だから自殺をした、というような安直な三段論法を当てはめるのは、厳にこれを慎しむべきであろうと考えられる。自分の夢を実現することができないので自殺をする、世の多くのロマン主義的魂の青年と彼とのあいだには、じつのところ、共通なものは何もないのである。

「私は冷静に、堂々と、すべての人間が自然から享けた特権、自分で自分の始末をつけるという特権を行使するにすぎないのだ。墓のこちら側にいる私がまだ興味をもっているのは、そのことだけなのである。墓の向う側では、すべてが私の希望であろう」——これが自殺する十八日前の、アルフォンス・ラッブの最後の信仰告白だった。「早すぎた小ロマン派」は、こうして彼の後輩たちがやってくるより一足先に、この世を去ってしまっていたのである。

シャルル・ラッサイー（一八〇六―一八四三）

一八三〇年代のロマン主義運動の周辺に生きた人物として、伝説のなかに辛うじて残っているシャルル・ラッサイーのイメージは、要するに、奇妙な鼻を有し、感傷的な詩を書き、小説『トリアルフ』によって文壇を驚かし、つねに貧乏に苦しめられながらジャーナリズムで悪戦苦闘し、バルザックの秘書となり、不幸な恋愛によって傷つき、ついに発狂して精神病院で死んだ、みじめな挫折した文学者としてのイメージである。つまるところ、ラッサイーの思い出は、逸話の連続としてしか残らなかったわけだ。生没年さえ曖昧で、ギュスターヴ・ブリュネの文献目録『狂気の文人』（一八八〇年）のごときは、生年を一八一二年頃と推定している。この誤りは、その後も多くの著述家がそのまま踏襲するところとなっている。さらにまた、一説によれば、ラッサイーの没年は一八四二年（これも誤り）、パリのパンテオン近くのサン・テティエンヌ・デュ・モン教会で胸を刺して自殺したということになっているが、これも事実に反する。

ペトリュス・ボレルの伝記を書いたジュール・クラレティが、ラッサイーの名誉回復のためにも筆を執ろうと志したようであるが、これは残念ながら実現しなかった。散佚した資料を集め、残された手紙を整理し、ようやくラッサイーの生涯の輪廓がはっきりしはじめるのは、したがって、今世紀になってからの伝記作者たちの努力による。とくに最近、グザヴィエ・フォルヌレの詳細な伝記（一九七一年）をも書いているアメリカのエルドン・ケーが、決定版ともいうべきラッサイー研究（一九六二年）を発表して、さまざまな伝説のヴェールをほぼ完全に脱がせ、この不幸な文学者の真の相貌を闇のなかから浮かびあがらせることに成功しているのは喜ばしい。

ラッサイーは一八〇六年九月、オルレアンの仲買人の息子として生まれている。ユゴーより四歳年下、ネルヴァルより二歳年上である。注目すべきは、この仲買人の父親が、事業の失敗から負債を負い、一八二九年、ロワール河に投身自殺していることであろう。当時、息子のシャルルはすでに学業を終え、故郷のオルレアンからパリへ出てきていた。四人兄弟の長男であったシャルルは、おそらく一家の期待を担って、ラスティニャックのように首都に出てきていたのであろう。

多くの小ロマン派詩人の例に洩れず、出発当時のラッサイーもまた、熱烈なユゴー崇拝者であり、新らしいロマン主義の理念を信奉するブーザンゴ派の急先鋒であった。その極端から極端へと移り変る、躁鬱病に近い彼の生まれつきの過激な性格は、仲間たちのなかでも飛び抜けて目立っていたという。しかし彼には、ボレルやゴーティエのような傲岸なダンディズムは縁がなく、むしろ神経をむき出しにして生きているような、素朴かつ愚直な、傷つきやすい弱い面があったらしい。そうした性格をいよいよ強め、ついに彼を狂気にまで追いこんだ最大の原因とも思われるものは、彼の一生を苦しめた貧困とともに、半ば伝説化して後世に語り伝えられた、その肉体の異常さであったにちがいない。

すでに若い頃から、ラッサイーの頭は禿げあがり、顔は異様に長く、手脚も気味の悪いほどひょろ長かったと言われているが、とくに人々の無遠慮な嘲笑の的になったのが、その大きな鼻だった。当時の有名なダンディーであったロジェ・ド・ボーヴォワールの回想によると、それは「まるでコーヒー沸かしの把手」だった。ミュッセも、ある日、「きみの鼻は本物かね、それともボール紙で作ったのかね」と訊いたという。エミール・デシャン夫人は、自分の手で触れてみるまでは、どうしても本物の鼻だとは信じられなかった。しかしロジェ・ド・ボーヴォワールの報告を信ずるならば、ラッサイーはこの巨大な鼻を、貴族的な特徴だと考えて、みずから誇りに思っていたというから、そのコンプレックスをきわめた心事はかなり複雑と申さねばなるまい。

この肉体の異常な特質のために、ラッサイーはしばしば画家のアトリエに招かれて、モデルになってくれと望まれた。テオドール・シャセリオー、トマ・クーテュール、ガヴァルニ、ジャン・ジグーなどといった当時の錚々たる画家が彼をモデルにして制作しているが、惜しむらくは、その制作の一枚も残されてはいない。ボードレールが「フランスの諷刺画家」のなかで絶讃した石版画家のガヴァルニは、とくにラッサイーと親しく結ばれた友人で、その回想録のなかに彼の名前は頻々と登場する。

ペトリュス・ボレルのような威厳のある、美丈夫のダンディーには遠く及ばなかったにしても、ラッサイーにもまた、少々センティメンタルな、彼なりの気取りやお洒落への好みがあった。ボタン孔に椿の花を挿して、毎晩、恋い焦れた男よろしくオペラ座へ通うのであるが、その擦り切れた衣裳は多く借り着であったという。昼間は生活のためにあくせく働き、夜になると彼は生き返るのだった。そして、いつも侯爵夫人や伯爵夫人に片思いの切々たる恋心を燃やしていた。

あの歴史的な『エルナニ』事件の日にも、ラッサイーはユゴー配下の青年行動隊とともに、風変りな身なりをしてフランス座に陣取っていたらしい。これについては、ゴンクールの日記（一八六二年七月二十日）に次のような記述がある。

「《ゴーティエ》とサント・ブーヴが相手の言葉を遮りながら言った、《『エルナニ』の初演の日を一日、われわれがどんな風に過したか、おぼえてるだろうね。二時にわれわれはユゴーと一緒に出かけた。僕はフランス座ではユゴーの忠実な家来だった。われわれは劇場のてっぺんの頂塔にのぼって、観客が蜿蜒（えんえん）と行列して進むのを眺めた。すべてユゴー部隊なんだ。ユゴーはラッサイーが通るのを見て、一瞬はっと心配した。彼に入場券をやってなかったのだ。僕は『私が責任をもちます』と言って、ユゴーを安心させてやったよ。》」

このサント・ブーヴの回想によれば、ユゴーは自分を取り巻く多くの芸術青年たちのあいだで、ラッサイーの存在をうっかり忘れていたらしい。田舎から出てきた貧乏な青年詩人は、綺羅星のごとき「プティ・セナークル」の面々のなかで、それほど大事な存在ではなかったのかもしれない。それでもラッサイーが、バルザックの愛人でもあった『回想録』作者ダブランテス公爵夫人のサロンに出入りしていたことは、ガヴァルニやゴンクールの日記によって証明されている。

ラッサイーの数少ない詩作品としては、雑誌「プシュケ」、「アルマナ・デ・ミューズ」、「星」などに寄稿した諸篇と、ロマン派作家の詩選集『墓上の花』（一八三六年）に収録された「ポエジー」、同じく『ダリア』（一八三七年）に収録された「無頓着」、それに生前に刊行された唯一の単行本詩集である『ボナパルトの息子の死についての詩』（一八三二年）が残されているのみである。これらの多くは凡作で、取り立てて言うべきことは何もないが、ただ当時のサン・シモン一派の社会主義の影響下にあった雑誌「星」に寄稿した長詩「屍体」（一八三四年）には、腐敗した現社会に対する激烈な告発と、新時代の到来への希望が語られていて興味ぶかい。

当時の聖母崇拝とユートピア思想との奇妙な結びつきについては、前にも触れたつもりであるが、ほとんどプロレタリアと言ってもよい貧困階級に生まれたラッサイーには、小ロマン派の詩人たちのなかでも、とりわけフランスの社会経済体制の変革への期待が強く働いていたものと思われる。彼が最も惹かれた社会主義の理論家は、肉欲の解放と女性の共有を説いた、サン・シモン派のなかでも神秘主義的傾向のいちじるしい、独特な聖母崇拝の思想家ペール・アンファンタンだと言われている。なるほど、これは一種の恋愛病患者であったラッサイーにふさわしかろう。事実、サン・シモン派のスポークスマンで、雑誌「地球」の編集長であったミシェル・シュヴァリエ宛てのラッサイーの手紙（一八三二年三月）が残っており、そのなかで彼は、「自分にも女性の平等の問題を扱った小説がある」とうそぶいている。この小説とは『トリアルフ』のことであろうか。

ラッサイーのその他の作品としては、「アンデパンダン」紙に発表された劇評や、「世紀」紙に発表された短篇小説や批評文などが残っているが、いずれもジャーナリズムの渦中で生きて行くために要請されたところの作品で、とくに見るべきものはない。

それよりも、ぜひここで触れておかなければならないのは、発表当時、非常な反響を捲き起し、その後も長く愛書家の珍重するところとなっている、ラッサイーの名前と密接に結びついた、彼の唯一の長篇小説『われらの同時代人トリアルフの自殺前の奇策』(一八三二年)と題する作品であろう。オネディの『火と焰』やボレルの『シャンパヴェール』と同年に出た、この半自伝的な小説作品は、また先に述べた詩集『ボナパルトの息子』とともに、ラッサイーの生前に刊行された二冊の単行本のうちの一つでもあるわけである。一八三二年に刊行された『ボナパルトの息子』の表紙には、作者ラッサイーの次の作品の予告として、政治小説『ロベスピエール』および哲学小説『イエス・キリスト』なる二巻の小説の題名が刷りこんであったが、この企画はついに実現しなかった。

ペトリュス・ボレルがシャンパヴェールであったように、この半自伝的な小説『トリアルフ』においては、シャルル・ラッサイーはほとんど主人公トリアルフそのものである。トリアルフという名前の由来については、ラッサイー自身が小説の序文で次のように説明している、「要するに、私は私の手記に署名をするのである。私の名前はトリアルフである。系図はない。

ただトリアルフ Trialph が Trieilph から来ていることを知るのみ。この言葉は、デンマーク語で gâchis（ごちゃごちゃ、混乱）を意味する」と。トリアルフは二十世紀のカリガリ、ユビュなどと同じように、全く無意味な命名だと考えてよかろう。

シャルル・アスリノーが「当代の最も気違いじみた小説」（『ロマン派文献目録』一八七四年）と呼んだように、ラッサイーの小説にみなぎっているのは、自暴自棄なペシミズムから由来したところの、既成の宗教や家庭や道徳に対する明からさまな冒瀆的言辞と、社会の常識への冷笑的な叛逆である。真摯と嘲笑、真実と嘘とが同居していて、それがこの苦しげな作品に独特な調子をあたえている。見方によれば、当時流行の小説らしい小説に対するパロディーであり、ミスティフィカシオンでもあって、一八三〇年代の青春の文学的情況をみごとに定着させた、貴重なドキュメントだとも言えなくはない。いわば百五十年前の反小説（アンティ・ロマン）でもあろうか。

小説の扉には、作者の「信条」として、

ああ！

ええ！　ええ！

おお！

ひ！　ひ！　ひ！

ゆ！　ゆ！　ゆ！　ゆ！

という奇怪なエピグラフが記されている。これがすでに読者への挑戦のようにも受け取れる。

人生を徹底的に茶化した小説『トリアルフ』の粗筋は、ざっと次のごときものである。すなわち、――主人公トリアルフは、二人の女性を同時に誘惑しようとする。一人はナニーヌという可愛い町の小娘で、親友エルネストの恋人であるが、浮気で尻が軽い。もう一人はリアルデール伯爵夫人、通称オランプで、三十五歳の豊満な美人であり、すでに何人もの男たちを破産させたほどの凄腕の持主である。トリアルフはエルネストからナニーヌを奪い、同時にオランプをも自分のものにする。オランプの亭主の老伯爵と決闘するが、相手の剣を叩き落して止めにする。ナニーヌはやがてエルネストと結婚することになり、絶望したトリアルフは服毒自殺を企てるが失敗する。結局、何も信じられなくなったトリアルフは、この男女四人を一人残らず厄介払いしてやろうと決心する。まず、淫奔な伯爵夫人に誘われて、彼女の寝室に忍びこもうとするエルネストの縄梯子を揺すぶって、親友を墜落死せしめる。それからオランプを裸にし、媚薬で狂乱させ、怒った亭主に彼女を絞め殺させる。最後に部屋に火をつけて、亭主を部屋ごと焼き殺し、抱腹絶倒しながら自分ひとりだけ焔のなかを脱出する。残ったのはナニーヌである。トリアルフは無邪気な娘の寝室に忍びこむと、眠っている彼女を起し、「エルネストとオランプがコレラで死んだよ」と嘘をつく。それから娘の足の裏を擽(くすぐ)って、ついに彼女を笑い死せしめる。こうして復讐を完成すると、トリアルフは自殺するために海岸へ走って行く。

「神の摂理を試そう！」これが全巻の最後の文章である。

一見したところ、全く支離滅裂のような内容の小説ではあるが、その物語の随所に、深い絶望に裏づけられた主人公のニヒリズムの表白が散見されて、私たちを驚かせる。たとえば、次のような文章がある。「誇り高き青春時代から、僕はしばしば空しい感動のさなかで、僕たちのはかない人間性の泉を涸らし尽くしてしまった。ああ、今ではもう僕には何も残っていない！　祖国、自由、栄光、宗教、友達、さては女、こういったものにどういう意味があるのか、もう僕には分らない。」「全世界に対する僕の憎悪、それは人間の不正によって押し殺され、エゴイズムの彼方にあふれ出ざるを得なかった自然の感情だった。僕はこの幻滅の地上で、死を吐き出す毒蛇の役割を演じてやろうと誓ったものだ。」

トリアルフは、四十年早く生まれたマルドロールの先輩だと考えることもできるであろう。同時代の順応主義的批評家の多くに黙殺されて以来、たえて再刊されることもなく、今では稀覯本として容易に入手しがたくなっているとはいえ、この八方破れのユニークな小説は、ふたたび現代に復活するだけの価値を十分に主張し得るものと思われる。

ラッサイーがバルザックの秘書となり、この名高い精力的な小説家が小説『モデスト・ミニヨン』や戯曲『夫婦学校』などを執筆するのに、頼まれて部分的に協力したのは、一八三九年一月から数ヵ月間のことだった。ラッサイーの貧乏生活を見るに見かねて、気前のよいバルザックが職と住居を提供したのであろう。『夫婦学校』のごときは、ほとんど共作と言ってもよいほどだったらしく、のちにラッサイーは自分だけの名前で、この戯曲を改作し、舞台に上演させようと努力している。しかし、コーヒーをがぶ飲みしながら昼夜兼行でつづけられる、有名なバルザックの超人的な仕事ぶりに堪えられず、ラッサイーはジャルディ村の別荘を逃げ出したらしい。ハンスカ夫人宛ての手紙（一八三九年二月）で、バルザック自身も、「こんな無能な男は見たことがない」と洩らしている通りである。

狂気の徴候があらわれはじめたのは一八四〇年頃からであるが、ラッサイーが精神病院に収容されたという噂が流れ出しても、彼を知る友人たちのあいだでは、誰ひとりとして驚く者がなかったという。生来、激しやすく、臆病で、情緒的にきわめて不安定な性格の彼には、いずれは精神病院入りが約束されていたのでもあったかのようである。報いられざる文学活動と積年の貧乏、それに肉体的に不利な条件のために、ラッサイーには生涯、伴侶となるべき女性を見出すことさえできなかった。妹に看病されて死んだという点では、フィロテ・オネディのさびしい晩年とよく似ている。

モンマルトルの名高いエスプリ・ブランシュ博士の精神病院に、病めるラッサイーを収容せしめるべく骨を折った二人の文学者は、ヴィニーとラマルティーヌであった。ラマルティーヌは国会議員の肩書で、すすんでラッサイーのために義捐金を集めた。ブランシュ博士の精神病院は、一八四六年にパッシーに移転し、院長はやがて息子のエミールに代るが、十九世紀の著名な文学者で、彼らの世話になった者は意外に多い。ちょっと思い出すだけでも、ジャック・

アラゴ、ジェラール・ド・ネルヴァル、アントニー・デシャン、それにモーパッサンがある。病気の進展とともに、ラッサイーには被害妄想があらわれ、古い友達もすべて自分を裏切って、強制的に自分を精神病院に監禁させようと陰謀をめぐらしている、と考えるようになった。彼に対して最も同情的だったヴィニーまで疑っているのだから、病的としか言いようがあるまい。一八四〇年九月までブランシュ博士の病院にいて、それ以後、マレー地区のブリエール・ド・ボワモン博士の病院に移された。死んだのは一八四三年七月である。

伝説によると、ラッサイーの死の床に、かつて彼が片思いの恋情を燃やしていたマニャンクール伯爵夫人がひょっこり訪ねてきて、瀕死の彼をやさしく慰めたというが、このあまりにもロマネスクなエピソードは、アルフォンス・カルやダッシュ伯爵夫人の証言にもかかわらず、軽々に信じがたい。

フィロテ・オネディ（一八一一―一八七五）

「彼があんなに早く仲間から抜け出さなかったら、この神聖な部隊中でも、しかるべき地位の一つを確保していたに相違ない。しかし詩人の魂のなかに、というよりも詩人の心のなかに、その秘密の原因がひそんでいるような或る倦怠感のために、彼は文学の道を歩きはじめたと思った途端に意気を喪失してしまったのである」とゴーティエをして歎かしめたフィロテ・オネディは、本名テオフィル・ドンデー（筆名は本名のアナグラムである）、一八一一年、あまり裕福ではない大蔵省官吏の息子として、パリに生まれた。ミュッセより二ヵ月遅く、ゴーティエより半年早い出生である。都会の早熟な少年で、名高いルイ・ル・グラン高等中学に在学中から、古典派とロマン派との文学上の対立抗争に関心をいだき、自分は断乎たるロマン派、しかも政治上の共和主義者をもって任じていた。

その最初の詩作は、『火と焔』に含まれる詩の末尾に記入された年代や、のちに作者がシャルル・アスリノーに宛てた手紙（一八六二年）のなかで断言しているところを信ずれば、一八三〇年以前にさかのぼる。自分は決してペトリュス・ボレルの猿真似ではない、ボレルは形式を蔑視しているが、自分はつねに形式に細心の注意をはらってきた、と老残の詩人は、その手紙のなかで抗議しているのである。

詩作と同時に、若いオネディはボレルやネルヴァルとともに『エルナニ』戦争に参加し、「若きフランス」の十字軍に名をつらね、彫刻家ジャン・デュ・セニュールを中心とする「プティ・セナークル」の文学青年たちと交際しはじめた。ここまでは、その他多くの小ロマン派詩人たちの文学的出発と大同小異である。

ただ、オネディの場合にきわめて特殊なのは、その一家の生活の必要のために、二十歳で父と同じ大蔵省に勤務しなければならなかったということであろう。一八三二年、コレラで父を失うと、年金の恩恵にあずかれなかった母と妹を養うために、彼はやむを得ず、放浪詩人の生活をあきらめ、彼自身の最も嫌悪した「事務屋」の境涯に身を落し、ついに一生、そこから逃れることができなかったのである。

放浪詩人時代のオネディの特徴は、当時の仲間であったゴーティエの報告によると、「黒白混血のような褐色の肌をし、スカンディナヴィア人のように縮れてふさふさした、ブロンドの髪を蓬々と生やしているということだった。眼の色は明るい青で、しかも極端な近眼のために、眼球が飛び出していた。口はがっしりしていて赤く、肉感的だった。こうした全体から、一種のアフリカ的な、粋な面影が出てきていたので、フィロテには《オセロ》という渾名がついていた。」(『ロマン主義の歴史』)

生前に刊行された唯一の詩集である『火と焔』は、オネディの従兄弟で、東洋関係の書物を主として出版していた名高い印刷業者であったドンデー・デュプレの援助を得て、一八三三年、ようやく陽の目を見たものである。時に著者は二十二歳。セレスタン・ナントゥイユの扉絵に飾られた、活字の美しい三百部限定の豪華本で、オネディ自身の乏しい資力では、とても刊行は不可能のような贅沢な詩集である。しかしその費用の一部は、結局、苦しいながらも著者が負担しなければならなかった模様である。反響は全くなかった。わずかに「百科全書評論（ルヴュ・アンシクロペディック）」誌がこれを採り上げたが、ヴィクトル・ユゴーの亜流にすぎないという酷評ぶりであった。文壇の大家で、シャトーブリアンとベランジェの二人が著者宛てに好意ある手紙をよこしたのが、せめてもの慰めであったのであろう。

『火と焔』は二部に分れ、前篇が「夜々」で、第一夜から第十夜まで十篇の詩を含み、後篇が「モザイク」で、第一の断片から第六の断片まで六篇の詩を含む。それぞれの詩には副題があり、こころみに前篇「夜々」のそれを列挙するならば、第一夜「地獄の首都」、第二夜「神経痛」、第三夜「空威張り」、第四夜「死の都」、第五夜「挿話」、第六夜「淫夢女精」、第七夜「ダンディズム」、第八夜「エロス」、第九夜「呪文」、第十夜「三位一体」となる。これらの表題を見ても分る通り、ゴーティエによって「激情派（バロクシスト）」というレッテルを貼られたオネディの詩には、当時のロマン派の気に入りの主題であったところの中世趣味、東洋趣味、魔術、陰惨な幻想などといったものが、最も派手な色彩で、最も高い調子で歌われていたのである。
御参考までに一篇、「夜々」の中から抜いた詩の断片を次に翻訳してみよう。

紫色の夜明けの訪れる前に、
たった一人で大きな墓地を通り過ぎると、
屍衣をまとった若い骸骨が立ちあがり、
腕を組んで私にこう言った。
…………（中略）……
さあ、死こそはお前の避難所だ！
瀆主を手本として、

同時に裁判官ならびに
犠牲者かつ執行者となるがよい。
お前の見捨てられた屍体を、
狂信家が聖なる門で拒もうと、
それがいったい何だろう？
贋の賢者の弁舌で、
お前の俗名が何千という罪に汚れようと、
それがいったい何だろう？
…………（下略）……

（第四夜「死の都」より）

私が気ままに選び出した一篇の詩の断片からだけでは、むろん、詩人フィロテ・オネディの全貌を窺うわけには行くまいが、ティボーデの評言によれば、「これ（『火と焔』）にはボードレールを思わせる悪魔主義と、象徴派を予告する珍奇な用語さえある」（『フランス文学史』）のである。たしかに、「ロマンティック叢書」版『火と焔』の序文で、編者のマルセル・エルヴィエが正しく述べているように、オネディの詩には、「奇妙な描写や風変りな趣好で驚かそうという欲求と、表現および詩体に関する特別な配慮とが共存して」おり、その点が、本人も意識していたように、ペトリュス・ボレルの規則を無視した詩法とは、明らかに一線を劃するものだったのであろう。珍奇な用語について言えば、彼はしばしば、十七世紀や十八世紀の作家の用いた古語や稀語、あるいは科学用語から借りた耳慣れない表現を、その詩のなかに散りばめることを好んだのである。エルヴィエは多くの例を挙げているが、ここでは割愛しよう。

ゴーティエによれば、オネディィは最初の詩集を刊行してから、文学への「意気を喪失してしまった」ということになっているのであるが、これは正しくない。彼は出版の当てもなく、役人生活をしながら、こつこつと詩を書き溜めていたのである。また新聞に劇評や小説を発表し、そのうちの一つである騎士道小説『魔法の指環の物語』は、一八四三年に出版されてもいる。死の十年前、すなわち五十四歳当時まで、彼が無名のままで相変らず詩作をつづけていたということは、遺稿集の冒頭に彼の伝記を書いた、幼友達のエルネスト・アヴェさえ知らなかったという。遺稿集は、詩集（一八七七年）と散文集（一八七八年）との二巻に分けられて、シャルパンティエ書店から刊行された。

オネディィは生涯独身で、母と妹と暮らしていた。失恋の痛手と役人生活の不如意が、彼の文学的挫折の大きな原因であったろうと言われている。一八六一年、中風で寝こんでいた母が死んでからは、妹と二人暮らしになり、一八七三年、六十二歳で一等事務官として大蔵省を無事に退職した。やがて彼自身も中風になり、それまでとは打って変って愚痴っぽく気むずかしくなり、妹に看病されながら、一八七五年二月、六十四歳で死んだ。ロマン派文学者の生涯としては、じつにエピソードの少ない、平々凡々たる一生である。

死後、フィロテ・オネディの名は相変らず全く無名にとどまったが、十九世紀末の批評家レミ・ド・グールモン（『仮面の書』）と、二十世紀のヴァレリー・ラルボー（『読書、この罪のない悪徳』）とが、それぞれ彼に関する好意的な発言をしているということである。申すまでもあるまいが、この二人のディレッタント的批評家は、いずれ劣らぬ文学的美食家であり、新らしい才能や埋もれた才能を発掘する名手であった。そういう人に拾われなければ、オネディの名は不当にも、文学史の上に浮かびあがってこないのである。

アルマン・オーグは、例のごとく、オネディにおける神への挑戦の形而上学的な不徹底さを分析し、結局のところ、彼は「永遠にマイナーの芸術家であろう」と述べ、さらに彼の芸術家としての存在理由は、「人間の条件とそれに対する挑戦の目標（神）とのあいだに、それ自体を悲痛に愛する苦悩の関係を確立することに与って力があったこと」であろう、と結んでいる（前掲の論文「小ロマン派の形而上学的・宗教的反抗」）。この関係を強靭な詩法で完璧に練り上げたのは、言うまでもなくボードレールであった。

エピソードを一つだけ御紹介しよう。オネディが七月王政から第二帝政期までの国家の役人でありながら、いかに共和主義の理念を心中に堅持していたかということについて、ルイ・アヴェ（エルネストの息子）が次のように語っている、「ある日、彼が通りを歩いていると、子供たちが歩道に縄を張って遊んでいた。彼は強度の近眼のため、縄が見えず、危うくつまずきそうになった。すると子供たちの一人が、縄を持っている仲間に、『おい、この共和主義者は通してやろうじゃないか！』と叫んだのである。共和主義者と認められたことによって、彼の顔には喜色があふれた。彼の人生のいかなる出来事も、これほどの喜びを彼にあたえはしなかった。」（M・エルヴィエの引用）

エミール・カバノン（生没年不詳）

一八三四年、ユジェーヌ・ランデュエル書店から、カミーユ・ロジエの美しい唐草模様で飾られた『料理女のための小説』という奇妙な本が出た。この本の作者がエミール・カバノンである。四十年後に、シャルル・アスリノーとシャンフルーリとが大いにこれを称揚したので、文学史の裏側に、一八三〇年代の小ロマン派の一人として、辛うじて彼の名が残ることになった。

カバノンは、リヨンの富裕な絹物商の息子であったが、父親が彼をパリの支店で業務に就かせようとしたとき、好きな文学の道と家業とを二股かけて、場合によっては父の店を破産させてしまっても構うものか、と思ったそうである。そして事実、この道楽息子は、文学のために貧乏のどん底生活に落ちた。それでも持ち前のユーモア精神を決して失わず、アルフォンス・アレのようなユーモリストとして一部に名を知られ、エピキュリアンとして微笑を浮かべて死んだということである。

次に、『料理女のための小説』の内容を、シャフィオール・ドビルモン（『回転書架』一九四三年）の記述に従って簡単に御紹介する。

荒んだ放蕩生活をしている金持の青年ジュリオ・ド・クレマンティーヌのところに、ある夜、シダリーズという不思議な女が訪ねてきて、自分の肉体を三晩提供するから、六万フラン貸してくれないか、と持ちかける。ジュリオは女を抱かずに、無償で金をあたえる。こうした金の有難味を知らない贅沢な生活を送っていたために、彼はやがて破産して貧乏になり、ジュール・クレマンと名を変えて、レ・テルヌの見すぼらしい宿屋に暮らす身となる。そこへシダリーズがやってきて、借金を返し、また自分の肉体を提供しようと言い出す。そこで、ジュリオは自分のグラスにこっそり麻酔剤を注いで、五十二時間ぐっすり眠り、またしても女の肉体の誘惑から逃れる。最後に、ジュリオは六万フランの金を投資して国債を買い、金利生活者となり、料理の作り方を研究して暇をつぶすようになる。その料理のなかの傑作が「クレマンティーヌ風鶉（うずら）」というのである。これで小説は終りである。

この小説がなぜ『料理女のための小説』という題になっているのかは、この最後の鶉料理の作り方のエピソードを読まなければ分らない。まことに人を食った、あっけらかんとした、奇妙奇天烈な小説である。ドビルモンの意見によると、このカバノンの小説は、やはり一八三四年に発表されたミュッセの『戯れに恋はすまじ』のパロディーではなかろうか、ということになる。つまり、カバノンの小説では、主人公はいくら恋や女と戯れても、一向にドラマティックな偶発事が起らないのだ。物語はしごく坦々とした調子で進み、あたかも当時のロマン派小説家の好んで描いた情熱とか苦悩とかいったものを、嘲笑しているかのような風情なのである。いわば、ロマン派の過剰性に対する解毒剤といった、批評的機能の面から読まれるべき小説なのであろう。

エミール・カバノンは、この小説一作よりほかの作品を残さなかった。『料理女のための小説』の表紙には、次の作品『スペードの女王の手記』全二巻の予告が出ていたが、この計画は実現しなかった模様である。

デフォントネー（生没年不詳）

レーモン・クノーがパリ国立図書館の厖大な蔵書のあいだを漁って、偶然に発見した未知なる作家である。一九三〇年、「狂気の文人」を探し出そうとして国立図書館に通いはじめた頃、クノーには、忘れられた重要な作家をたくさん発見し得るにちがいないという予想があったという。ところが、この予想は見事に外れて、発掘されたのは「偏執狂的な反動作家」か、さもなければ「垂れ流しの饒舌家」ばかりであった。そういう屑のような作品群のなかで、ひときわ光って見えたのがデフォントネーの小説だったのである。

それは一八五四年、ルドワイヤン書店から刊行された『スターあるいはカシオペイアのΨ（プサイ）』

という、異様な題名の小説だった。「空間における一つの人間世界の不思議な物語。奇妙な自然、習慣、旅行、スターの文学。スター人の表現した詩および戯曲。デフォントネーの幻想」という副題がついている。エピグラフには、「つねに、その場で、最も多く楽しむべし」という、ペトロニウス風な、あるいはフーリエ風なラテン語の格言が記されている。クノーの意見によると、これは「未来小説」というべきジャンルの先駆的作品であって、すでにギリシアの昔から存在していたユートピア小説とか、空想旅行小説とかいったものとは厳密に区別しなければならないものなのだそうである。

作者のデフォントネーは、やはりクノーの意見によれば医者だという。そして、その方の研究書である『美の形成についての試論』という彼の著書は、数多く版を重ねていたという。また小説とともに、同じ年に『演劇研究』という書物をも出版していたらしい。

さて、レーモン・クノーのつくったレジュメ（「南方手帖」小ロマン派特集号より）によって、この未来小説『カシオペイアのΨ（プサイ）』の内容を次に御紹介しよう。

ヒマラヤの山頂に燃える火の球が落ちてくる。それは小さな箱で、そのなかにスター語の手記が入っているのである。その手記に書かれていることを、著者が報告するという形になっているので、これは一種の抽斗（ひきだし）小説と言えるであろう。

まず、スター星の属するカシオペイアのΨ（プサイ）系宇宙の天体の構成について述べれば、リュリエルという一個の太陽のまわりを、アルテテール、スター、エラグロールという三個の遊星が回転しており、スター星にはさらにタッシュル、レッシュル、リュダール、エリエル、ユリアスという五個の衛星がある。

スター星に繁茂している植物には、緑色と黄色の珊瑚のような、あるいは石蚕（みどりいし）のような種類のものがあり、それらは人間の背の高さほどにまで石の枝をのばし、枝には象牙の薄片のように固い、青い美しい花を咲かせる。陶器のような艶のある花もある。また人間が近づくと、枝と葉を翼のように動かして、鳥のように空中を飛んで逃げ、少し離れた地点にふたたび着陸する灌木（かんぼく）もある。

動物のなかで、とくに面白いのはプサルジノという種類である。密生した白い毛皮の四足獣で、皮膚の内部から一種のガスを分泌し、空気より十五倍ないし二十倍も軽くなり、風船のように空中にふわふわ浮かぶのである。またシトという鳥は、全身が青く、嘴と翼だけが金色であり、飼い慣らして家禽（かきん）とすることができる。タレルシスという巨大な海獣は、船を曳かせる役に立つ。（フーリエが『農業家庭組合論』のなかに描いた「反鯨（アンティ・バレーヌ）」を思わせるではないか。）

スター星に住んでいる種族には二種類あって、一つは高貴な人類、もう一つは小さく、毛ぶかく、教育次第によっては人類に近づき得る、レプルーという一種の下等な猿である。かつて国は三つあって、それぞれサヴェルス、トレリオル、ポナルバートと呼ばれていた。

サヴェルス国の神話について述べると、そもそもの初め、天地の間にパネテールという神がいた。そして、その神の傍には、いつもオキシユルという、一種の小さな虫が生きていた。伴侶としては、この虫しか見当らなかったので、パネテールはこれと交わって、黄金虫の幼虫のような子供を産んだ。さらにパネテールは、この黄金虫と交わって、より完全な一匹の蝙蝠を産んだ。この蝙蝠とパネテールとの愛の行為から、初めて人間の男女が地上に誕生したのである。

サヴェルス人たちは、神学上の争いにふけっていた。ポナルバート人たちは、物質的な贅沢をしきりに追い求めていた。一方、トレリオル人たちは、レプルーを飼い慣らして奴隷とし、四方の土地を探検して、タストーという一つの島を発見した。この島には、濃い青色の髪の毛と緑色の眼をした、性別のない不死の人間、ネムセード族が棲んでいた。

こうして八百年間、平穏な時代がつづくと、やがて次に地震や洪水や、緩慢な疫病の時代が到来し、人々は怖ろしい苦痛に何年も苦しんだ後、過度の快楽によって死ぬようになった。このとき、ファルノザスという者が現われて、自殺と殺人と、さらに人類の滅亡の必要なことを説いてまわった。一方、アンフレッシア島の住人のラムジュエルという者が、三人のネムセード人の学者の協力を得て、重力の研究をつづけた結果、ついに「アバール」という一種の宇宙船を発明するにいたった。それは卵形の機械で、薄い金属片によって二重に覆われ、ところどころ小さなガラス窓があいている。物理的な力が働いて、重力の作用を一時停止せしめ、地上の引力と逆方向に飛んで行くような仕掛になっているのである。

ファルノザスが自殺や殺人を奨励しているあいだ、ラムジュエルは、その家族や三人のネムセード人の学者とともに、二台の「アバール」に分乗して、荒れ果てたスター星を去るのである。彼らの目ざすところは、スター星のいちばん内側の衛星タッシュルである。

タッシュルに着いてみると、この星の住人は両性具有で、男性にも女性にも適合する器官を具えており、自然の歓びの源泉を自分自身の内部に見出している。この星に棲息する最もありふれた動物は、ブールと呼ばれる一種の爬虫類で、その名の通り、蒼白い肉の球のような形をしている。枯草を食べ、歩くというよりもむしろ地上をごろごろ転がって行く。人間の頭くらい大きく、口の割れ目の上にある二つの孔の奥からは、らんらんと輝く二つの眼が、瞬きもせずにじっと見つめているので、まことに気味が悪い。

ラムジュエルはこの星に、百人ばかりの子供を残して、やがて死んで行く。あまり人口が殖えたので、スター人たちの一部は、このタッシュル星を離れて、次のレッシュル星に移ることになる。

レッシュル星では、生殖とそれに伴なう快感は、もっぱら磁気のように男女間に交感し、抱擁や愛の行為によって放出された磁気が、新たな生命力をつくり上げることになるのである。スター人たちはここに落着くが、二百年後には、そのうちの五百人がふたたび「アバール」に乗って、次のリュダール星を目ざして出発する。

リュダール人は背が高く、痩せて骨ばっている。皮膚は銀色で、金属のような輝きをおびている。髪の毛のあるべき場所には、光った鱗がびっしり生えていて、頭の筋肉を動かすと、がらがら蛇そっくりの音がする。

さらに特筆すべきは、このリュダール星においては、「死」が生きていて、しかも目に見える形をしているということであろう。それは一種の物質で、引き伸ばされた膀胱のような形と大きさをしており、その外側に、翼の役をする膜と葉片が垂れ下っている。この「死」という存在は、この星に棲むどんな存在とも共通点がなく、肉体でもなければ自然でもない。しかも人類や動物界にとっての、これが最も怖るべき敵なのである。それというのも、「死」の存在を維持し、これを生き生きさせるのに必要な食べ物は、人間の魂と動物の生命力だけだからである。「死」はこれらのものを遠くから吸い取るのだ。

「死」はそれ自身では死なず、最高の熱度をもった火によってのみ滅ぼし得る。だからリュダール人たちは、強力な火を放つ武器を発明し、これによって、しばしば不吉な鳥「死」を絶滅するのに成功しているのである。

スター人たちは、時にエリエル星に旅行を試みる。この星の上では、植物も鉱物も、海も空気も、すべて完全な透明を保っている。人間と動物だけが、その肉体の乳白色の不透明さによって、これらのものの上にくっきりと浮かびあがって見えるのである。

こうして八百年が過ぎた。スター人たちは、マリュルカールという者の指揮下に、ふたたび十万台の「アバール」に分乗して、「母なる星」のもとに帰ろうとする。

レプルーたちはすぐ屈服したので、スター人たちは彼らの星をふたたび占領することができた。三人のネムセード人の長老（不死の人間）は、そこで彼らに法律や宗教をあたえた。その宗教とは、いわば「人間崇拝」ともいうべきもので、人間を神に化さしめる宗教だったのである。知的生活の目的は、みずから神になることだった。さらに人間の条件を改善し、個人の所有を制限し、戦争や野蛮な行為を全面的に追放するなどといった、改革案が着々と実をむすんだので、ここにスター人の黄金時代が現出することになった。……

以上で、この深遠な未来小説『スターあるいはカシオペイアのΨ（プサイ）』は終っている。さすがにレーモン・クノーが賞讃するだけあって、ちょっと桁外れにスケールの大きい、詩的ヴィジョンの思い切った展開ではなかろうか。十八世紀フランスの多くのユートピア小説に共通した、人間の善意や制度への信頼と、素朴な未来信仰の影響が見られなくもないが、それよりもむしろ、私としては、この小説にかなり色濃く現われている、カバラ哲学や隠秘学や、終末論やメシアニズムや、とりわけてフーリエ思想の反映を重視したいところである。

それに、いわばナンセンスのリアリズムともいうべき綿密さで、動植物やら人間やら気候風土やらといった、あるべき世界の可能性を細々と描出する作者の筆の跡を追って行くと、私たちは、カフカとかアンリ・ミショー（『わが領土』『グランド・ガラバーニュの旅』『魔法の国で』等）とかいった近代作家をつい連想したくもなってしまうのである。残念ながらレジュメしか読むことのできない私たちではあるが、この小説の新らしさとは、たぶん、そんなところにあるのにちがいない。

エルヴェ・ド・サン・ドニ侯爵

——夢の実験家

アンドレ・ブルトンの『通底器』に目を通された方は、この書物の開巻劈頭に名前の出てくる、唐代中国の詩の翻訳者であり、かつ『夢および夢を支配する法』という匿名作品の著者であるところの、エルヴェ・ド・サン・ドニ侯爵という人物を思い出されるであろう。ブルトンも書いている通り、このエルヴェ・ド・サン・ドニの著書は、長いこと稀覯本になっていたため、ともに夢の研究家であったフロイトもハヴェロック・エリスも、ついにこれを入手することができなかったと言われているほどであるが、初版刊行の一八六七年からおよそ百年後の一九六四年に、新たに美本が刊行されて、ようやく私たちにも読めるようになった。次に、この一般にあまり知られていない書物と著者について、若干の意見を述べてみたいと思う。

夢学 Onirologie という言葉もあるように、夢を系統的に記述する学問の伝統は、迷信的な夢占いの流行したエジプトやギリシアの昔から、二十世紀の精神分析学者の科学的な解釈や分析にいたるまで連綿とつづいているけれども、エルヴェ・ド・サン・ドニの独自な点は、何よりもまず、一千九百四十六夜、つまり五年以上の期間にわたって、自分の見た夢を丹念に自分で記録したという点にあったと思われる。私たちは、ここでただちにミシェル・レリスの『夜なき夜、昼なき昼』を思い出さないわけには行かない。超現実主義詩人として夢に異常な関心をいだいていたレリスもまた、一九二三年から一九六〇年までの長い期間にわたって、何やら精液の匂いのする告白文学めいた夢日記を書いたのであり、おそらく、公刊された『夜なき夜、昼なき昼』は、この厖大な夢日記のごく一部分にすぎなかろうと推測されている。

さらに私は、日本の中世に思いを馳せて、あの栂尾の高山寺の明恵上人を想起しないわけには行かない。宋から茶を日本に初めて移植したという、この夢想家肌の子供っぽい坊さんは、ミシェル・レリスとは反対に、一生童貞を通した華厳宗の学匠ではあったけれども、やはり十九の年（一一九一年）から四十年間、なかにはきわめて官能的な夢のエピソードをも含む、丹念な『夢の記』なるものを書き残しているのである。この明恵上人の『夢の記』については、のちにエルヴェ・ド・サン・ドニの書物との比較において、本稿の随所に言及するつもりである。

とりあえずブルトンの記述から始めよう。『通底器』のなかで、ブルトンはエルヴェ・ド・サン・ドニ侯爵（以後、略してエルヴェと呼ぶことにする）を、ユイスマンスの『さかしま』の主人公デ・ゼッサントになぞらえたり、あるいは彼の夢の実験を、ランボーのいわゆる「感覚の組織的錯乱」に匹敵するものと賞讃したりしている。いささか賞めすぎの感がないでもないが、そもそも、エルヴェの夢の実験とはいかなるものであったのか。それは、ブルトンの表現によれば、「自己の欲望をまさしく夢のなかで実現しようという試み」であった。デ・ゼッサントの創始になる「口中オルガン」も「匂いの芸術」も、感覚器官の至福の陶酔をもたらそうという目的においては、エルヴェの実験と変りはないが、ただ後者は前者と違って、自己の夜の無意識の生存のなかにまで、この至福の陶酔を推し拡げようという、それこそ夢のような野望をいだいていたのであった。

『夢および夢を支配する法』の第三部第七章に、ブルトンをして狂喜せしめた、次のごとき奇想天外な実験の物語が出ているので、まず、これを御紹介することにしよう。著者の記述をそのまま引用する。

「夢に影響をあたえる幾つかの方法について、私の行った実験の話をしよう。すでに申し上げた通り、私は多くの香料を用いて、ある種の連想を生ぜしめる実験に成功していた。この香料の効果は、しかし何度も繰り返すうちに薄くなってくるように思われたので、私は次に聴覚のなかに、嗅覚において発見したと同じい記憶喚起の素因を見つけ出そうと考えた。」

「その頃、私は社交界に出入りしていた。あたかも舞踏会のシーズンで、連日連夜の盛況であった。私の交際社会には男が多く、若い女はほんの数人であったが、私はほとんど毎晩、彼女たちと踊っていた。一方、私は当時売れっ子だったオーケストラ指揮者と懇意にしていた。これらの事情を利用してやろうと私は考えたのである。そして私の仕組んだ新らしい実験は、次の通りである。まず頭のなかで、自分が夢に見たら楽しかろうと思う二人の女と、特徴のあるワルツの二曲を選び、あらかじめオーケストラ指揮者と示し合わせて（もっとも彼には私の計画を知らせなかったが）、私が二人の女のどちらかと踊るときには必ず、この二曲のどちらかを演奏してくれるように頼んでおいた。二つの音楽はそれぞれ、二人の女の一方に私が振り当てておいたのである。次に、私はコルベール街のオルゴール屋へ行き、問題の二曲のワルツを奏するオルゴールを特別注文した。そして品物が完成するまでのあいだ、私の記憶に音楽の印象を刻みつけておいた。かねて打ち合わせてあるので、私はパートナーと組むたびに、いつも時機を失せずオーケストラに指示をあたえることができたし、一方の女と踊るときには一方のワルツという具合に、決して同じ曲で別の女とは踊らないようにすることもできた。私がこうしたことを細々と述べるのも、それが私の計画を成功させるための不可欠の条件だったからである。（中略）」

「舞踏会のシーズンが終り、私の記憶に音楽がしっかりと刻みこまれ、注文しておいたオルゴールが手にはいると、さらに私は一個の目ざまし時計を買い求めた。そして、この時計のベルを取りはずし、予定の時刻にオルゴールが鳴るような装置に作り変えた。その日の晩、私は二つの音楽のうちの一曲を選び、計画した実験を行うのに好適な明け方の時刻に、装置の針を合わせておいた。こうして準備万端ととのえて、寝室の隣りの書斎に装置を置くと、私はいつもの時刻に眠りに落ちたのである。真実を語る者として告白しなければならないが、この最初の晩は完全に失敗だった。けれども失敗の原因はすぐ分った。私はあまりにも用心ぶかく（音が大きすぎて目がさめてしまいはすまいかと思って）、寝室と書斎とのあいだのドアを閉めておいたのである。そこで翌日、ふたたび実験をやり直したが、思った通り今度は大成功で、その日からごく最近にいたるまで、音楽が鳴れば必ず私の夢のなかには、女たちの記憶がよみがえることになったのである。」

自分の気に入った二人の女を、それぞれ別の夜の夢のなかに出現させようという浮気な侯爵に対して、恋愛至上主義者のブルトンはやや非難がましく、次のような意味のことを述べている。すなわち、侯爵の夢の実験は、情熱とは関係のない単なる一つのお遊びにすぎない。それに、二人の女に対して全く公平に関心をもつことは不可能だから、どちらの音楽が鳴ったとしても、夢の舞台に登場してくるのは、いつも彼にとって好ましい方の女ではあるまいか、というのである。なるほど、そう言われてみればそうかもしれないが、毎日のように別の女を相手にするプレイ・ボーイだって世間にはあるのだから、私たちとしては、必ずしもブルトンの説を首肯するわけにも行きかねる。

要するに、このエルヴェの艶っぽい夢の実験は、聴覚の条件刺激によって、夢のなかにイメージを生ぜしめるという、いわばパヴロフの条件反射の実験に似たものだった、とは言えないだろうか。

こうした条件反射に類する夢の実験を、エルヴェは単に聴覚においてのみならず、あらゆる感覚の分野において試みている。たとえば嗅覚の例を挙げてみよう。オヴィディウスの『転身賦（メタモルフォシス）』のなかの、人形に恋したという有名なピュグマリオンの挿話を再読三読し、この情景を自分で絵に描きながら、まだ使ったことのないイリス根（こん）（鳶尾（いちはつ）の根茎を乾燥した薬品）の小片を口中にふくむ。そんなことを何度も繰り返してから、ある夜、眠ったとき、誰かに頼んでおいて、この芳香性物質をそっと口のなかへ入れてもらう。すると、ピュグマリオンの愛撫した人形のような女性が、きっと夢のなかに現われるにちがいない。……ところが、エルヴェがこの実験をした夜に見た夢は、ピュグマリオンの挿話ではなくて、華やかなフランス座の楽屋であり、彼はそこで舞台衣裳を身につけた、輝くばかりに美しい女優X…嬢に出会ったのであった。この点について、エルヴェはいろいろ分析した末、どうやら自分の描いた人形の絵が、この美人女優の顔に似ていたためらしい、などと判断している。エルヴェの夢判断の卓抜さについては、のちに触れる。

＊

僅々八十年足らずの昔に死んだにすぎないのに、エルヴェ・ド・サン・ドニ侯爵くらい、その生涯に不明の部分を多く残している文人は少ないだろう。パリで生まれパリで死に、著名な支那学者としてコレージュ・ド・フランス教授、古文書文芸アカデミー院長などの要職を歴任し、東洋学や民族学に関する多くの著書を書き残した、押しも押されもせぬ碩学（せきがく）の生涯が、つい最近にいたるまで、ほとんど空白のままで、その墓の場所さえ私たちには容易に知り得なかったというのだから、まことに信じられないような話ではないか。一つには、エルヴェに子供がなく、未亡人は彼の死後、別の男と再婚してしまったので、サン・ドニ家が彼とともに絶えてしまったという事情もあっただろう。フランスのような貴族社会の系図学の発達した国でも、その血筋がひとたび見失われてしまうと、これを遡って探索するのはなかなか困難なことのように見受けられる。

しかし現在では、熱心な好事家の探偵そこのけの調査により、この知られざる碩学の生涯も、やや明るみに出たという感じになってきたらしい。といっても、おおよその履歴が明らかになった程度で、まだとても伝記などの書ける段階ではないようだ。ちなみに、その墓も現在ではモンパルナス墓地にあることが確認された。

エルヴェの洗礼名はマリー・ジャン・レオン・ルコックという。父の家がエルヴェ男爵家で、のちに母方の叔父の養子になるとともに、サン・ドニ侯爵家を継いだのである。だからエルヴェ・ド・サン・ドニというのは、男爵家と侯爵家の家名を二つ合わせたもので、両方とも姓である。父は陸軍主計で、もとアイルランド出の家系だった。

未来のコレージュ・ド・フランス教授は一八二二年五月六日、パリで生まれている。ボードレールよりも一歳年下である。その少年時代については何も知られていないが、ただ正規の学校教育を受けず、自宅で勉強して、大学入学資格試験を通ったということだ。後年みずから書いているように、夢や睡りの問題に興味をいだきはじめたのも、その個人的な夢日記を記録しはじめたのも、この頃のことであろう。十九歳で東洋語学校へ入り、中国語、蒙古語、満州語を修得する。しかし二十五歳の処女出版はスペインの戯曲の翻訳で、それから三年後には『スペイン演劇史』という本も書いているほどだから、東洋語のみならず、スペイン語やイタリア語にもかなり堪能であったにちがいない。

二十冊ばかりの著書のうち、めぼしいものの名前を挙げると、『中国農業園芸考』（一八五〇年）、『両シチリア革命史』（一八五六年）、『ヨーロッパに対する中国』（一八五九年）、『唐詩選』（翻訳、一八六二年）、『孔子の宗教の教義に関する覚えがき』（翻訳、一八七〇年）、『中国異民族誌』（翻訳、一八七一年）、『離騒、紀元前三世紀の詩』（翻訳、一八七〇年）、などなどで、ほとんどすべてが中国、日本、台湾、インド支那といった極東関係の書物であり、それも文学以外では民族学的な述作が多いようである。死の年（一八九二年、七十歳）にも、まだ衰えを見せず、中国の小説集の翻訳を刊行しているほどである。

こうしたエルヴェの東洋学者としての業績を眺めるにつけても、彼が一八六七年、四十五歳の時に出版した例の『夢および夢を支配する法』は、たしかに著者自身にとってもあまり似合わしからぬ、場違いの闖入者のような書物に思われてくる。

しかしエルヴェの夢や睡りに対する、ほとんどマニアと言ってよいほどの執着ぶりは、やがて彼自身の回想を引用して読者にお目にかけるつもりであるが、はるかな過去の幼年期から、深く彼の内部に根づいているものなのであった。エルヴェが夢の本を出版する十二年前、すなわち一八五五年に、精神科学アカデミーの哲学分会が、コンクールのテーマとして「睡眠および夢の理論」というのを出したことがあった。このとき、かねてからエルヴェが夢の研究に没頭しているのを知っていた友人は、彼にすすめて、ぜひ論文を送るようにと言ったそうである。しかしエルヴェは、この親切な申し出を断わった。まだ自分の研究は完全ではない、という理由である。また応募規定に、夢遊病の研究を条件としてあったことが、彼の気に入らなかったものと思われる。結局、このコンクールで賞を獲得したのは、アルベール・ルモワーヌという哲学者であったが、のちにエルヴェは自著のなかで、当時の名高い夢の研究家アルフレッド・モーリ、アントナン・マカリオの二人とならべて、この哲学者の「唯物論的見解」を徹底的に批判している。

そう言えば、エルヴェの唯物論嫌いはかなり徹底していて、脳の作用によって夢の現象を説明せんとする一切の試みに、彼は明からさまな軽蔑を表明するのである。睡眠は生理学的な過程であるという、今日では自明の科学的真理を彼は認めない。むろん、十九世紀の中葉においては、神経系統の生理学はまだまだ揺籃期にあったのだから、それも無理はないと言えば言えるかもしれない。しかしいずれにせよ、エルヴェの書物の面白さは、そういう科学的な客観性に左右されるものではなく、あくまで彼の観察や解釈の生き生きとした面白さ、彼の実験精神や想像力の奔放不羈にあるのであって、そこにこそ、二十世紀の超現実主義詩人を惹きつけるアクチュアルな魅力があったと考えられるのだ。

*

大著『夢および夢を支配する法』は、全体の構成が三部に分けられている。第一部は、この本に何が書いてあるか、ということから始まって、著者の幼年期の体験に基づく、夢を記憶するための日々の絶えざる練習や、そこから得た著者の確信などに筆が及んでいる。第二部は、古来の著作家が夢にどのような意味をあたえてきたかという、いわば夢判断、夢の解釈の歴史である。また著者は、近代の唯物論的、生理学的な主張をもつ学者たちに対する、手きびしい批判をも併せてそこに展開している。最後の第三部は、最も厖大なもので、夢を自由に見るために著者の行った数々の実験、また、その方法に関して具体的かつ詳細に述べてある。本稿の最初に述べた、オルゴールの音楽やイリス根の香りによって、女のイメージを喚起するという方法も、この第三部に述べられているのである。

エルヴェの確信するところによれば、ひとは誰でも練習を積めば、夢を意志的に見ることができる。つまり、見ようと思えば見られるし、自分の意志によって夢を修正することもできる。いや、そればかりか、夢を見ていることを夢のなかで意識することも可能となるのである。

エルヴェは少年時代、勉強に飽きると、鉛筆で紙の上にいたずら描きをしたり、これに色を塗ったりすることを好んだ。ある日（それは十四歳の頃であった）、まざまざと印象づけられた前夜の夢の思い出を、絵によって紙の上に再現してみようという気が起った。やってみると、その遊びは非常に面白かったので、やがて彼は特別の写生帳を用意して、そこに夜ごとの夢の各場面を描きこみ、それぞれの場面の現われた状況を説明する、解説文を絵の傍に付けるということを思いついた。こうして少年の絵入り夢日記の構想が立てられたのである。

絵入り夢日記のページを豊かにしようという気持が強くなるとともに、だんだん彼の夢は意識的になり、意志的になり、努めて夢を見ようという方向に傾きはじめる。夢を見ない夜がだんだん少なくなり、彼の夢日記は充実しはじめる。ついに彼は、睡眠には必ず夢が伴うものであり、夢を見ないというのは、じつは単なる記憶の喪失にほかならないのではないか、という確信に近い結論を得るにいたる。

もちろん、このような能力を身につけるまでには、きわめて困難な試行錯誤が繰り返され、ほとんど苦行に近い修練が課せられたことであろう。しかし私の考えるのに、何やら十八世紀の快楽主義者を思わせる、このディレッタント的傾向の甚だ強い将来の東洋学者は、こうした苦労をひそかに楽しみながら、易々として熟練の域に達したのではあるまいか。それはともかく、彼自身の述べるところによると、この十四歳から記録しはじめた夢日記は、全部で二十二冊の手帳から成り、一千九百四十六夜、つまり五年以上の期間にわたっている。その内容を検討してみると、最初の六週間は、非常に空白が多く、解説文も途切れがちであり、時には一夜の夢を全く思い出せないことも少なくない。しかし三ヵ月目から五ヵ月目になると、空白の部分は徐々に減少し、同時に物語が多彩になってくる。そして夢の記憶が全くないという夜は、第百七十九夜を最後として、以後の日記から完全に姿を消してしまうのである。

日常坐臥(ざが)、文字通り寝ても覚めても、夢を記述したり分析したりすることに頭を悩ませていると、果ては、夢日記を書いている夢さえ見るようになるという。そして夢の記憶を保存する最も確実な方法は、夢を見ながら、自分が夢を見ていることを意識していることだ、という結論に達するのである。この意識した夢を彼が最初に見たのは、夢日記の第二百七夜目であり、二度目に見たのは、第二百十四夜目であった。六ヵ月後になると、平均して五晩のうちに二晩、一年後になると、四晩のうちに三晩は、意識した夢を見た。そして一年三ヵ月後には、ほとんど毎日、意識した夢を見ることが可能となり、それから約三十年後の現在にいたるまで、そういう状態がずっと続いているのだ、とエルヴェは語っている。

私はここで、密教に特有の「観想」という修行の方法を思わずにはいられない。長期にわたる組織的な修練を積み、心を凝らすことによって、仏の姿を目のあたりに観るのが観想である。宗教的な要素は全くないけれども、そして彼の快楽主義者としての性格には不似合いだとも思われるけれども、エルヴェの夢を支配する方法も、この密教の荒行と幾らか似ていないことはないような気がする。要するに、ランボーの「あらゆる感覚の組織的錯乱」を、精神の極度な集中によって実現するわけであろう。明恵上人のような、生まれつき感受性の極端に強い腺病質のひとが、毎夜のように、如来の現われる華麗な夢を見ていたというのも暗示的である。

明恵上人が『夢の記』を書きはじめたのは、早熟なエルヴェよりもかなり遅く、十九歳の時からだというが、この時代を隔てた東西の夢博士の珍重すべきドキュメントのなかで、興味ぶかい一致点がもう一つある。それは、彼らの夢日記に、いずれもイラストレーションがあるということだ。もっとも、明恵上人のそれは単純な墨の線描で、リアリズムは最初から放棄しているから、それによって彼の夢の独特な宗教的官能性、ヨーロッパの神秘主義者の見神体験にも似た、豊かなヴィジョンの花ひらく有様は窺うべくもなかろう。また、エルヴェの夢日記の原本は公表されていないから、私たちはこれを彼の説明によって想像するしかないのである。

「夢を伴なわない睡眠はない。睡眠が深ければ深いほど夢は首尾一貫する」という原則をエルヴェは立てるが、現代の生理学者、とくに大脳生理学者の見解は、これと全く反対なのだということを知っておいても無駄ではあるまい。生理学者の実験によれば、そもそも夢という現象は、大脳皮質の全部位が同時に眠るのではなく、つねに一定部位が眠り、他の一定部位が覚めているために生ずるものなので、睡りが深くなればなるほど、連合は生じにくくなり、夢の首尾一貫性や論理的秩序は失われて行くのである。したがって、睡りが最も深いときには、もはや夢は生じないのだ。一方、「どんなに混乱した支離滅裂な夢であっても、夢の構造を分析すれば、単純な論理的な事柄に帰着する」というエルヴェの意見は、現代の精神分析学者によって歓迎されるにちがいない。夢の解釈の問題については、古くから二つの相対立する流れ、生理学派と心理学派とがあるように思われるが、エルヴェのような頑固な唯心論者が、このうちの後者に属することは申すまでもあるまい。

エルヴェは意識した夢、すなわち、夢のなかでの意志の自由を主張するが、このような苦行に近い困難な実験が成立する可能性は、目ざめの状態と紙一重の、半睡の状態においてしかあり得ようがない、と反論する学者もいる。すなわち、目ざめの少し前のごく短かい瞬間に、夢を思い出そうという意志がはたらくのであり、この意志が、意識した夢という錯覚をもたらすのである。

科学とは、まことに散文的なもので、エルヴェのような詩人の想像力の全能には、とてもついて行けないものらしい。いずれにせよ、夢の心的能力を高く評価することにかけては、古今東西の夢学者のなかで、おそらくエルヴェの右に出る者はあるまいと思われるほど、要するに彼は夢の味方であり、要するに彼は夢が好きなのである。

このあたりで、どうしても私は、フロイト神話学との比較において、エルヴェの夢判断の実例を検討してみなければなるまいが、これは考えただけでも気が重いことだ。両者のあいだの決定的な違いは、やはりエルヴェが夢のシンボリズムを知らなかった、ということに尽きるであろう。エルヴェの書物の第三部に、おびただしく引用されている彼自身の夢のなかには、今日の私たちの目から見れば、明らかにエロティックな表象をふくんでいると判断され得るものも多いのに、残念ながら彼自身は、そんなことには一向に気がつかないらしいのである。

一例を挙げよう。――彼は夢のなかで、友人と玉突きをしている。むずかしいキャノン（玉二つに連続して当てること）に成功する。すると、玉突きの場面が急にぱっと消えて、若い美人が現われる。こういう場合、エルヴェはいつも解釈に窮して、玉突きに関する過去の思い出を躍起になって探し、どこかで物語の断ち切られたコンティニュイティーを見つけ出そうとするのであるが、そういう年代学的（クロノロジック）な方法を排して、英語のキャノンにあたるフランス語のcarambolageが、俗語で「女を物にする」という意味をふくんでいることに思いをいたせば、何のことはない、この夢のエロティックなニュアンスは明瞭になるのだ。いや、必ずしも言葉の意味にこだわらずとも、玉突きのキューがファリック・シンボルになり得ることは、フロイト学のＡＢＣではあるまいか。

こんな例も報告されている。――夢のなかで、首のまわりのネクタイが蛇になっている。気持が悪くて仕方がないが、こんな夢を何度も見るのである。そこで彼は、昼間のあいだ、狩猟用の鉛の散弾のつまった革のベルトを首に巻きつけておく。客がこない限り、家にいるときはいつも、そういう変な恰好をしている。そのうちに、ふたたび蛇の夢を見た。しかし今度は、たちまち連想が鉛の散弾に移り、狩猟に移り、やがて自分が鉄砲をもって、犬を連れて、森のなかを歩いている場面に移って行く。不快な気分は起らない。つまり、悪夢は、彼の発見した一種の精神療法によって克服されたのである。

夢のエロティックな象徴学には思い及ばなかったにしても、エルヴェがある意味では、フロイト学説のごく近くまで到達していたことの証拠となるものは、彼が適切な用語で説明した、「連想の抽象作用」という役割であろう。たとえば、深くて暗い階段は、ただちに井戸を想起させる。階段と井戸とが象徴言語として等価だということを、彼は知っていたのである。さらに彼は、夢のなかの言葉の遊び、語呂合わせの役割をも指摘しているが、これは申すまでもなく、フロイトがとくに問題とした領域であった。

「私は彗星の夢を見た。すると、ほうき星 Comète chevelue（直訳すれば、毛の生えた星）という言葉が思い浮かんだ。と同時に、本当に毛の生えた星が見えた。」

「私の前に、ロザリー Rosalie という名前の女中が呼ばれてきた。すると、私の心に思い浮かんだのは、じつに下手糞な語呂合わせであった。私は夢のなかで、薔薇の花模様のある天蓋とベッド・カヴァーの寝台Rose à litを見たのである。」

「私はテュイルリー公園にいた。感じのよい娘を見かけ、いかにも夢らしい、わくわくするような気持で、彼女の方へ引き寄せられて行った。彼女も私と同じような気持でいるらしかったが、それは私の想像力が、そんな風に勝手に思っていたからだろう。私は彼女に名前を訊いた。『シルヴィア』と彼女は答えた。どんな連想作用によって、この名前が出てきたのか、私には知る由もないが、彼女がそう答えるや否や、たちまち私は深い森のなかにいた。娘自身も小さな空色の鳥になって、私の肩にとまり、私の耳、私の唇の近くに身を寄せてきた。」

シルヴィアSylviaとは頬白の意味で、この言葉がシルヴァンSylvain（ローマ神話の森の神）に通じるのは明白である。エルヴェはさらに、この夢が非常にエロティックな昂奮を伴なったということを告白している。「私は彼女が鳥に変ってくれたことを有難く思った。というのは、これなら他人に変に見られることもなく、いつまでも一緒にいられるからである。この鳥の嘴が私の唇のあいだに差しこまれたとき、極度に激しい快楽のなかで想像力の演ずる役割の、いかに大きいかを私は知らされた。私は実際、この上もなく官能的な接吻を受けたような気がしたのだ。」

エルヴェの夢の記述は、きわめて長く綿密なものもあれば、ごく短かくて、ちょっとした詩のような趣きのものもある。アトランダムに拾ってみよう。

「どういう理由だか分らないが、私の夢の一つのなかに、人間の頭の形をしたパイプが現われた。そのパイプの顔は、私の知人の顔を思い起させた。やがてパイプが消えて、頭が一種の竈（かまど）になっている人物が見えた。頭のてっぺんから白い煙が立ちのぼっていたが、私はそれが全く当り前のことだと思っていたから、少しも驚いたりはしなかった。」

次に紹介するのは、エルヴェがまだ少年の頃のノートから採録した夢のエピソードである。

「私の隣りの家の女の子の頬っぺたが、うぶ毛の生えた桃の実に似ている、と話をしているのを聞いた。この比較は、べつに珍らしくもないが、私がそういう言葉を聞くのは初めてだったので、非常に驚いた。その晩、私は、隣りの家の女の子にそっくりの、巨大な桃の実を、階段のところで拾った夢を見た。それはじつに美味そうで、私はそれが本当の果物だと信じこんだ。それでも、これを二つに割ったり、齧（かじ）ったりする気にはなれないのだった。私は残酷な行為を犯すことを怖れていた。躊躇する気持と闘いながら、その気持を克服することができなかった。というのは、闘っている二つの感情は、その感情を呼び起す二つのイメージのように、一つに融合するわけには行かなかったからである。」

アンドレ・ブルトンはデ・ゼッサントを引き合いに出したが、私はエルヴェ・ド・サン・ドニ侯爵を、アポリネールの短篇「月の王」のなかの、バヴァリア王ルドヴィヒ二世と比較したい。夢のなかに不毛な愛を求める、精神的な快楽主義者としての三人の肖像は、不思議にもよく似ているような気がするのである。

シャルル・クロス

——詩と発明

マラルメ、ヴェルレーヌ、ランボーはさておき、「呪われた詩人」と呼ばれているトリスタン・コルビエール、ジェルマン・ヌーヴォー、ロートレアモンらのなかでも、今日に復活する機会に最も恵まれず、いまだに文学史のなかで正当な位置づけの行われていないのがシャルル・クロスだと思われるが、その忘れられた作品群のなかで、不思議にも人口に膾炙しているらしい詩が一篇だけある。次に訳出して掲げる「燻製にしん」がそれで、現代の映画女優ブリジット・バルドーなども愛好しているというほどだから、少なくともフランスでは、一部にかなり知られているのであろう。

むき、むき、むき出しの、大きな白い壁だった
高、高、高い梯子が壁にかかってた
こち、こち、こちの、燻製にしんが地面にころがってた

きた、きた、きたない手をしたやつが
とん、とん、とんがった大きな釘と、重い金槌と
まん、まん、まるい糸毬(いとまり)もってやって来た

高、高、高い梯子をよじのぼり

むき、むき、むき出しの、大きな白壁のてっぺんに
こつ、こつ、こつと、とがった釘を打ちつけた

重、重、重たい金槌、ほうり投げ
長、長、長い麻糸、釘に結びつけ
こち、こち、こちの、燻製にしんを糸の先っぽにぶらさげた

高、高、高い梯子をおりて
重、重、重たい金槌と梯子、肩にかつぎ
遠、遠、遠いどこかへ行っちゃった

で、それからというものは、こち、こち、こちの燻製にしん
長、長、長い麻糸の先っぽで
ぶうらん、ぶうらん、ひっきりなしに揺れていた

単、単、単純な、こんな話を私が書いたのは
まじ、まじ、まじめくさった連中を怒らせるため

小、小、小さな子供たちを喜ばせるため

軽妙な、いわゆるナンセンス詩の最も洗練されたものであり、大人にも子供にも等しく理解されるにちがいない、この「単、単、単純な話」は、事実、作者が息子のギー・シャルル・クロス(のちに詩人となる)に語って聞かせるために作ったものだという。一方、ヴェルレーヌ夫人マティルドの回想によると、パリがプロシア軍に包囲されていた頃、ある日、ヴィリエ・ド・リラダンが一匹の燻製にしんをもって、ヴェルレーヌ家にひょっこり現われ、客間のソファーで一眠りさせてくれと夫人に頼んだ。リラダンがぐっすり眠ってしまうと、当時、ヴェルレーヌ家の一部屋に厄介になっていたシャルル・クロスがやってきて、そこにあった燻製にしんに目をとめ、眠っているリラダンの頭の上に、天井から紐で燻製にしんを吊るし、金色の魚がぶらぶら揺れているのを面白そうに眺めながら、やおら紙の上に詩を書き出した。それが名作「燻製にしん」だった、というのである。

このエピソードは、何だかあまりうまく出来すぎていて、信用しかねるようなところもないではないが、一八七二年、この詩の原形ともいうべきものが「文芸復興」誌に発表されてから、決定稿が詩集『白檀の小箱』におさめられ、一八七三年と一八七九年の二度にわたって刊行されるまでに、それがかなりの反響を呼び起したにちがいないということは、たとえば、次のような例によっても知り得るであろう。すなわち、モーパッサンのフローベール宛ての手紙(一八七九年十二月）に、「見渡したところ、とん、とん、頓馬なことか、さもなければ、みじ、みじ、みじめったらしいことばかりです。要するに、この世はどこもかしこも、愚、愚、愚劣なのですね」とある。どうやら一種の流行語になったかのごとき塩梅である。

その晩年（といっても彼は四十六歳で死んだのだ！）、貧困と病気と失意と、酒びたりの生活で見る影もなくなったシャルル・クロスが、あてどもなくモンマルトルの酒場から酒場を放浪して歩いたというエピソードは痛ましい。当時の文芸酒場として名高い「黒猫（シャ・ノワール）」に、彼は毎晩きまって五時に姿を現わした。五時といえば、まだ宵の口である。彼は自分用のアプサント酒を、細心綿密な手つきで調合する。それからカウンターにもたれ、ローラン・タイヤードの表現によれば、「マッチを擦れば燃えあがりそうなほどアルコールの浸みこんだ身体」で、友人たちが舞台で詩を朗読したり、もうもうたる煙草の煙のなかで、議論したり歌ったりしているのを、うつろな眼でぼんやり眺めているのである。やがて酒がまわってくると、熱っぽい顔に眼をきらきら輝かせて、クロスがふらりと立ちあがる。すかさず、酒場の経営者であるロドルフ・サリスが飛んできて、「諸君、お静かに。大詩人シャルル・クロスさんです」と紹介する。客席から「燻製にしん！　燻製にしん！」という声がかかる。

クロスの詩の朗誦は、かつて名優コクラン（弟）を感服させたほど、独特な風格のあるものだったという。酒場「黒猫」で、あるときは投げやりな疲れた調子で、またあるときは皮肉な、自分を一介のユーモア詩人としか思っていない俗衆への悪意を露骨にあらわした調子で、クロスは縮れっ毛の頭をふりふり、注文の詩を朗誦するのである。のちには、こうして朗誦した代償に、わずかな金をもらっていたというから、聞くだに哀れをそそる話ではある。

その伝記によってつらつら眺めると、クロスの四十五年の短かい生涯は、あらゆる面において挫折の生涯であった、と言うことができるだろう。その恋愛においても、科学技術の研究（クロスは一風変った発明家であった）においても、また詩作においても、彼はついに成功ということを一度も知らなかった。彼の永遠の恋人であったニーナ・ド・ヴィヤール夫人については、後段にやや詳しく述べる予定であるが、たとえば発明家としてのクロスの場合を眺めても、その生涯の研究テーマであった色彩写真の領域においても、蓄音機の領域においても、彼はほとんど自力で、その原理を発見することに成功していながら、もう一歩のところでフランスのデュコ・デュ・オーロンに、アメリカのエディソンに、それぞれ先を越されてしまうという、痛恨やる方なき非運を味わわなければならなかったのである。

また文学の領域について言うならば、クロスこそは象徴主義運動の先達として、若きサンボリストたちの師表として、少なくとも死後の栄光だけは約束されてもよかったはずなのに、約三十年後にシュルレアリストたちが注目するまでは、誰も彼の文学を正面から真面目に論じようという者はいなかった。奇想詩人、ユーモリスト、ファンテジストという、いくぶん低く見られる形容語が、彼に貼りつけられるレッテルのすべてであった。

ヴェルレーヌが一八八八年（クロスの死の年）、『呪われた詩人たち』の増補版を世に出したときにも、デボルド・ヴァルモールとリラダンが追加されたのみで、そこに当然加わってもよいクロスの名は見当らなかった。ヴィリエ、ランボー、マラルメに優先権を認めるのはよいとしても、コルビエールやヴァルモールのためにクロスが犠牲にされるというのは、私たちには容易に納得しがたいところなのである。しかも、ヴェルレーヌは一時期、クロス一家と親しく交際していて、クロス自身をよく知ってもいたし、『白檀の小箱』の詩的宇宙の独自性については、十分にこれを認識してもいたはずなのであった。ギュスターヴ・カーンの推測によると、ヴェルレーヌがクロスを故意に無視したのは、ランボー事件後の二人の友情のもつれに原因があったということであるが、そうとでも考える以外に、この不当な黙殺を説明することは到底できないだろう。ランボーと夫との奇妙な関係を知ると、マティルド夫人はすぐ、この事実をクロス兄弟に打ち明けたのである。それ以来、ヴェルレーヌ夫妻の離婚問題が持ちあがったときにも、クロスは一貫して、マティルド夫人の肩をもつ立場に立っていたのであった。

生前の報われざる文学的生涯のなかで、クロスが知った唯一の慰めは、たぶん、あの一八八四年の文壇の一大事件とも称すべき、ユイスマンスの『さかしま』の出現であったろう。「文芸市場に隕石のごとく落下し、茫然自失と激怒とを惹起せしめた」(ユイスマンスの回想)という、新時代の象徴主義美学の方向を決定した、このデカダンス文学の聖書と呼ばれる書物のなかで、シャルル・クロスは次のように評価されていたのである。それはたしかに、わずか二三行の文章にすぎなかったとはいえ、クロスが初めて自分の目で見ることができたところの、一つのまともな批評だったのである。

「このような、真面目で辛辣な悪ふざけといった種類の作品（ヴィリエの短篇をさす――著者）は、フランスでは空前のものだった。わずかに、かつて「新世界評論」誌に掲載されたシャルル・クロスの短篇『恋愛の科学』が、その化学的偏執、取り澄ましたユーモア、ふざけた冷やかな観察などによって、読者を煙に巻くことに成功していたけれども、その書き方に、ある致命的な欠陥があったので、面白味は半減するしかなかった。ヴィリエの引きしまった、華麗な、しばしば独創的な文体は影をひそめて、この先駆者の文学的な調理台から掻き集められた、屑肉料理が残ったにすぎなかった。」

これでは、賞めているのか貶しているのか分らない、と受け取る向きもあろうが、『さかしま』のなかにリラダンと並んで名前が引用されるだけでも、当時としては、それは大したことだったのである。つまり、古くさい高踏派詩人とはおのずから区別される、新らしい美学の体系に属する作家だということを、天下に知らしめる大きな意味があったのである。

クロスの散文作品としては比較的長い方に属する短篇「恋愛の科学」は、最初、ユイスマンスが述べているように、「新世界評論」誌（一八七四年四月、第二号）に掲載され、のちに週刊誌「黒猫」（一八八五年、一九七号から二〇〇号まで）に再録されている。『残酷物語』に含まれるリラダンの短篇のなかで、この「恋愛の科学」に最も近い発想の作品を求めるとすれば、それはおそらく「断末魔の吐息の科学的分析機」であろう。両者とも、近代の実験科学万能の風潮に対するイロニックな態度が共通している。恋愛とか死とかいった、古来、人間の最も貴重な感情を成立せしめるものと考えられてきた観念が、近代科学の容赦ない発展によって、根柢から覆されつつあることに対する、怒りを含んだ一種の嘲笑がそこに共通して見てとれるのである。ただし、クロスの名誉のために急いで付け加えておけば、リラダンの短篇が初めて「パリ週報」に発表されたのは、「恋愛の科学」のそれよりも約二ヵ月後のことであった。

クロスが死んでから、「黒猫」の仲間であったアルフォンス・アレ、象徴主義運動の最初の擁護者であったフェリックス・フェネオン、その他、生前の故人を知る友人知己の手になる多くの回想記が出たが、文学的な面におけるクロス再評価の有力なきっかけをつくったのは、前にも述べたように三十年後のシュルレアリストたち、とりわけアンドレ・ブルトンであった。「詩人として、学者としての彼の使命が一体化しているのは、彼がつねに自分の目標を、自然からその秘密の一部をもぎ取ることに置いていたという点に基づいている。」「クロスの作品の幾つかの全く幻想派的な面に、快活そのものといった趣きが見られるとしても、彼の最も美しい詩の幾篇かの中心には、ピストルが構えられているのだということをゆめゆめ忘れてはなるまい。」(『黒いユーモア選集』)——このブルトンの短かいながら本質的な批評で、クロス文学のすべては言い尽くされてしまった観がある。ブルトンは『黒いユーモア選集』のなかに、「燻製にしん」と「恋愛の科学」の一部とを収録している。

＊

クロスの生まれ故郷は、その一部が地中海に面した南仏のオード県で、運河のあるファブルザンという小さな町だった。祖父が革命のとき、祖国防衛の義勇軍に投じたという記録も残っているが、もともとクロス家は学者の家系で、この祖父にもテオクリトスの田園詩の翻訳があり、平時は修辞学の教授であった。父も教授で、安い給料に甘んじながら、幾度か職場を変え、時にはフリーメーソン風の政治結社にも首を突っこんだことがあったらしい。こうした理想家肌の気質、現実生活を顧みず、自分の選んだ目標にひたすら邁進するという気質は、彼の三人の息子たちにもそっくり受け継がれた。すなわち、シャルルは三男で、長兄のアントワヌは医者、次兄のアンリは彫刻家として、将来それぞれ大成するのである。それに姉が一人いて、子供は全部で四人だった。未来の詩人発明家オルタンシウス・エミール・シャルル・クロスは、一八四二年十月一日に生まれている。マラルメと同年で、ヴェルレーヌより二歳年上である。

アルフォンス・アレの書いているところによると、クロスは四歳で詩をつくったそうであるが、ほら吹きとして有名なアレのことであるから、この説は全く当てにはなるまい。しかし彼が少年時代、兄たちと一緒に、鉛や蠟で活字を作ったり、色紙を切り抜いて一種のコラージュのようなものを制作したりしたというエピソードは、いかにも将来の発明家を思わせて興味ぶかい。クロスのエンサイクロペディストとしての評判は、フェリックス・フェネオンの回想にもある通り、ドイツ語、イタリア語からギリシア語、サンスクリット語、ヘブライ語に及び、さらに高等数学、化学、哲学、医学、音楽にも及んでいた。正規の学校には行かず、もっぱら父の家庭教育だったが、姉の証言によると、彼はときどき、コレージュ・ド・フランスの講義をもぐりで聴いていたという。彼の医学の腕が本物であったということは、コンミューンのあいだ、軍医として兄とともに傷病兵の治療に当ったという事実から判断されよう。

十八歳でパリの聾唖学校の教師となり二年後にそこを解雇されると、クロスは本格的に医学の勉強に打ちこむ決心をするが、この決心も長くは続かない。カフェ・ボビノに通ったり、ボヘミアンの文学青年仲間とつき合ったりするという、気ままな生活が彼の性には合っていたらしい。しかし一八六七年のパリ万国博覧会に、自動電信機なるものを出品しているほどだから、いかに天才の彼とても、決して自堕落に遊んでばかりいたわけではあるまい。いや、それどころか、彼の飽くことを知らぬ知的探究心は、あたかも精密機械のように、その生涯の最後まで、一瞬も休むことなく働きつづけていたのである。

写真家ナダールの撮影した、三十七歳当時のクロスの写真が残っているが、それを仔細に眺めると、彼の容貌の特徴がよく分る。彼は唇が厚く、もじゃもじゃの髪の毛が縮れていて、ややニグロに近いような感じの容貌の持主である。実際、そんな渾名で呼ばれたこともあるらしい。ある人の感想では、彼は「ホフマンの物語から抜け出してきた音楽家」のようであったともいう。一八七九年三月二十日の「レ・ジドロパット」誌に、魚（たぶん、燻製にしんであろう）にまたがり、「発明」と書いてある雑嚢を肩から斜めに背負い、手に捕虫網をもって、クエスチョン・マークを追いかけているクロスの漫画（カブリオル筆）が出ているけれども、これこそまさに、この知的探究者の無益に終った一生を諷した、まことに意地のわるい、カリカチュアの傑作と言うべきであろう。

さて、クロスの生涯に決定的な影響を及ぼしたのは、彼が二十六歳の時に初めて出会った、彼より一つ年下のニーナ・ド・ヴィヤール夫人であった。ルーヴル美術館にあるマネの肖像画によっても知られるように、ふっくらした頰の美人で、派手好きで、才気煥発で、自分でも詩を書き、玄人はだしにピアノを弾き、そのサロンに若い芸術家たちを多く集めていたニーナは、象徴派運動の裏面史に欠くことのできない、重要な役割を演じた女性である。彼女のサロンに招かれたことのある芸術家の名前を挙げれば、高踏派から象徴派まで、さらに当時の画壇の前衛であった若い印象派まで、ほとんどすべての名前が出揃ってしまうにちがいない。ニーナがワグナーの崇拝者なので、リラダンもカテュール・マンデスもクロスも、たちまちワグナー熱に取り憑かれたというほど、彼女のサロンのスノビズムは絶大であった。面白いのは、このスノッブどものサロンに、のちにコンミューンの闘士として活躍する、政治的前衛も多く混っていたということであろう。そのためか、ニーナはパリの動乱が鎮圧されると、一時、スイスに亡命のような形で逃げ出さなければならなくなる。

ニーナには夫がいたが、一八六七年頃から別居しており、彼女は独身にひとしい自由な愛情生活を楽しんでいた。クロスが詩作を試みるようになったのは、明らかに彼女の影響によるものであり、彼が雑誌「アルティスト」に初めて処女作を発表することができたのも、おそらく、彼女の推輓によるところが大きかったと思われる。一八六九年の第二次『現代高踏詩集』(発刊は普仏戦争後の一八七一年)には、クロスの詩がニーナのそれとともに採択されてもいる。

ニーナとクロスとの関係については、具体的には何の証拠も残されていないけれども、二人が友人以上の関係であったことは間違いないものと見られている。ただ、何としても奇妙なのは、この曖昧な関係が十年以上もつづいているあいだ、二人がそれぞれ別の恋人をもったり、遠く離れて暮らしたりしているという事実であろう。ニーナを対象として歌った、おびただしいクロスの詩を読んでも、そこにはデリケートな慎しみ深さが示されていて、二人の恋愛がいかなる経過をたどり、いかなる破局を迎えなければならなかったかは、少しも明らかにはならないのである。最近の伝記作者のルイ・フォレスティエは、ニーナが冷感症ではなかったろうか、という新説を立てているが、なるほど、そう言われてみれば、ニュンフォマニアのような彼女の男出入りの激しさから見ても、そんな風に考えられないことはないような気がする。ニーナの詩(「パリの胎葉」)の一節を次に引用してみよう。

それでもなお、私の勝利は羨望によって曇らせられる。
生気がないらしい私の蒼白な花びらに、

顔を近づけてくれる者とては一人もない。
香りよ！　私はいたずらにお前を探し求めた。
満たされぬ花、ままよ、私は惑わしでありたい……
それ以上でありたい、罪でありたい。

次に、クロスの詩（「もどかしさの恨み」）を引用しよう。

私は、彼女が汚れた接触を試みても
永遠に処女のままであることを知っている。
いかなる毒も
彼女の中には侵入しないことを知っている。
あらゆる穢れを受けながら
これを物ともしない肉の大理石。

ボードレールに見られるような、顕著な冷感症崇拝が、この時代の美学の窮極の一形式にほかならなかったとしても、フォレスティエの仮説には、なお一考の余地があるように思われる。いずれにせよ、クロスはニーナを純潔の恋人として選んだのであり、ニーナのイメージは詩人の思念のなかで、あらゆる不純な現実を捨象して、歳月とともに、ますます純化してゆく一方だったようである。

ニーナとクロスの仲が完全に決裂するのは、一八七七年頃である。この頃、彼女に若い音楽家や画家の恋人ができたことが知られているので、彼女の側の裏切りが原因であったにちがいない。私たちから見れば、こんな十年越しの腐れ縁が断ち切られたところで、どうということもないように思われるのに、クロスの受けた打撃は深刻であった。その翌年、まことに平凡な結婚をして、ただちに子供をつくっているところから見ても、この年が彼にとって、よかれあしかれ、一つの転機であったということは疑いようがあるまい。

後日譚として、ニーナのその後について、簡単に述べておこう。彼女は一八八四年、完全にアル中になり、発狂して精神病院で死ぬのである。死ぬ前は、豚のようにでぶでぶに肥り、めっきり老けこんで、おそろしく醜くなっていたというから、華やかな前半生とくらべて、あまりにも悲惨な最期である。まだやっと四十歳になったばかりであった。——この彼女の死の知らせを受けて、クロスがどんな悲歎と絶望に暮れたかは、そのときから以後一年間ばかり、ニーナに捧げた三つの詩を書いたという以外に、ほとんど詩らしい詩を書いていないという事実によっても知れるであろう。「こよなく美しい人に」という詩のなかから一節を引用してお目にかけよう。

誰も彼女を見なかった。私は心の中に
彼女の至上の美しさを大事に守っている。
（あらゆる嘲笑を背にして！）

＊

時は前後するが、一八七〇年の普仏戦争と、それにつづくパリ・コンミューンの血なまぐさい体験が、以後、クロスの詩精神の奥深いところに、ひそかな底流となって流れていたということも見逃せないだろう。

もともと、彼の血統には、祖父や父から伝わるフリーメーソン風の自由主義の精神があったことを、ここで思い出していただきたい。二十八歳のクロスが血気に駆られて書いたと思われる、「仮政府への進言」という政治的文書まで、最近では発見されているくらいなのだ。体制の崩壊と、外国軍隊の侵入という異常事態に直面したフランス人が、ブランキの新聞「危機に瀕した祖国」に刺激されて、何とかして打開策のプログラムを練り上げようと試みたとしても不思議はあるまい。しかしシャルル・クロスの「進言」には、一八七〇年九月七日の日付があり、これはブランキ、ジュール・ヴァレスらの言論活動と全く同じ時期のものだということを、とくに注目する必要があろう。

一八七〇年十二月、プロシア軍の砲撃で、パリのレンヌ街にあったクロスの父の家の屋根が崩れ落ちると、クロス三兄弟は、そのままサン・ジェルマン大通りにあったヴェルレーヌの義母、モーテ夫人の家にころがりこむ。すでにヴェルレーヌとクロスとの友情は古く、ヴェルレーヌ夫人マティルドが結婚の少し前、天然痘にかかったときには、クロスの兄のアントワヌ医師が彼女を治療していたのである。包囲下のパリは饑餓状態と化していたが、モーテ夫人の準備する食卓には、いつも苦心の御馳走があった。それがどんな御馳走かというと、いわく、馬の肉のスープ、玉ねぎと葡萄酒入りの猫の肉のシチュー、犬の股の焼肉、といったものであった。

この飢えと寒さと外国軍の砲撃におびえていた、一八七〇年冬のパリにあって、シャルル・クロスは何をしていたろうか。マティルド夫人の報告によると、クロスは、彼女の異父兄にあたるシャルル・ド・シヴリとともに、ルビーやダイヤモンドの人工合成の実験に没頭していたという。「その頃、私の兄とシャルル・クロスは、戦争の始まった頃からずっと没頭していた、化学の仕事を一緒にやっておりました。二人のシャルルが探求していたのは、でも化金石ではなくて、ルビーやダイヤモンドの製造だったのです。驚くべきことには、二人はこれに完全に成功したのでした。私の兄は長いこと、この包囲中に製造された、本物の小さなルビーを一個、大事に持っておりました。でも費用を計算してみると、本物のルビーを買うよりもはるかに高くつくので、この物好きな発明は、あんまり実用的とは言えません。」

無邪気なマティルドは女らしい直観で、「あんまり実用的ではない」と言っている。まさにここに、しかしながら、シャルル・クロスの発明のライト・モティーフがあったのである。想像すること、理論の青写真を描くこと、それが彼には無限の魅力だったのである。「倦怠」という彼の詩のなかに、「王者の手で宇宙をつかむ」という表現があるが、彼の科学実験も詩作も、いわば神のような創造を実現したいという、中世の錬金道士のそれのような熱望のあらわれにほかならなかったのである。アンドレ・ブルトンがこれを「自然からその秘密の一部をもぎ取ること」という風に表現しているのは、先に見た通りである。「お前の指先が太鼓を一弾きすれば、音という音が放たれ、新らしい諧調は始まる。お前が一足すれば、新らしい人々は蹶起し、前進する」(「ある理性に」)というランボーの峻烈な声が、クロスの声と重なって聞えてくるのは、かかる時であろう。

マティルド夫人の証言によれば、「上品な本『白檀の小箱』にふくまれる大部分の詩は、シャルル・クロスが包囲のあいだ、私の母の家で書いたものです」という。ランボーの『イリュミナシオン』がパリ・コンミューンと密接な関係を有するように、クロスの『白檀の小箱』も、さらには錬金術の実験めいた彼のルビーの製造も、あの籠城の苦しみや、市街戦の砲煙弾雨や、血の週間や、死者たちの葬儀のなかから直接に生まれ出たのにちがいない、と考えるのは、果して奇矯な考え方であろうか。クロスが反乱政府に任命された軍医として、負傷者の治療に当ったということとは前に述べたが、そういうこととは全く別に、何よりも詩と実践の一致という観念が、彼の頭のなかには煮えたぎっていたにちがいなかろう、と考えられるからである。

ランボーが彼の前に現われたのは、コンミューン敗退後の一八七一年九月中旬であった。ヴェルレーヌと一緒に、クロスは期待に胸をはずませて、わざわざ東停車場まで少年詩人を迎えに行ったのに、人混みに紛れて見つけることができず、ニコレ街のモーテ家にもどって、初めて彼と対面したのである。このへんの事情は、ヴェルレーヌとランボーの関係に詳しい読者にはすでにお馴染みの、あまりにも名高い文学史的事実であろう。

クロスが年少の詩人に宿を貸すことになったのは、たぶん、同じ年の十月中旬のことであったろうと推定されている。当時、クロスはパリの最も古い一廓である、セギエ街のアパルトマンの一室を、友人の若い画家ペヌーテと共同で借りて、ここを実験室として使っていた。ヴェルレーヌの知人の家を転々とするしかなかったランボーが泊りこんだのは、このアパルトマンであった。この頃のエピソードについては、ギュスターヴ・カーンの興味ぶかい記述があるから、次に引用してみよう。

「ランボーがパリにやってきた最初の頃、クロスはセギエ街の狭い自室に彼を泊めた。その部屋の立派な簞笥の上には、雑誌『アルティスト』のナンバーが年代順に積み重ねられており、のちに『白檀の小箱』に収録されることになる詩の大部分が、この雑誌に発表されていたのであった。ある日、クロスが雑誌を見ようとして、ページをひらくと、『オルガン』『ヴァイオリンの弓』などの載っているページがそっくり無くなっていた。ランボーがそのページをやぶいたのであるが、それはその詩に感服したためではなくて、それを自分のものとして使うためであった。彼はそれを日常のさまざまな用途に当てていたのであった！　クロスは怒った！」

（『文学者のシルエット』一九二五年）

しかし、ランボーとクロスの仲が悪くなる原因をつくったのは、それればかりではなかった。ランボーが刃物をふりまわしたりする粗暴の振舞いによって、ヴィヤール夫人のサロンに集まる文学グループ「破廉恥漢たち（ヴィラン・ボンゾム）」の晩餐会から、ようやく締め出しを食わんとしていた頃、マティルド夫人の回想によれば、クロスは次のようなことを彼女に喋ったという。

「先日、僕はカフェでランボーの隣りに坐っていた。僕がちょっと席を立って、もどってきてみると、僕のビールのコップのなかに、何だか妙に泡立っている液体がはいっていた。ランボーが注いだばかりの硫酸だった。」

＊

シャルル・クロスが音頭取りになって、文学グループ「破廉恥漢たち（ヴィラン・ボンゾム）」の一部過激分子を糾合した新集団「セルクル・ジュティック」を形成したのは、ちょうどランボーがパリに出てきて、クロスの部屋に宿を借りていた頃、すなわち一八七一年の十月であったと思われる。この集団の存続期間はきわめて短かく、とくにクロスが指導者としてとどまっていたのは、わずか一ヵ月そこそこだったようであるが、ラシーヌ街の外国人館に本拠を置いた彼ら「ジュティスト」たちの行動は、ある意味で、パリ・コンミューン敗退後の前衛文学青年たちの鬱勃（うっぼつ）たる精神状態を、最も極端な形であらわしていると思われるので、次に、これについてやや詳しく触れてみたい。

ジュティスト Zutiste の語源は、「ちぇっ」「くそっ」といったような、軽蔑や無関心や拒否や失望をあらわす間投詞 Zut! である。当時、彼らはこの俗語を好んで使っていたのである。まさに二十世紀のダダイズムの先駆のようなもので、私たちはそこに、彼らのニヒリスティックな、あるいはアナーキスティックな心情を容易に読み取ることができるにちがいない。十九世紀から二十世紀にいたる文学の歴史の裏通りをつらつら眺めると、遠く一八三〇年代の小ロマン派から、現代のアメリカのヒッピーにいたるまで、ブルジョワのコンフォルミスムに反抗する前衛文学青年たちのグループ活動は、波のように現われては消え、現われては消えて、今日にいたっているのである。シャルル・クロスを旗頭としたジュティストたちの運動も、その一環だと思って差支えあるまい。按ずるに、ジュティストとは、何事にも無関心な人、何事をも拒否する人の謂であった。

ジュティストたちの集会所は、彼らのなかの最年長者であった音楽家エルネスト・カバネルの借りていた、ラシーヌ街と医学校街の角にある外国人館という古い建物の中二階（一説によると四階）であった。彼らはここへ気ままに集まっては、議論をしたり、酒を飲んだり、喧嘩をしたりしていた。麻薬ハシーシュを吸っていた形跡もあり、ランボーの『地獄の季節』や『イリュミナシオン』には、この外国人館における彼の幻覚体験の跡がはっきり残っているという説をなす者もある。

面白いのは、この仲間たちが残した寄せ書きの記念帖「アルバム・ジュティック」である。最初の持主はシャルル・クロスであったが、その後、転々と持主が変り、最後に一九三六年、オーギュストおよびジョルジュ・ブレゾ書店の古書競売カタログに載り、さる愛書家の手に帰したという（一説にはピカソの手に入ったという）曰くつきの奇書である。ごく最近（一九六一年および六二年）、パスカル・ピアの序文と解説つきで、ようやくその完全な複製版が出版され、この珍重すべきドキュメントは私たちにも自由に読めるようになった。「アルバム・ジュティック」は横長四折判の手帖で、そのうちの三十葉が詩人たちの書き散らした詩文や、いたずら描きのデッサンなどで埋まっている。開巻劈頭の飾り文字と扉絵は、クロスの兄の医者アントワヌ・クロスが描いたという。

ヴェルレーヌ、ランボー、クロスのほかに、この「アルバム」に名前をつらねている前衛芸術家たちを挙げれば、カミーユ・ペルタン、ギュスターヴ・プラデル、ジェルマン・ヌーヴォー、アンドレ・ジル、シャルル・ド・シヴリ、ラウル・ポンション、エティエンヌ・カルジャ、それにジャン・リシュパン、ポール・ブールジェなどの面々である。最後の二人は、どちらかと言えば、この過激な文学グループに似合わしくない保守的文学者と言えるであろう。グループに属する詩人たちのうち、いちばん若いのがランボーで、当時わずかに十七歳、いちばん年長のエルネスト・カバネルが三十九歳であった。

パスカル・ピアの解説によると、グループ「破廉恥漢たち（ヴィラン・ボンゾム）」に属する高踏派の詩人たちと、このジュティストたちとの決定的な違いは、その政治的な見解だったという。ヴェルレーヌ、ランボー、ジル、ペルタンらは、いずれもコンミューンの戦士たちに対する共感を隠さなかったが、「破廉恥漢たち」の先輩詩人たちは、必ずしも彼らと意見を同じくしなかった。ナポレオン三世の政府から月給をもらっていた先輩詩人ルコント・ド・リールに対する、ヴェルレーヌの憎悪は信じられないほど激しかったという。要するに「セルクル・ジュティック」とは、「破廉恥漢たち」グループから分れて一派を形成したところの、いわば政治的な極左分子の集団だったのである。そして彼らの高踏派詩人に対する攻撃や嘲弄には、このような政治的な意見の相違に由来する反感も含まれていたらしいのだ。

さて、この「アルバム・ジュティック」に何が書いてあるのかと言えば、まず第一に、高踏派の大家たちの詩のパロディ、それに猥褻詩や糞尿詩、滑稽詩やナンセンス詩であった。もやもやした反抗の気分、ブルジョワの偽善や順応主義に対する嫌悪感が、この仲間だけの秘密の手帖のなかに、思いきりぶちまけられたかのごとき印象なのである。便所の落書きのような男根図や、仲間たちのカリカチュアもある。政治的な極左思想とエロティシズムとか結びつくのは、ブルジョワ社会では少しも珍らしいことではあるまい。のちにヴェルレーヌの秘密出版本『男たち（オンブル）』に収録されることになった、ヴェルレーヌおよびランボー合作の悪名高い「尻の穴のソネット」や、ランボーのパロディ風の猥褻詩「百合」「愚かな老人の追憶」なども、この手帖のなかに発見される。クロスもこの手帖のなかに、プラデルやレオン・ヴァラードと共作で、もしくは自分だけで、ひどく猥褻な七篇の詩を書き残しているが、そのうちの三篇には、まことしやかにエレディア、コッペ、ドーデなどと署名がしてある。つまり模作なのである。つまらない高踏派の大御所たちを、彼らがいかに馬鹿にしていたかは、これによっても明瞭に窺い知ることができるであろう。

ただ、この「アルバム・ジュティック」なる貴重な歴史的資料の、資料としての信頼性を疑っている文学者もいないわけではないということを、ここに付け加えておくべきであろう。たとえばアンドレ・ブルトンは、ランボーの偽作事件を論じた『現行犯』（一九四九年）のなかで、「セルクル・ジュティックがシャルル・クロスの発意で結成されたのは一八七一年ではなく、一八八三年である」から、その頃すでにランボーは詩を棄てていたはずであること、またパスカル・ピアはアルバムを一度手にしているとはいえ、現在の所有者が誰であるかを必ずしもはっきりさせていないので、それが本物であることを証明するためには、「その所在を明らかにして、筆跡鑑定にかける」ことが必要であること、などを主張している。ヴェルレーヌの『男たち』やランボーの『乱行詩篇』を匿名で出版した前歴のある、いかがわしい未発表作品を掘り出すのが好きなパスカル・ピアの「新発見」に対して、ブルトンはほとんど本能的な警戒の目を光らせているのである。しかしアルバムの完全複製版が刊行された今日、このブルトンの警戒も杞憂に終ったと称してよいのではあるまいか。

次に、「アルバム・ジュティック」に書き残された、クロスのレオン・ヴァラードとの共作の詩を一篇、翻訳してお目にかける。「三人姉妹」という題のものである。

三人とも美人だった。
三人とも淫売だった。
カフェ・ダルクールで薄荷酒を飲んで
三人とも美人だった。
三人ともマントを着て
当てにならぬ色男を追いかけていた。
三人とも美人だった。
三人とも淫売だった。

三人ともユダヤ女だったから
三人とも縮れ毛だった。
六つの眼が火の矢を放っていた。
三人とも縮れ毛だった。
三つの口は桃色で
三つの玉門は狭かった。

三人ともユダヤ女だったから
三人とも縮れ毛だった。

オルフェリ、オーギュスティーヌ、エロイーズ
それが三人の通称だった。
三人でよく喧嘩した。
オルフェリ、オーギュスティーヌ、エロイーズ
三人ともあけすけに口をきいた。
三人とも腰つきが色っぽかった。
オルフェリ、オーギュスティーヌ、エロイーズ
　それが三人の通称だった。

べつに何と言うこともない、ただの戯歌ではあるけれども、ちょっと註釈をつけておけば、第一節に出てくるカフェ・ダルクールというのは、当時、サン・ミシェル大通りにあって、まだモンマルトルに「黒猫」が開かれていない頃、文士や音楽家やジャーナリストたちの溜り場だったカフェである。当然のことながら、そこには客を漁るプロスティテュートがいたわけで、この幾らか卑猥な詩は、そういう背景のもとに歌われた詩であった。

もう一つ、クロスが自分だけで書いた「対話」という詩を引用するが、これは最初から最後まで一音節（モノシラブル）の語を並べた詩であり、かつまた、猥褻の度合いは前の詩よりもはるかに高く、うまく翻訳してお目にかける自信がないので、心苦しいけれども原文のままで示すことにする。

トリスタン
Est-ce
Là
Ta
Fesse?

Dresse
La.
Va…
Cesse…

イゾルデ
Cul…

Couilles!…
Tu
Mouilles
Mon
Con.

トリスタンとイゾルデの愛の行為中における、まことに露骨な対話である。ニーナ・ド・ヴィヤール夫人のサロンのワグナー崇拝の雰囲気から生まれ出た、この詩は畸形の鬼子ともいうべき作であろう。

*

伝説的なボヘミアン詩人であったシャルル・クロス、「燻製にしん」のユーモア詩人であったシャルル・クロスが、同時にまた、最も厳密な科学的知性を要求する学問や実験の分野で、先人未踏の数々の冒険をやってのけたのだから、いずれにせよ驚くべきことではあろう。科学評論家エミール・ゴーティエの意見によると、「人間精神の歴史において、この天才的予言者(クロス)に比較し得るのは、ベルナール・パリッシー、レオナルド・ダ・ヴィンチなどといったルネサンス期の完全人のみであろう」ということになる。まあ、それほど讃めるのもどうかと思われるが、彼が天才的な発明家であったということは紛れもない事実であろう。

クロスが四十六年の短かい生涯に、最も力を入れて打ち込んだ研究は、色彩写真と蓄音機の発明に関するそれであったが、そのほかにも自動電信機、ラジオメーター、光線電話器、クロノメーター、さらに脳のメカニズムの研究やら、流体と電気の研究やら、数え切れないほどの独創的な研究を行っているのである。パリ・コンミューンのあいだ、彼が宝石の人工合成に成功したということはすでに述べた。また、遊星間の通信法などという、気の遠くなるような計画に関する論文をも書いている。

年譜を見ると、彼の最初の発明は、一八六七年のパリ万国博覧会に出品された、自動電信機のそれであったようだ。時にクロスは二十五歳である。この電信機は、しかし商業化もされず、クロスはそれによって一文の利益をも得たわけではなかった。いや、それどころか、クロスのアイディアはこっそり盗まれたらしいのである。このことを知って以後、もうクロスは二度と電信機の問題には興味をもたなくなったようである。

同じ年に、クロスは科学アカデミーに宛てて、「色彩、形体および運動の記録と再生に関する方法」という論文を送っている。この論文は現在、その短かい断片しか残っていないけれども、おそらく、二年後にパンフレットの形で出版された「色彩写真に関する問題の一般的解決」という論文の、最初のエスキースではあるまいか、と考えられる。しかし色彩写真には、もとより運動の再生ということは含まれていない。断片だけでは推理の仕様もないが、もしかしたら、クロスはこの論文で、後年の映画の原理のようなことを思い描いていたのではあるまいか、とも考えられるのだ。残念ながら、彼はそれ以後、運動の再生という問題には積極的に取り組まなかったようであるけれども、その原理論的な精神の豊かさ、創意の多産さには、まことに恐るべきものがあると言えよう。

一八六九年五月九日、クロスは今度はフランス写真協会に宛てて、色彩写真に関する自分の研究成果を報告している。いわゆる三色写真法の技術である。ところが、ここに信じがたいような偶然の一致があらわれた。クロスが報告するよりも二日前の五月七日、ジロンド県生まれのフランス人デュコ・デュ・オーロンという者が、やはり同じフランス写真協会に宛てて、同じ三色写真法の研究を報告したばかりだったのである。しかも、この二人の発明家は、互いに相手の存在を全く知らなかったというから、不思議な暗合と言う以外に何とも言いようがない。クロスの失望は大きかった。優先権を争って、彼はライヴァルに論争をしかけたほどであった。しかし特許権は、すでに一年前からデュコ・デュ・オーロンの手に帰していたのであり、論争は不毛な結果しか生まなかった。ずっと後になって仲直りするまで、二人は冷たい反目をつづけていた。

色彩写真の完成は、しかしクロスにとって、よほど執着のあるテーマだったらしく、彼はその後も死ぬまで、営々として研究をつづけるのである。科学アカデミーの物理学の大家エドモンド・ベクレル教授に批判されたりしながら、彼は改良に改良を重ねて、一八八〇年頃には、かなりすぐれた技術の色彩写真を撮影することができるまでになっていた。現在、クロスの色彩写真はたくさん残っている。そのうちの最も完成度の高いものは、一八八一年、マネが描きあげたばかりの「春」と題する婦人像を写したものであろう。全体のトーンがやや薄い憾みはあるが、色彩も明瞭であるし、細部も鮮明で、現代のカラー写真にもおさおさ遜色がないように思われる。

色と形を定着したいという欲求の次に、クロスの心に芽生えたのは、この世界を構成するもう一つの要素であるところの、音を再生したいという望みであった。一生涯にわたる色彩写真の研究にくらべて、この蓄音機の研究は、ごく短かい期間にすぎなかったけれども、それが彼のその後の精神生活にあたえた影響は大きかった。つまり、この分野でも、彼は無念の思いを嚙みしめなければならなかったのである。

人間の声を再生するということは、当時にあっては、何か魔術的な、冒瀆的なことのようにも思われていたらしい。伝説によると、薔薇十字団の始祖と目されている中世の貴族クリスティアン・ローゼンクロイツの墓には、永遠のランプとか、アルベルトゥスの自動人形とか、「人工の歌」と呼ばれる蓄音機のような、一種の言葉を発する器械などが残っていたそうであるが、そういった不思議な発明品は、すべて神を冒瀆する悪魔的な技術によって産み出されたものだという考えが、十九世紀の産業革命後においても、依然として根強く残っていたらしいのである。だから、クロスの蓄音機の発明をめぐっても、いろいろな伝説や噂が流された。真面目に受けとめる者はめったにいなかった。

「レ・ジドロパット」誌（一八七九年）に発表されたクロスに関する文章のなかで、ユーモア作家のアルフォンス・アレは、クロスが聾啞学校の教師をしていたとき、生徒のために蓄音機を発明してやった、と書いている。生徒たちは肩から負い革で蓄音機をぶらさげて、自分の代りに器械に喋ってもらう、というわけである。しかし、このアレの語るエピソードは、年代も間違っているし、何か蓄音機というものに対して根本的な誤解をしているような節が見られなくもない。要するに、当時の蓄音機に対する認識は、アレのような新らしいもの好きの人間においても、このように浅かったと言うしかあるまい。

一八七七年頃から、クロスにはショーヌ公爵という有力なパトロンがついた。もともと貧しい学者の家に育ち、ろくに収入の道もないクロスが、パトロンなしで研究生活をつづけられる道理はない。ルイ十三世の寵臣の子孫だというショーヌ公爵はまだ若く、自分自身も発明狂で、とくに色彩写真の技術開発に熱心だった。彼はクロスに多額の手当てをあたえ、最初、パリのソルボンヌ街に実験室をつくって、ここをクロスに自由に使わせることにした。アンリ・モンドールの『マラルメ伝』によると、マラルメがロベール・ド・モンテスキウに紹介されたのは、このクロスの実験室においてである。やがてショーヌ公爵は、サルト県のサブレにある自分の城に、より完備した実験室を設けた。この城の実験室で、クロスが長年にわたって煖めてきた、蓄音機の原理に関する思考が熟するのである。

一八七七年四月十八日、クロスはみずから「パレオフォーン」と呼んだところの蓄音機の原理に関する説明を、手紙にして科学アカデミー宛てに送っている。それはディスク（平円盤レコード）式の蓄音機で、現在普及しているレコードとほぼ同じ原理のものである。色彩写真で思わぬ失敗を嘗めたので、今回のクロスは、自分の発明の優先権を確保しようと躍起になった。ジャーナリズムを動かして、自分の記事を売りこんだり、自分の研究に好意を寄せている人たちに、言論による掩護射撃をしてもらったりした。にもかかわらず、世間の反応は全く冷たかったのである。よほどの物好きでなければ、こんな実用性のない発明には心を動かさないかのごとくであった。アカデミーも、新聞も、さらに無関心であった。いや、無関心でない人が一人だけいた。パトロンのショーヌ公爵の母である。クロスが「言葉を発する器械」を発明しようとしていると聞くと、この敬虔なカトリックの公爵夫人は怒り狂った。言葉は神だけが創り得るものであって、そんな器械の発明は神の冒瀆にひとしい、という論理である。

蓄音機に関する認識は、かように一般的には恐るべき低さにあったとはいえ、当時のヨーロッパの創造的な技術の分野では、それは遠からず実現すべき趨勢にあったということも事実であった。シャルル・クロスは、アメリカにトマス・エディソンという男がいて、自分と同じような実験をしているということを知っていた。エディソンこそは、端倪すべからざる自分のライヴァルである。そのような対抗意識があったからこそ、クロスは自分の優先権を確保しようと懸命になったのである。理論面においては、クロスは文句なくエディソンを抜いていた。エディソンが英国で蓄音機の特許を得たのは一八七七年七月、フランスで得たのは同年十二月である。しかしながら、発明の最後の段階において、エディソンは、その不幸な競争相手を決定的に引き離したのである。

一八七八年三月十一日、エディソンはフランスに代理人を送って、パリの科学アカデミーで、自分のつくった器械の聴取テストを行わせた。それは大成功で、熱狂的な拍手をもって迎えられた。またしてもクロスの完敗であった。未練がましく、クロスは一週間後の三月十八日に、エディソンの成功についての意見を科学アカデミーに送り、暗に自分の権利を主張したが、それは完全に無視された。世論の前に、彼は無力であった。

後年、クロスは「黒猫」で朗読するための「独白劇(モノローグ)」なるものを書き飛ばすが、これらの文章のなかに散見する資本家嫌悪の言葉は、資金が足りないために発明の最後の段階で遅れをとり、みすみすアメリカのライヴァルに功を成さしめた、あの苦い経験を土台としたものだったはずである。いつ頃からかはっきりしないが、ショーヌ公爵も援助の手を引いていた模様である。こうなれば、もうクロスは発明家としての人生を諦める以外にない。エディソンとの競争に敗れたことが、以後の彼の人生を敗残者の人生としてしまったのである。時に三十六歳。まだそれほどの年齢でもないのに、彼はやがて酒びたりの生活に落ちこんで行く。「クロスの四十六年の短かい生涯は、あらゆる面において挫折の生涯であった」と私が前に書いたのは、この意味である。

いったい、クロス自身はエディソンに遅れて、自家製の蓄音機を完成していたのだろうか、という疑問が残る。完成していた、という証言はかなりある。その一つは、クロスの甥の証言である。この甥は、子供の頃、父から次のような話をよく聞かされたそうである。すなわち、クロス家の故郷のオード県の、ある町の広場で、シャルル・クロスは大道芝居小屋の演壇のような台の上に、自分がつくった「人間のように喋る」器械を据えて、無料で人々にこれを見せていた。その器械というのは、大きなシチュー鍋を木の箱に嵌めこんだもので、箱の傍らには、鍋を回転させるための目覚し時計が置いてある。クロスが時計のねじを巻くと、箱のなかから鼻のつまったような声で、「お前は眠っている、ブルータス。ローマは鉄鎖につながれている……」とシェークスピア劇の台詞が聞えてくる。

ヴィリエ・ド・リラダンが『未来のイヴ』のなかで、なぜクロスの名前や業績に一度も触れなかったのだろうか、という疑問も起ってくる。周知のように、この小説は「蓄音機(フオノグラフ)の父」たるメンロー・パークの魔術師の描写から始まっているのである。リラダンがクロスの仕事について無知であったり、これを低く評価したりしていたということが考えられない以上、私たちとしては、伝記作者ルイ・フォレスティエの意見に左袒(さたん)せざるを得まい。すなわち、フォレスティエの確信するところでは、この小説に描かれたエディソンの性格のある特徴は、本物のエディソンよりもむしろシャルル・クロスから借りられたにちがいない、というのである。なるほど、そう言われてみればそうかもしれない、と私も思う。

＊

シャルル・クロスが二十七歳で出版したパンフレットに、「遊星間の通信法についての研究」という、途方もないテーマを扱った論文があることは前に述べたが、これは決してクロスひとりの夢想から出てきたテーマではなかった、ということを強調しておきたい。一八六九年当時、クロスが親交を結んでいた人物に、クロスと同年生まれの有名な天文学者カミーユ・フラマリオンがあったが、この若くして名をあげた専門学者もまた、同じようなことを真面目に考えていたらしいのである。

一八六九年五月、クロスは友人フラマリオンの勧めにより、カピュサン大通りの講演会場で、遊星間の通信法についての講演を行った。それが成功であったかどうかは伝えられていないけれども、少なくともフラマリオンの後楯があったのだから、べつに嘲笑を浴びるというほどではなかったろう。五年後の一八七四年にも、ふたたび同じ場所で、同じテーマの講演を行っているのである。

クロスの主張するところは、まことに単純明快であった。――わが太陽系の星々のなかには、人間の棲んでいる星があるかもしれず、私たちの地球に信号を送っている星があるかもしれないから、とくに金星、火星のような遊星には、くれぐれも注意して観測を怠ってはならない。

古来、多くの天体観測者が、水星、火星あるいは金星の表面に、光り輝く点を発見しているが、これが何よりの証拠ではないか。わが地球においても、彼らの意志に応えるべく、合図を送らねばならぬ。それにはどうするかというと、反射鏡のついた強力なライトを用いて、強力な光の束を断続的に放つのである。そうしておいて、目標の星の表面に、反応が現われるか否かをじっと窺う。もし目標の星の表面に、そのとき光が現われるならば、それこそ彼らの応答である。こちらの発信と同じ調子の、断続的な光の明滅が認められるならば、それは彼らが「見えたぞ。了解！」と言っているのである。それは人間にとって、この上ない喜びと誇りの瞬間であろう。……

以上のごときが、「遊星間の通信法についての研究」の骨子である。馬鹿らしいと言ってしまえばそれまでだが、クロスにとっても、またフラマリオンにとっても、それは本気で考えなければならない問題であった。人間の棲んでいる星が地球以外にもあるということ、言い換えれば、地球だけが唯一の創造ではないということは、カトリックの教義と真向から対立する見解であり、どちらかと言えば汎神論風の自由思想に近い考え方である。エリファス・レヴィやシャルル・フーリエの隠秘学を思い出してもよかろう。そしてシャルル・クロスにも、そうした神秘思想家の系列と、どこかで繋がっている部分があるのだということを再認識しておきたい。

地球以外の他の天体とメッセージを交換するという夢想は、単にクロスの生涯の一時期ではなく、さまざまな時期に現われ、美しい作品となって結実している。たとえば、『白檀の小箱』に含まれる「天文学的十四行詩（ソネット）」という、奇抜な題名をもったソネットを見られたい。

夏の一日が終る頃
私たちは散歩していた、君は私の腕にもたれ、
私は私のよく口にする、あのはるかな世界を夢みながら。
君もまた、競って瞬く星々を眺めていた。

散歩の帰るさ、丘の斜面で
君は夕べの心地よさと、風の薫りに
得も堪えず腰を下ろした。
金星（ウエヌス）もまた、輝きながら、黄金色の西空に身を浸した。

やがて愛に疲れ、物憂げに眼をあげて
私たち二人は長い感動の戦慄を味わった。
清朗な星の光のもとで。

たぶん、このとき金星でも、二人の恋人同士が

未知なる香のする森の中で、ふと足をとめ、
接吻の合い間に、わが地球をば眺めたことであろう。

ちなみに、この詩のなかで歌われている恋人同士は、幸福な時代のシャルル・クロス自身とニーナだという。

私は最後に、最も不幸な時代、すなわち死を目前にした晩年のシャルル・クロスに関する、一つのエピソードを語らねばならない。詩人レオン・リオトルの文章を次に引用しよう。

「ある朝、リュクサンブール公園の近くを散歩していると、みすぼらしい身なりをして、震えながら歩いてくる男に出遭った。男は弱々しい声で、私に《今日は》と言った。よく見るとシャルル・クロスであった。私たちはしばらく科学について語り合った。クロスは私の手を握りしめて、こう囁いた。《私の発見したものを御存知ですか》《何ですか、いったい》と私は訊ねた。《色彩写真ですよ……》それっきり私は彼の姿を見なかった。数日後、新聞に彼の死が伝えられた。」

シャルル・クロスの見つけたものは、色彩写真だけだったろうか。蓄音機だけだったろうか。それとも燻製にしんだけだったろうか。

また見つかった、
何が？　永遠が

というランボーの詩句は、探求者としてのクロスの一生の姿勢を暗示しているように思われる。

ジョゼファン・ペラダンと
スタニスラス・ド・ガイタ侯爵
――世紀末の薔薇十字団運動

故辰野隆氏の『信天翁の眼玉』（『仏蘭西文学』所収）一九一八年十二月の項に、「今年の六月二十七日にジョゼファン・ペラダンが死んだ。ペラダンに就てはいづれ書く機会があると思ふ。今月は単に其の訃を伝へて置くに止めよう」という記述がある。残念ながら、辰野先生はその後、ペラダンについて麗筆をふるう機会を有しなかったもののごとくである。

渡辺一夫氏の「妖怪曼陀羅」（『渡辺一夫著作集』第七巻所収）には、次のように書かれている。「この『パンタグリュエルの怪異夢』の各々に、特定の史上の人物の面影を発見し、所謂ラブレー的な諷刺を認めようと努力したエスマンガール及びジョアノーもジョゼファン・ペラダンも、その倦むことを知らぬ考証欲の点では我々を感心させるが、史的事実のあまり独断的な解釈や、ラブレーの作品のあまり末節的な註解などに終始しているがために、かえってこの『怪異夢』をして怪異でなくしてしまい……」

さらに林達夫氏の「精神史」（『岩波講座　哲学』第四巻所収）の註には、次のような記述が見つかる。「なおもう一つ、わたくしが触れなかった本に、ユング流ともバシュラール流ともつかぬ、何とも天衣無縫な立場から、レオナルド評価を書いているマルセル・ブリオンがある。『四大（元素）とレオナルド』とでもいった、しゃれた副題をつけてやりたいほどの著眼の非凡な本で、また読んでいて事実面白いが、さてあの悪訳で評判の高いペラダンの『レオナルド手記』の仏訳などを無神経に使っているところなど見ると……」

こうして、日本の碩学と呼ばれるにふさわしい三人の学者の文章を私が思いつくままに並べたのは、ほかでもない、ペラダンについて触れている数少ない日本人の文章を探してみたまでのことである。フランスの一般の文学史には名前が載っていないペラダンは、十九世紀末の人騒がせな異端児として、本国でさえ敬遠されている傾きがあり、日本ではもちろんのこと、その作品の一部にでも目を通した人の数は寥々たるものであろう。渡辺氏は専門のラブレーとの関係によって、林氏はレオナルド研究の一環として、ともかくもペラダンの厖大な作品群の一角に突き当っているのは、さすがにこの二人が、そんじょそこらのプロフェッサーとはおのずから質を異にした、ある一つのことを調べるのにも徹底的に文献に当らなければ気がすまないという、いわば一種の完全主義者たることを証明している事実であろう。

それはさておき、林氏によって「悪訳」ときめつけられたペラダンの『レオナルド手記』の翻訳にしても、それがヴァレリーの名作『レオナルド・ダ・ヴィンチの方法序説』を誕生せしめるのに幾らかでも役立っているという、ヴァレリー自身の述懐を聞くならば、一概にこれを非難すべきかどうかは疑問であろう。そう言えば渡辺氏の文章にも、ペラダンの『ラブレーの鍵』（一九〇五年）における考証の「独断」ぶりを指摘しているところが見られるが（そして事実その通りにはちがいなかろうが）、この薔薇十字団運動の教祖ほど、あらゆる方面から胡散くさい目で見られ、その芝居がかりのこけおどしを冷笑されている文学者も稀なのである。

しかしペラダンが死んでから五十年、この時代遅れの矯激な理想家を人々はさんざん嘲笑しながらも、彼から盗めるものは容赦なく盗み、相も変らず彼の片言隻句を引用しているということも、忘れずに言っておかねばなるまい。単に魔術や隠秘学（オカルティズム）の領域ばかりでなく、当時の芸術や思想のあらゆる分野に、彼の影響は深く滲透しているのである。渡辺氏や林氏が、その胡散くささに警戒の目を光らせながらも、一応、これに目を通さないわけには行かなかったという事実そのものが、ペラダンの存在の重要性を逆説的に証明してはいないだろうか。のちに触れるが、とくにマリオ・プラーツ、グスタフ・ルネ・ホッケ、ホーフシュテッター、ドニ・ド・ルージュモン、ロベール・アマドゥーなどといった、神秘主義や魔術に多少なりとも関心のある現代の文学史家や美術史家の書物からは、ペラダンの名前はまず絶対に消し去ることができないはずなのである。

　ペラダンは、正統ローマ・カトリックを自称する隠秘学者（オカルティスト）であり魔法道士（マージュ）であるとともに、小説家であり、劇作家であり、詩人であり、美術批評家であり、文芸評論家であり、哲学者であり、かつまた、独特なセックスの形而上学者でもあった。こんな百科全書家的な幅広い活動が、彼の誠実を疑わしめる結果になっているということも否めないだろう。本名はジョゼフ・エーメ・ペラダンというが、古代バビロニアの王サール・メロダク・バラダンの名前を借りて、みずからサール・メロダク・ジョゼファン・ペラダンと称したばかりか、真黒な髪と髯をふさふさと伸ばし、好んで東洋風な長い繻子（しゅす）のマントに身をくるんで、いやが上にも神秘の雰囲気を自分のまわりに漂わせようとしていたから、それだけでも山師扱いされるのは当然であったかもしれない。ユイスマンスのごときは、「髯と髪の毛、これがペラダンの威光のすべてである」と酷評しているほどである。（もっとも、ユイスマンスは隠秘学者として、スタニスラス・ド・ガイタ侯爵やペラダンなどといった、薔薇十字団の流れを汲む連中とは敵対関係にあったから、この評価は幾らか割引した方がよさそうである。隠秘学者としてのペラダンの位置については、のちに触れる。）

自分の精神的営為を体系化することを好んだペラダンの厖大な著作群は、大きく分類して、ほぼ五つのジャンルに類別することが可能となっている。まず、その第一は、著者によって「風俗描写」と銘打たれたところの連作小説『ラテン的頽廃』全二十一巻であり、処女出版として第一巻『至上の悪徳』の出たのが一八八四年、最終巻『倒された松明（たいまつ）』の出たのが著者の死後七年目の一九二五年であった。この連作小説によって、ペラダンがバルザックの向うを張り、いわば観念の「人間喜劇」を実現しようという野心をいだいていたことは明らかであろう。

第二のジャンルは、『死せる知識の階段講堂』という、これまた大げさな総題をもつ、著者の哲学ないし純粋思弁を叙した全七巻に及ぶ理論書で、その各巻のタイトルを示せば、次のごとくである。

第一巻『いかにして人は道士となるか』（倫理学）一八九一年
第二巻『いかにして人は妖精となるか』（性愛学）一八九二年
第三巻『いかにして人は芸術家となるか』（美学）一八九四年

第四巻『王笏の書』（政治学）一八九五年
第五巻『カトリック的神秘』（神秘神学）一八九八年
第六巻『二律背反論』（形而上学）一九〇一年
第七巻『愛の学』一九一一年

最後の巻にだけ、どうして（……学）という呼び名が提示されていないのかというと、個人主義（第一巻）や妖精譚（第二巻）や貴族主義（第三巻）や政治学（第四巻）や宗教的秘伝（第五巻）や論理学（第六巻）などを取り扱うには、手引とモデルが存在するけれども、学問と愛の二語を結びつけるには、そういったものが全く見当らないからだという。

次の第三のジャンルは、『美学の頽廃』という総題をもつ、さまざまな領域にわたる著者の芸術論で、そのなかには絵画展（サロン）の批評や、フェリシアン・ロップス、マネ、クールベ、レオナルド、オルカーニャ、アンジェリコ、レンブラント、あるいはワグナー、トルストイ、テーヌなどを論じた文章がある。

第四のジャンルは、『観念と形体』という総題のもとに、幾篇かの著者の東洋旅行記や、レオナルド・ダ・ヴィンチ論や、ラブレー論や、悲劇の起源論や、カタリ派やトルバドゥールに関する論文（『パルシファルからトルバドゥールまで』一九〇六年）などを集めたものである。ちなみに、この最後の中世吟遊詩人に関する論文は、とくにドニ・ド・ルージュモンの名高い『愛と西欧』

の主題に多くの示唆をあたえている。

そして最後の第五のジャンルは、十篇ばかりの戯曲である。ワグナーの楽劇にいたく感動していたペラダンは、自分でも一種の総合芸術をつくってみたいと夢見ていたらしい。そのほか、以上に挙げた五つのジャンルのいずれにも属さない、小説や論文やエッセイも幾つかある。

このように、ざっと表題を見渡しただけでも、この著者の壮大な意図、いささか鬼面人を威す態の、誇大妄想狂的な意図は明瞭に読み取れるはずであろう。しかしまた、とにもかくにも独力で、これだけ多岐にわたる精神の分野に一つ残らず足跡を刻みつけたのだから、その百科全書家的な識見と、怖るべき筆力とには、何ぴとといえども驚きの念を禁じ得ないだろう。

ペラダンの最良の小説の一つとされている、死後に刊行された『アヴィニョンの信心深い女たち』（一九二二年）の序文で、ギュスターヴ・ルイ・トータンは、次のようにペラダンの著作活動を要約している。すなわち、「『死せる知識の階段講堂』という総題のもとに集められた七篇の論文も、風俗描写と銘打たれた小説群も、要するに同じメダルの裏と表である。作者は人生によって理論を確認し、過失によって真理を証明したかったのである。しかしペラダンは、つねに雄弁への好みによって、あの情緒に対する本能的欲求によって失敗し、いたずらに大げさな感情表現をしたり、問題の根本を混乱させたり、巧妙な言葉に激越な言葉を、伝説の絵巻に風俗描写を付け加えたりするので、結局のところ、その才能の鼻もちならない幻惑よりほかには、何一つとして私たちを納得させるに至らないのだ」と。これは、かなり手きびしい辛辣な批評ではあるが、ペラダンに対する一般の代表的な意見と称して差支えあるまい。

しかし、ロベール・アマドゥーが『隠秘学の文学選集』（一九五〇年）の解説で述べているように、「ペラダンの知的誠実は否定し得ない」のであり、「もし彼が誰かをだましているとすれば、まず第一に自分自身をだましている」のである。ペラダンにとっては、美学も倫理学も形而上学も、一つ一つ分離し得るものでは全くなくて、これらを綜合するに足るような、一つの強力な理想主義こそ必要だったのだ、と言えるであろう。

世紀末のデカダンスの雰囲気にどっぷり浸り、みずからデカダンスを体現しながら（彼の連作小説が『ラテン的頽廃』と命名されていることを想起せよ）、彼はそこからの脱出を真剣に摸索していたのである。そういう意味で、彼がマラルメやリラダンのような、当代の物質主義や進歩思想を嫌悪する、象徴主義詩人たちの精神的な兄弟であったということは否定すべくもあるまい。もともと彼は、バルベー・ドルヴィリーやレオン・ブロワのような、カトリック的反動思想家の貴族主義的文学によって影響を受けつつ、文壇に登場したのであった。彼の処女作『至上の悪徳』は、バルベーの序文つきで刊行された。といっても、バルベーとペラダンとのあいだには、思想的に大きな隔たりがある。アナトール・フランスは次のように書いている。「バルベー・ドルヴィリーはきわめて危険なカトリックであった。ジョゼファン・ペラダン氏は、氏自身が擁護している人たち（カトリック教徒）にとって、さらにもっと危険である。おそらく氏は、『魔性の女たち』を書いた老学者（バルベー）ほど、冒瀆的言辞を吐きはしない。

この老学者にとって、冒瀆的言辞は何よりも信仰心の証拠だったのである。しかしペラダン氏は、もっと官能的であり、もっと傲慢である。もっと罪に対する好みをもっている。さらに氏はプラトン主義者であり、道士であり、つねに福音書と魔法書とをごっちゃにし、ヘルマフロディトゥスの観念に取り憑かれ、そのあらゆる書物が、この観念から着想を得ているということを思ってもみるがよい。」(『文学生活』第三巻)

アナトール・フランスの炯眼は、ペラダンの思想の核心を形成している、あの異教的なアンドロギュヌスの観念を見事に射当てている。実際、ギュスターヴ・モローやラファエロ前派の絵が端的に示しているように、ひとしくアンドロギュヌスの原型に憧れていた世紀末の芸術家たちのなかでも、ジョゼファン・ペラダンほど、このアンドロギュヌス観念の理論化に熱中していた精神は稀だったのである。ペラダンが正統カトリックを自称しながら、いかがわしい新プラトン派風なエロトロギアの創始者、異教的美学の鼓吹者として、当時のデカダンスの風潮のなかに独自な立場を占めているのも、このためであった。

＊

ミルチャ・エリアーデは、古代の創世神話から錬金術、グノーシス主義、スコトゥス・エリウゲナ、ヤーコブ・ベーメ、さらにドイツ・ロマン派のリッター、ウィルヘルム・フォン・フンボルト、フリードリヒ・シュレーゲル、フランツ・フォン・バーデル、ゴットフリート・アルノルトへと続く、西欧の歴史における「完全人」としてのアンドロギュヌス観念の系譜をたどった末に、十九世紀のバルザックの『セラフィータ』にいたって、次のように述べている。

「『セラフィータ』は、アンドロギュヌスの神話を中心テーマとしたヨーロッパ文学の、最後の偉大な創造である。十九世紀のその他の作家たちも、同じ主題を採りあげてはいるものの、彼らの作品は概して凡庸であり、率直に言えば駄作である。珍奇なものとして、『ラテン的頽廃』と題された二十一巻の連作小説の第八巻目に当る、ペラダンの『アンドロギュヌス』（一八九一年）を思い出しておこう。一九一〇年にも、ペラダンは『アンドロギュヌスについて』（『観念と形体』シリーズ）という小冊子のなかで、同じテーマに立ち返っている。この作品には不確かな資料と錯誤があるが、全く興味がないものでもない。サール・ペラダンの全作品は——今では誰も読む気がしなくなっているが——すべてアンドロギュヌスのモティーフに支配されているようである。しかしスウィンバーン、ボードレール、ユイスマンスなどといった同時代作家のそれと同様に、サール・ペラダンの創造する物語も、『セラフィータ』の雰囲気とは全く違った雰囲気のうちに発展するのだ。つまり、ペラダンの主人公は、官能性において《完全》なのである。《完全人》の形而上学的な意義は下落し、ついに十九世紀の後半において見失われてしまうのである。」（『メフィストフェレスとアンドロギュヌス』一九六二年）

エリアーデによれば、ヨーロッパの大きな精神的危機の時代である十九世紀末は、「シンボルの下落」の時代なのである。シンボルの形而上学的な意義を認めることができなくなると、シンボルはやがて徐々に卑俗な面で理解されるようになる。だから、デカダン作家たちにとっては、アンドロギュヌスは単に二つの性が解剖学的かつ生理学的に共存しているところの、肉体的畸形としてのヘルマフロディトゥスでしかないのである。性の綜合としての一つの完全性が問題なのではなくて、エロティックの可能性のみが問題なのである。それは極端になると、たとえば「黙示録の獣」とみずから称した道士アレスター・クロウリーの場合におけるように、完全に一種の性の魔術(マギア・セクスアリス)となってしまう。形而上学から技術へ転落してしまうのである。

「セラフィトゥス＝セラフィータは、近代の精神分析学の読者にはお馴染みになっている、アニムス＝アニマの弁証法の擬人化として止まるのみではない。実際、セラフィトゥス＝セラフィータは、もっと大きな綜合、地上的な存在と不死の存在との綜合という意味をもっているのである」とガストン・バシュラールは書いているけれども（『夢みる権利』一九七〇年）、ここでは、問題をそれほど大きく拡げる必要はあるまい。エリアーデの言うように、バルザックのヴィジヨンの天使的な清らかさにくらべれば、たしかにペラダンのアンドロギュヌスが見劣りするのは、誰しも認めないわけには行かぬであろう。ただ、マルセル・シュネデールも述べているように（『フランス幻想文学』一九六四年）、ペラダンがアンドロギュヌス神話を具象化しようとしたのは、必ずしも二つの性を解剖学的に統一したヘルマフロディトゥスのイメージにおいてではなかった。ペラダンの意図においても、純粋に精神的なアンドロギュヌスが問題だったのである。惜しむらくは、気取り屋のペラダンには、バルザックのようなヴィジオネールの眼が欠けていた。

ナルシシズムが鼻につく、説教臭の強いペラダンの文章では、詩人の夢想から生まれた、光り輝く天使のイメージを創造することはできなかったというまでのことである。

エリアーデとは反対に、世紀末をむしろ新らしきマニエリスムの復活の時代として、積極的に評価しようとしているのは『迷宮としての世界』(一九五七年)の著者ルネ・ホッケである。「運命的な分裂の渦中における統一への欲求には、ある(いかがわしいものであるにせよ)刺激的にして精神的な、というより知的《電気的な》力、あらゆる芸術的エネルギー供給源の動力学がある」と述べるホッケは、ヘルマフロディトゥスの主題をめぐって、世紀末と十六世紀初頭とを重ね合わせようとし、そこにペラダンの「新プラトン派風の性愛学」を持ち出してくるのである。

しかし、エリアーデよりもホッケよりも早く、ヨーロッパ各国の世紀末文学を総動員して、そこにさまざまな形で現われたアンドロギュヌスの主題を克明に追求しているのは、名著『ロマンティック・アゴニー』(一九三三年)の著者マリオ・プラーツであろう。ボードレール、ゴーティエ、スウィンバーン、ウォルター・ペイター、ゴンクール兄弟、ジャン・ロラン、ラシルド、ルネ・ヴィヴィアン、それに画家のギュスターヴ・モローなどが登場するが、なかでもペラダンに最も多くページが割かれている。「ペラダンの『死せる知識の階段講堂』の七番目の論文には、《プラトンのエロトロギア》の表題のもとにアンドロギュヌス説を詳述している部分がある」とプラーツは言う。また、「ペラダンの小説のなかの女たちは一般にアンドロギュヌス・タイプである」として、『至上の悪徳』の女主人公エステ公爵夫人や、『好奇心の強い女』（一八八五年）の女主人公リャザン公爵夫人などの、いかにもデカダン好みの外観や性格を分析している。

小説はともかくとして、少なくとも理論面においては、ペラダンのアンドロギュヌスといえども、純潔や処女性に結びついた精神の完全性をあらわしていることに変りはないのである。アンドロギュヌスは彼にとって、あくまで存在しない性であり、奇蹟の性であり、不可能の鏡であるべきであった。エリアーデの評価は、ゴーティエの『モーパン嬢』のような通俗作品には当てはまるとしても、ペラダンにはやや不当であるように思われる。エロティックな可能性をふやそうなどとは、彼は一度も考えたことはなかったはずであるし、彼もバルザックと同じように、みずからの抱懐するアンドロギュヌス観念を、かつて楽園に存在した人類の一つの典型として思い描いていたにちがいないからである。

小説『アンドロギュヌス』の冒頭には、この神聖なセックスに捧げられた、次のような長い祈りの言葉が出てくる。あまりに長いので、一部分だけ引用しよう。

地上の恍惚は不可能なる性！　存在しない性！　おんみを讃う！
いと優しき性、見るだけで孤独の慰められる性、
いと穏やかなる性、苛立った神経を慰撫する性、

いと柔和なる性、純潔の快楽から生ずる性、
いと情愛にみちたる性、我らの魂に口づけする性、
いと甘美なる性、我らを高きにみちびく性、
いと慈悲深き性、我らに夢をあたえる性、
ジャンヌ・ダルクの性、奇蹟の性！　おんみを讃う！
おお、太初の性、窮極の性、愛の絶対、形式の絶対、性を否定する性、
　永遠の性、おんみを讃う、アンドロギュヌスよ！

ペラダンの大げさなレトリック、しばしば人を顰蹙させる独善的なレトリックがいかなるものであるか、以上の引用によって、幾らかでもお分りいただけたかと思う。詩と散文とが交互に現われるのは、処女作『至上の悪徳』以来のペラダンの、いわば悪い癖なのである。ちなみに、『アンドロギュヌス』は一種の自伝小説であって、主人公である美貌の少年サマス（太陽を意味する）は、ペラダン自身の少年時代をモデルにしているのである！

　ペラダンが再三にわたってレオナルド・ダ・ヴィンチを論じているのも、一つには、このルネサンスの天才が、美の最高の形式としてのアンドロギュヌスを表現する秘密をつかんでいたと信じられたからにほかならなかった。その『レオナルド論』（一九一〇年）には、次のような注目すべき記述がある。

「レオナルドは、アンドロギュヌスの名で呼ばれているポリュクレイトスの規範(カノン)を発見した。アンドロギュヌスは、この上もなく芸術的な性であり、二つの原理、男性的なるものと女性的なるものとを混淆(こんこう)し、それらを互いに釣合わせるのである。ただ一方的に男性的ばかりの顔は優美さを欠き、ただ一方的に女性的ばかりの顔は力を欠くのだ。」

「『ジョコンダ』においては、天才的な男の知的な権威と、優しい女の官能性とが混淆していて、精神的なアンドロギュヌスを完成している。」

「『聖ヨハネ』においては、性が一つの謎となるまでに、形式は互いに混り合っている。」

もっとも、ケネス・クラーク卿によれば、「古典神話に心を動かされず、情緒的にも官能的にも女に惹かれたことのなかった」レオナルドは、また同時に、「新プラトン主義の空想にも我慢がならなかった」(『裸体論』一九五六年)はずなのである。これではレオナルドにおいて、ペラダンのアンドロギュヌスの性愛学の成立する余地はなくなってしまう。しかしペラダンの性愛学を全面的には受け容れないまでも、少なくともレオナルドをあまりに知的かつ科学的にのみ見る見方は、やはり一面的に過ぎるのではあるまいか。

一九〇四年に小冊子の形で出版された『レオナルド・ダ・ヴィンチの最終講義』という論文は、論文とは言っても、レオナルド自身が一四九九年、ミラノのロドヴィコ・スフォルツァの宮廷を去るにあたって、みずから創立したアカデミアで最後の講義を行うという、作者のフィクションに基づいたところの芸術論である。短かいながら、ペラダンの芸術論としては最もよくまとまったものと言うことができる。このなかにも、作者がレオナルドの口を借りて語らしめた、なかなか機智に富んだアンドロギュヌス論が出てくる。次に引用してみよう。

「戦士はいかに男性的であっても差支えあるまい。女奴隷はいかに弱々しく、悲しげであっても差支えあるまい。しかし天使の顔、寓喩の顔は、いかなる性に属するのであろうか。髯とか乳房とかは、いずれも精神性にはふさわしくない。さりとて、ごく年若い男女を写生したとしても、青年ならば優雅さに欠けるであろうし、処女ならばあまりにも繊弱すぎるであろう。」

「もし諸君が男のモデルを使って天使を描こうと思うならば、その手脚をふくよかにし、関節を細くし、動作をしなやかにして、これを女性化しなければならぬ。もし諸君が女のモデルを使って描くならば、その肉体をそぎ落し、曲線を減らし、顔をやや厳めしくしなければならぬ。こうして諸君は男のモデルから一人の若い娘を引き出し、女のモデルから一人の青年を引き出すのである。いずれの場合においても、力と優美さとを併せもち、しかも肉欲を超越した、人間の肉体の第三の状態ともいうべきものが得られるであろう。この人間の形体の第三の状態は、よしんば女であっても男の欲望を掻き立てず、よしんば男性的特徴を多く残していたとしても、女の欲望を掻き立てることはあり得まい。これこそ天の使いや、妖精や、その他もろもろの精神的な生きものにふさわしい、純潔の美を描くための唯一の方法なのである。」

＊

一八八八年七月、ペラダンはバイロイトに小旅行を試み、この地でワグナーの『パルシファル』を聴き、その知的生涯で二度目の啓示を受けた。最初の啓示は一八八一年、イタリアでレオナルド、ラファエロ、ミケランジェロなどといった、色彩と形体の魔術師たちに出会った時である。バヴァリアの小さな町で味わった、今度の旅行の感激は、音楽とともに舞台の上で展開される古いスカンディナヴィア伝説、あるいはケルト伝説であった。こうしてワグナーに傾倒するとともに、もともと彼のなかに巣食っていた綜合への欲求、綜合芸術への夢が花ひらくことになった。さしあたって、ペラダンは自説を実行に移すために、展覧会を主宰することを思いついた。

第一回「薔薇十字展」が官展に対抗して、デュラン・リュエル画廊で開催されたのは、一八九二年三月十日のことである。エリック・サティのトランペットの音とともに、この異様な秘密結社の展覧会は華々しく幕をあけたのだった。むろん、出品者がすべて薔薇十字団の団員というわけではなく、きびしい規則を設けて、一般からも公募したのである。第一回展のために資金を提供したのは、自分も下手糞な画家であったアントワヌ・ド・ラ・ロシュフコー伯爵であった。ペラダンの五幕の悲劇『バビロン』も、時を同じくして上演された。一八九二年から一八九七年まで、薔薇十字展は前後六回も開催されている。そのうち、少なくとも第一回は大成功で、初日だけでも一万一千人の観客を集めたという。

しかし、ペラダンが最も期待していた三人の芸術家、すなわちギュスターヴ・モロー、オデイロン・ルドン、ピュヴィス・ド・シャヴァンヌは、とうとう作品を送ってこなかった。たぶん、この三人の孤独な芸術家は、サール・メロダクの周囲で展開されていた鳴物入りの大騒ぎに怖れをなしたのであろう。

前後六回の展覧会を通じて、薔薇十字団に近づき、ふたたび離れて行った群小画家は数知れなかった。最後まで神秘主義的傾向に忠実につき合ったのは、モーリス・ドニとルオーであった。エミール・ベルナール、ブールデル、ヴァロトンなどは途中で脱落した。外国の招待作家のなかで、いちばん讃めそやされたのは、ベルギーのフェルナン・クノップフとオランダのヤン・トーロップであった。

薔薇十字展で初めて名前が知られるようになった画家もいた。ジャン・デルヴィル、アンリ・ド・グルー、ベルギーのカルロス・シュヴァーベ、アルフォンス・オスベール、アレクサンドル・セオン、アルマン・ポワン、それにシャルル・フィリジェなどの面々である。

フィリジェについてだけ、ちょっと触れておきたいと思う。彼はポン・タヴァン時代のゴーガンの友達で、その作風も、ある時期にはゴーガンにきわめて近かった。しかし本来は、ビザンティン風の小さな聖像を描いたり、左右対称の幾何学的な絵を描いたりする、どちらかと言えば素朴画家に近い作風なのである。レミ・ド・グールモンとアルフレッド・ジャリの友達だったというから、魅力的な人柄だったにちがいない。一九二八年、フィリジェはブルターニュ地方で、世間から完全に忘れられて、貧窮の果てに死んだ。頑固一徹な理想主義者で、薔薇十字団に関係したすべての人間のなかで、最も聖性の近くに身を置いていたと言われている。その死後、残された非常に数少ない作品を、アンドレ・ブルトンが集めて称讃したので、シュルレアリスムの先駆者としても見直されるようになってきた。

薔薇十字展を開催するための資金を提供し、薔薇十字団員の貧窮を救ってくれたのは、先にも述べた通りアントワヌ・ド・ラ・ロシュフコー伯爵である。このパトロンのおかげで、サークルは機関誌を発行することもできたのだった。しかし伯爵の寛大にも限度があった。おそらくペラダンの奇矯な言動に厭気がさしたのであろう、やがてラ・ロシュフコー伯爵は、薔薇十字運動を見限って、ナビ派に鞍替えしてしまったのである。

この薔薇十字展に対して放たれた悪罵や冷笑は、まことに数限りないが、「ル・ジュルナール」紙に載ったオクターヴ・ミルボーの記事（一八九五年）が、なかでもいちばん傑作であるように思われる。印象派の擁護者であったミルボーは、おどろおどろしい神秘主義者や心霊術師の画家たちを容赦なく一刀両断している。

「それは青い表面に浮かんだ黄色い渦巻だった。十字架にかかった腕の先が血まみれの百合の花になっている、脚の内側に彎曲したキリストだった。淫売婦の眼に似た奇妙な星を赤い空でついばんでいる、翼のない鳥たちだった。樹々の幹が何となく人間の形をしているように見える、神秘な森だった……」

ペラダンの御託宣が信用を失い、中世趣味やビザンティン趣味が流行遅れになると、薔薇十字団の絵画作品は、急速に忘却の淵に沈んで行くことを余儀なくされた。今では、大家となったルオーの年譜に、まるで若気の過ちでも書き留めてあるかのように、一八九七年の最後の薔薇十字展に、彼が十三枚の宗教画の習作を送ったということが記されているくらいのものである。

＊

その奇矯な思想と言動により、長いこと疑いの目で見られていたジョゼファン・ペラダンの全業績が、忘却の淵から救い出され、初めて正面から見直されるようになったのは、比較的最近の事柄に属する。すなわち、ベルトレ博士の浩瀚な『サール・ジョゼファン・ペラダンの思想と秘密』全四巻（一九五二―一九五八）が完成して、この十九世紀末の最も独創的な隠秘学者の全貌がようやく明らかになったのである。それとともに、これまで誤り伝えられていた、十九世紀の薔薇十字団運動の内部分裂や、その指導者間の不和反目に関する定説も、覆えされるようになった。

これまでの定説によると、エリファス・レヴィによって基礎がつくられていたフランスにおける十九世紀の薔薇十字団運動は、まず一八八九年、当時二十八歳であったスタニスラス・ド・ガイタ侯爵によって組織され、これにアシスタントとしてペラダンが参加した、ということになっていた。つまり、ガイタの手引きによって、彼より三歳年長のペラダンは運動に近づいた、ということになっていたのである。しかし、ベルトレ博士が手に入れたガイタのペラダン宛ての手紙（一八八四年から九一年にいたる）によると、この関係は全く逆であるということが判明した。そればかりでなく、当時「薔薇戦争」と呼ばれて揶揄された、ガイタ対ペラダンのスキャンダルめいた不和反目は、ガイタの秘書であった同じく隠秘学者のオスワルト・ヴィルトらによって、故意に捏造された伝説にすぎず、この二人の薔薇十字団運動の指導者のあいだには、思想上の違いはあったにせよ、互いに終生変らない友情と尊敬が保たれていた、ということまで明らかになったのである。

一八八九年、ブーラン事件（後述する）をきっかけとして、スタニスラス・ド・ガイタがパリに創立したのは「薔薇十字カバラ会」という組織であった。試験を受けてカバラの学位をとらなければ、この組織には入れない。組織には三階級があり、それぞれ試験を受けて上の階級に進むのである。組織を運営するのは「最高会議」で、最高会議は指導部（バルレ、パピュスをメンバーとする）、司法部（ポール・アダン、ジュリアン・ルジエ、アルタをメンバーとする）および行政部（ヴィルト、シャボゾーをメンバーとする）に分れていた。そのほか、さらに教理部（部長はバルレ）、美学部（部長はペラダン）および宣伝部（部長はパピュス）の三つがあり、エリファス・レヴィの後継者をもって任ずるガイタは大頭目（グラン・メートル）という資格で、これらすべての組織の上に絶対の権限をふるっていた。会員に対しては、厳格な教育が行われた。隠秘学の教育を施す一種の学校のようなもので、古典の研究や出版活動や対外宣伝も活潑に行っていたわけである。

最高会議のメンバーたちは、それぞれバビロニアの神話から名前を借りて、ガイタはネボ、ペラダンはメロダク、アルベール・ジューネはネルガルとみずから名乗っていた。

ペラダンがガイタと別れて、新たに「カトリック薔薇十字会」なるものを設立し、有名な「教書」を発して、昔の仲間とは完全に縁を切ったことを宣言したのは、一八九〇年の五月であった。これは突然のことで、大頭目たるガイタにも、それまでの経緯は知らされていなかったらしい。さらに翌年、ペラダンはラ・ロシュフコー伯爵や作家のエレミール・ブールジュらを語らって、一種の市民的な芸術団体のようなものを組織した。これが一八九二年の薔薇十字展につながる組織である。第一回薔薇十字展の華々しい成功によって、それまでのガイタ一派の「薔薇十字カバラ会」は、いちじるしく影が薄くなったように見えた。ガイタ、バルレ、パピュス（本名ジェラール・アンコッス）ら旧組織の幹部たちは、そこでペラダンの分派活動をきびしく糾弾し、彼を背教者と呼んだ。このあたりの両派の応酬は、あたかも二十世紀のシュルレアリスム内部の分裂や論争を思わせる。あらゆる思想運動には、こうした分裂は避けがたい必然なのかもしれない。

そもそも隠秘学（オカルティズム）の結社が、世俗の人間を混えて公開の展覧会を開催する、などといった型破りな考え方が、ガイタらにとっては、許しがたい結社の堕落として映ったとしても無理はなかったろう。隠秘学はその名称の通り、古来、厳重に隠蔽され、俗世間に現われてはいけない性質のものだったからである。ペラダンの道士（マージュ）らしからぬ、なにやら山師（シャルラタン）めいた野心の奥には、もしかしたら、芸術によって隠秘学を大衆化しようという目論みがあったのかもしれない。

それはともかく、当時の論壇の批評家やジャーナリストは、この二つの薔薇十字団の分裂を面白がって、中世イギリスのランカスター家とヨーク家の王位争奪戦になぞらえ、これを「薔薇戦争」と皮肉に呼んだのである。ペラダンの狷介な気質が、ガイタとの友情に罅を入らせ、二人のあいだに冷たい対立が生じたのであろうと世間は想像した。しかし事実は、友情が決裂したのではなかったようである。二人が別の道を歩むようになってからも、ガイタはその先輩に宛てた手紙のなかで、自分を隠秘学の領域にみちびいてくれたペラダンに対する、変らぬ友情と敬意を表明しているのである。

それでは、分裂の真の理由は何であったか。それは「薔薇十字カバラ会」の反カトリック的傾向であったと思われる。ガイタとその弟子たち、とくにオスワルト・ヴィルトやパピュスたちは、東方起源のカバラやタロットの研究にのめりこみ、また催眠術や交霊術や口寄せなどといった、各種の呪術の実験にも熱中していた。ガイタ自身は否定しているけれども、彼は敵を呪い殺す妖術に通じている人間として、しばしば怖れられたり、噂の種になったりしたほどである。——まず何よりも正統カトリックの擁護者をもってみずから任じ、ヴァティカンへの忠誠をたえず公言していたペラダンが、このような「薔薇十字カバラ会」の連中の逸脱ぶりを、異端的偏向として許しがたく思ったとしても無理はなかったろう。親しいガイタはともかくとして、ガイタの周囲にいた連中に、たぶん、ペラダンは我慢がならなかったのである。

大ざっぱに言えば、ペラダンにはローマ・カトリック的傾向がいちじるしく、ガイタにはヘブライ的、カバラ的傾向がいちじるしかった、と考えて差支えあるまい。その意味で、エリファス・レヴィやサン・ティヴ・ダルヴェードルの評価においても、必ずしも両者のあいだで意見の一致は見られなかったものと思われる。ペラダンがこれらの隠秘学者をあまり高く評価しなかったことに対して、ガイタは手紙のなかで何度も抗議しているのである。また、ラテン文化に愛着するあまり、終生ゲルマン文化を敵視したペラダンの極端な偏向も、その血のなかにゲルマンの流れを幾分か受け継いでいるガイタには、理解しがたいものに感じられたはずである。

もっとも、ペラダンのきわめて独断的な文章を読まされると、果して彼が本気でカトリックに帰依しているのかどうか、疑わしく思われるようなところがないわけでもない。彼は旧約聖書の重要性を認めず、永遠の地獄も悪魔もほとんど信じていないのである。法王に嘆願書を送って、離婚を合法化すべきことを進言したりする。それに、「薔薇十字カバラ会」とは一線を劃しているものの、ペラダンがアレクサンドレイア風のグノーシス主義や錬金術の思想に近い、隠秘学や秘伝の大家であるということは隠れもない事実なのだ。エックハルトやロイスブルークの新プラトン派的汎神論の思想に似ている、と指摘する論者もある。ありようは、ここでも彼の綜合を求める精神が働いていたのだ、と考えるべきであろう。彼は隠秘学と宗教とを和解させたかったのである。この二つは相互に補い合うべきものだ、と彼は信じていたのである。

『死せる知識の階段講堂』の第五巻『カトリック的神秘』のなかで、彼は次のように書いている。

「来たるべき時代が祝福し得る最も美しい結婚は、キリスト教と隠秘学（オカルト）との結婚であろう。それは法王と道士との形而上学的な二つの力を統一して、何物をもってしても打ち破り得ない、永遠の単一性を形づくるであろう。秘伝を欠いたカトリックの教えには欠陥があり、狭さがある。しかしカトリックの実践には、じつに間然するところがない。これを要するに、私たちは隠秘学とともに考え、教会とともに実践すればよいのである。」

「隠秘学は宗教の精神そのものであり、宗教は隠秘学の肉体そのものである。隠秘学は、玄義の胚胎する頭であり、宗教は、玄義の集中する心臓である。」

「ベツレヘムの馬小屋においては、知性が信仰に先行していた。すなわち、イエスを最初に礼拝したのは道士（マギ）たちだったのである。しかし、おそらく道士たちは、彼らの古い使命をイエスに譲り渡しにきたのである。というのは、キリスト教は秘伝伝授のすべてを実現するはずだったからだ。おそらく、魔術（マギア）はそれ以来、教会から盗んでこなければならないものとなった。教会は魔術を所有していながら、これを理解することができず、あたら宝の持ち腐れとなっているのである。」

　見られる通り、ペラダンは知性と信仰、精神と肉体、思考と実践、道士と法王、魔術と教会といったような、相対立する二つの概念を持ち出して、隠秘学と宗教とを弁証法的に統一しようとする。前に私は、ペラダンの熱烈なアンドロギュヌス願望について触れたが、二元的に分離したものを、原初の一元性にさかのぼって捉えようとする志向が、ここでも顕著に現われているのが見て取れるだろう。
ペラダンによれば、あらゆる道士たちの首長ともいうべき、永遠の道士はイエス・キリストその人にほかならない。何となれば、「イエスは仔山羊も黒い牝鶏も犠牲にはしないけれども、自分自身を犠牲として捧げるからだ。神になるためには、みずから犠牲執行者であるとともに、みずから犠牲者とならねばならないのである。」――このレトリックを眺めて、ただちにボードレールの詩句を思い出すのは私ばかりではあるまい。詩的象徴主義と隠秘学とが、同じ幹から分れた二本の枝であることは、事新らしく強調するまでもないことと思う。ペラダン自身はエリファス・レヴィを認めなかったけれども、じつはペラダンこそ、エリファス・レヴィの最も正統的な後継者として、この二本に枝分れした詩的象徴主義と隠秘学とを綜合すべき役割をおびた人物だったのである。それを十分に認めていたればこそ、ガイタも最後までペラダンに対して、あのように敬意を払うことを怠らなかったのであろうと想像される。

*

ジョゼフ・エーメ・ペラダンは一八五八年三月二十八日、リヨンで生まれた。父ルイ・アドリアン・ペラダンは南仏ニームの出身で、かつてシャトーブリアン、ラマルティーヌ、ラコルデールらと交際したこともある、正統王朝派的思想の持主であるインテリだった。リヨンで「宗教週間」とか「文芸フランス」とかいった新聞や雑誌を主宰し、自宅にサロンをひらいて、この町の知識人を多く集めていたというから、息子のペラダンは、ごく幼いうちから、そういった知的な家庭の雰囲気に浸りつつ成長したわけであろう。

しかし父よりも、もっとペラダンに大きな影響をあたえることができた人物は、父のサロンで早熟な天才児としての評判をほしいままにしていた彼の兄、アドリアン・ペラダン博士であった。十二歳で『花の詩史』という本を書き、類似療法医学(ホメオパティ)を研究し、ヘルメス学や錬金術やカバラの古書をおびただしく集め、アルベルトゥス・マグヌスからファーブル・ドリヴェまで、あらゆる隠秘学関係の書物を渉猟し読破していた人物である。幼いペラダンの心に神秘に対する興味を目ざめさせたのは、この兄であった。兄の哲学教育のおかげで、ペラダンの一生は決定してしまったも同然であった。不幸なことに、この兄は神経興奮剤としてストリキニーネを服用中、薬剤師が分量を誤ったために急死した。残された厖大な蔵書は、そっくり弟のものになった。文芸批評家のアンドレ・ビイがペラダンから直接聞いたという話によると、その本の量は六立方メートルほどであったという。友人のスタニスラス・ド・ガイタも、一時期、ペラダンの許可を得て、この貴重な蔵書を利用させてもらっていたという。

ここで、ちょっとスタニスラス・ド・ガイタ侯爵の来歴や生涯についても、簡単に触れておこう。ペラダンと対照させるためにも、それはぜひ必要であるように思われる。

ガイタ侯爵家は、もとイタリアのロンバルディア地方の名家であったらしい。「ガイタ」というのは、その土地の言葉で「待伏せ」という意味であり、ガイタ家は古く中世の昔から、ロンバルディア地方に侵入してくる蛮族を迎え撃つ軍人の家柄だった。七七二年頃、シャルルマーニュの率いるフランク族がロンバルディア地方に進出したとき、その軍隊の長であったマッコという者が、ガイタ家の一人娘と結婚して、ガイタマッコ家を興した。これがガイタ家の祖である。のちにはオーストリアのハプスブルグ家に仕え、マリア・テレサ（編集部註：マリア・テレジア）の命によりコモ湖の近くに織物工場を経営した。フランス軍の騎兵将校になった者もいる。この一族のなかには、また老ゲーテに熱狂的な愛を捧げた、往復書簡で名高いベッティーナ・フォン・アルニムや、音楽家アンリ・デュパルクの妻となったスタニスラスの伯母なども数えられる。

この名誉ある侯爵家の末裔であるスタニスラスは、一八六一年四月六日、ドイツとの国境に近いフランスのロレーヌ州のアルトヴィルの城で生まれている。ナンシーの中学で同級だった幼友達のモーリス・バレスは、彼より一歳年下である。二人は無二の親友だったから、初めて文学を語り合ったのも一緒であり、故郷の町からパリへ出てきたのもほとんど一緒であった。若い頃のスタニスラスの貴公子然とした風貌は、バレスの青春回想の書『根こそぎにされた人々』の第一章に愛情深く描き出されている。

一八八二年、パリに出てきたスタニスラスは、最初、キリスト教詩人として高踏派風の詩を書いていたが、処女出版の『渡り鳥』（一八八一年）、それに続く『黒いミューズ』（一八八三年）、さらに『神秘の薔薇（ローザ・ミステイカ）』（一八八五年）などといった二十歳代のボードレール風の詩集のなかには、すでに後年の隠秘学者にふさわしい、サタンに対するひそかな信仰のようなものが認められる。ボードレール風というよりも、ミルトン風というべきかもしれない。一部を次に引用する。

ところで汝、ルシフェルよ、天から隕ちし星よ、
地獄に投げこまれし叡智の光よ、
抑えがたい怒りを高く掲げ、
反抗の叫びで胸をいっぱいに膨らます天使よ、
ただ汝のみにより、余は主と主の憎むべき力をば
軽んじ蔑ろにすることを知ったのだ……

パリにおけるガイタの生活は、最初のうち、カルティエ・ラタンのカフェーで当時の高踏派詩人たち、ジャン・モレアスや、ローラン・タイヤードや、モーリス・バレスや、カテュール・マンデスや、マラルメや、ヴェルレーヌなどと交遊するといった、全く文学青年そのままの生活だった。隠秘学に惹かれ出したそもそもの最初は、一八八三年、この若い詩人に好意をいだいたカテュール・マンデスから、エリファス・レヴィの『高等魔術の教理および儀式』を贈られた時だったかもしれない。まだロレーヌ州から出てきたばかりの青年でしかなかったガイタにとって、この書は一つの啓示だった。後年、ガイタはその著『創世記の蛇』の第一巻

『サタンの寺院』（一八九一年）のなかに、「現代の知的世界は混乱の真直中にある。不可知論という最悪の疫病の跳梁（ちょうりょう）が、とくに三つの憂慮すべき徴候を予想させている。すなわち、気違いじみた不敬、一本調子な相対性、熱病のような個人主義である」と書いて、現代の病状を激しく糾弾しているが、すでにこの頃から、彼の心中には、テーヌやルナンに代表される時代の科学的合理主義への嫌悪感が胚胎していたのであろう。いずれにせよ、彼は詩をやめて、別の道を求め出したのである。

ペラダンの『至上の悪徳』（一八八四年）が世に出たとき、ガイタがそれによっていかに深い感動を受けねばならなかったかは、ベルトレ博士の手で公刊されたペラダン宛ての手紙を一読すれば明瞭であろう。「カバラや高等魔術がまやかしとは別物であることを私に教えてくれたのは、あなたの『至上の悪徳』であります」（一八八四年十一月十五日）とガイタは、しごく真面目に書いているのだ。時にガイタは二十三歳、ペラダンは二十五歳である。その後六年間つづいた二人の友情の、最初の表明がこの手紙である。前にも述べたが、明らかにガイタは、兄の影響によって若いうちから該博な知識を身につけていたペラダンの指導を受けて、隠秘学関係の系統的な読書をはじめたのにちがいないのである。

やがてパリで親しく交際することになったガイタとペラダンは、互いに協力して緊密な連絡を取り合いながら、古今の隠秘学関係の書物を片っぱしから蒐集しはじめた。侯爵家の御曹子として自由に金の使える立場にあったガイタに、ペラダンはしばしば書物の購入を依頼している。ガイタが死んでから、故郷のアルトヴィルの城は売られ、残された厖大な蔵書もほとんど焼かれたと言われるが、それでも一八九八年、ドルボン書店から売りに出された千六百五十三点に及ぶ彼の蔵書のなかには、カタログをしらべると、アグリッパ、ピエール・ボワトー、アンリ・ボゲ、ピエール・ド・ランクル、パラケルスス、トリテミウス、ファーブル・ドリヴェ、アタナシウス・キルヒャー、そのほか錬金術やカバラ関係の貴重な典籍や稿本の名前がおびただしく発見される。おそらくガイタは、蔵書の量においても知識においても、最後には先輩のペラダンを凌駕するところまで行っていたのではあるまいか。

＊

スタニスラス・ド・ガイタの主要な著作は、『呪われた学問についての試論』と題された全四巻の論文で、各巻の題名を示せば、第一巻『神秘の戸口で』(初版一八八六年、増補改訂版一八九〇年)、第二巻『創世記の蛇』(一八九一年)、第三巻『黒魔術の鍵』(一八九七年)、第四巻『悪の問題』(死後刊行)となる。これによって、ガイタは押しも押されもせぬ西欧隠秘学の大家としての地位を確立したもののようである。

『神秘の戸口で』の序文には、いわゆる高等魔術に対する世間の無理解にプロテストした、次のごとき文章がある。すなわち、「高等魔術とは、絶対的なドグマの上に恣意的に打ち樹てられた、降神術のような妄語の概要では全くない。それは実証的な観察と、類推による帰納法とに基づいた、仮説的かつ合理的な一つの普遍的綜合なのである」と。

　ガイタの考えによると、魔術が対象とする三つの世界は、「原因の崇高な世界、思考の知的世界、現象の感覚的世界」であって、それらは三つの違った現われ方をするけれども、本質においては一つであり、上級の世界も下級の世界も、アナロジーによって類推し得るのである。これが「観念の代数学」たる高等魔術の出発点である。つまり、ガイタは彼のいわゆる高等魔術なるものを、ほとんど「仮説的かつ合理的な」科学と同じように考えているらしいことが理解されるであろう。「魔術とは普遍的なアナロジーの科学である」とエリファス・レヴィは定義したが、レヴィの後継者をもってみずから任じていたガイタにも、明らかに、擬科学と見なされていた隠秘学を科学にまで高めようとする志向が読み取れるのだ。同じ序文には、次のような文章もある。

「読者の目には、おそらく突拍子もない仮説のようにしか見えないものも、私たちの目には、一つの確実なドグマなのである。だから、信じている人間の確信をもって語ることを許していただきたい。私たちは、とくにヘルメス的、カバラ的な秘伝に通じた人間であるにすぎない。しかし私たちの知っているところでは、インドの聖域においても、ペルシア、ギリシア、エトルリアの神殿においても、またエジプト人やヘブライ人のもとにおいても、同じ綜合がさまざまな形を表わしたのである。表面的にはこの上もなく矛盾して見える象徴主義が、選ばれた者のために、本質において変ることのない神話や象徴の真理を生み出しているのである。」

このガイタのいわば科学志向ともいうべき傾向は、のちの『黒魔術の鍵』にいたって、さらに発展させられている。彼はオカルトな（隠れた）力の一般的理論を確立しようとする。超自然は存在するか？　否、とガイタは答える。超自然は存在しない。超自然という言葉は不必要に混乱を招き、神学上の理論を危うくする恐れがある。自然法則以外に宇宙を支配する法則はない。自然を超えた現象の存在を認めることは、神を超えた力の存在を認めることと同じくらい馬鹿げている。……

未完成のままに終ったガイタの最後の著作『悪の問題』は、秘書のオスワルト・ヴィルトと、ヴィルトの弟子のマルセル・ルパージュによって補足され、一九四九年にようやく刊行されたが、ガイタのあくまで抽象的な思弁の論理と、タロット理論から暗示を受けたヴィルトおよびルパージュの直観的な想像力の論理とでは、その文章の調子が甚だしく違っている。参考のために、ガイタの美しい比喩にみちた、抽象的な論理を次に例示しておこう。

「夜が昼の卵であるように、悪は善の卵である。卵の脆弱な障壁がひとたび破れると、神聖な光は四方に散らばり、以前の悪はすでに殻の破片でしかなくなってしまう。善も悪も同じ一本の樹の二つの枝であるが、この樹はそれ自体で神聖な本質を有しているわけではない。これを混同するならば、マニ教徒の恐るべき異端と同じ道を歩むことになろう。ともあれ、この重大な問題の解決に他の誰よりも近づいたのは、あのグノーシス派の学者たちであった。薄い障壁は永遠の不可侵性のダイヤモンドで出来ている。あの伝達不可能な神秘を一つの形而上学的公式のなかに凝縮しようと欲した者は、例外なく、この障害物にぶつかって挫折したのである。」

「かりにサタンの起源が伝達不可能であるとしても、少なくとも、この永遠の悪の鼓吹者の、移ろいやすい曖昧な性質を捕捉しようと努力することは可能であろう。サタンはそれ自体で存在しているのではなく、他の存在のなかに、他の存在のおかげで姿を現わしているのである。つまり、借り物の存在でしかないのだ。存在はしないが、しかし害を及ぼす者だ……私はこれを定義するために、思いきって最も大胆なパラドックスを用いてみよう。すなわち、厳密な絶対の厳密な否定でしかないサタンは、それ自身、絶対的相対とでも呼び得るような者である、と。悪魔は通俗的な意味でも、借り物の存在をしか生きないのである。サタンも、悪も、寒さも、影も、いずれも存在する者ではない。これらの四つは、純粋に否定的な抽象であって、要するに神の不在、善の不在、熱の不在、光の不在でしかないからである。」

ここでは、ガイタは正統カトリックの神学者のように、悪の起源の問題に純粋論理的なアプローチを試みている。こういう文章を読んでいる限りでは、彼が世間の噂のように、黒魔術や呪法に通じていた怖るべき隠秘学者だったとは到底思えないにちがいない。

ペラダンと同じく、ガイタも古代バビロニアの道士の後継者をもってみずから任じていたから、その生活ぶりも、ひどく風変りで超俗的であった。彼はモンマルトルのトリュデーヌ並木通りの一階に住み、薔薇十字会のメンバーや、名高い隠秘学者をしばしばそこに招いていた。そのアパルトマンの各部屋は、壁布もカーテンもすべて真赤だったと言われる。ヴィルトの意見によると、ガイタは「赤を薔薇十字の色と見なしていた」のである。

また、当時のゴシップ屋として知られるバタイユ博士の説では、ガイタ侯爵は戸棚のなかに一匹の悪魔を飼っていて、これを手足のように使っている、ということであった。この説にはいろんなヴァリエーションがあって、薔薇十字カバラ会の幹部であったポール・アダンや詩人エドゥアール・デュビュの証言では、侯爵は幽霊と親しくしていたのである。侯爵の家で人々が食事をしているとき、ぼんやりした形のものがいつも食堂の隅に立っていた、とアダンが語っている。ある日、会食者の一人が立ちあがって幽霊のそばへ行き、仔牛の肉を彼に差し出すと、幽霊は気を悪くしたのか、もう二度と現われなかったという。しかし文学者のギュスターヴ・カーンは、ガイタに言われた通り、侯爵の部屋で一人で本を読みながら幽霊の出現を待っていたが、ついにこれを実見することができなかったようである。ガイタのアパルトマンには、また化学実験室も設備されていたらしい。

一八九七年、ガイタが三十六歳の若さで頓死したのは、すでに尿毒症が進行していたためか、それともハシーシュやモルヒネをあまりに濫用した結果であろうという。魔術の探求に熱中しすぎた挙句、知らず識らず、その肉体と理性を危機に瀕せしめていたのだろうか。中世の女妖術使がベラドンナなどの興奮剤の効果によって、現実の肉体はベッドの中にありながら、空中を飛行したり夜宴(サバト)に参加したりするエロティックな幻覚を味わうのに成功したように、ガイタもまた、霊体の肉体脱出という危険な実験のために、薬物の効果を利用しようとしたのであろうか。ともあれ、ガイタが晩年、幽霊を見た気になったり、いわゆる二重人格（個体が同時に二ヵ所に存在し得ること）の能力を獲得した気になったりしていたらしいのは、この濫用していた麻酔剤の興奮作用と無関係ではなかったろうと推測されるのである。

ガイタの魔術の実験が、ともすると「白い魔術」ではなくて、「黒い魔術」ではなかったろうか、と世間から疑惑の目で眺められるのも、こんなところに原因があるのかもしれない。ガイタにくらべて、はるかに形而上学者的、審美家的な姿勢を守りつづけたペラダンには、よしんば山師（シャルラタン）としての悪評はあったにせよ、このような実践道徳上の非難は一度も加えられたことがなかったのである。

*

磁気療法（マニエティスム）や降神術こそ信じはしなかったが、ガイタが妖術の効能をある程度まで信じていたらしいことは、その著『サタンの寺院』などに目を通せば、ほぼ疑い得ないところとなってくる。ガイタによれば、妖術とは「自然の隠れた力を悪のために利用すること」である。妖術にも宗教と同じように、そのドグマがあり象徴があり儀式があり、要するに秘蹟があるのである。秘蹟の理論は、宗教においても黒魔術においても高等魔術においても、すべて全く同様に成立するのである。バプテスマの秘蹟としての性格は、呪いや五芒星形（ペンタグラムマ）作成のそれと変りはない。ただ、その利用の意図が異なるだけであって、洗礼のための水も、呪いのための蠟人形も、護符として用いられる指環も、秘蹟を成立せしめる材料であるという点には変りがないのだ。——処女作以来のガイタの純粋客観的な科学志向が、このように、宗教の領域と黒魔術の領域とを平等に眺めることを可能ならしめたのであろう。

ガイタは呪いの典型的な方法を、古い十七世紀の文献から引き出してくる。呪いのために用いられる材料は、いわゆる volt（ラテン語 vultus《顔》から出た）の名で知られる素朴な蠟人形である。まず蠟をこねて、呪うべき相手の似姿を作る。相手に似せれば似せるほど、呪いは成功のチャンスを増す。蠟をこねる際に、数滴の聖油とか、聖別した聖体パンの切れっぱしとかを混ぜてもよいし、あるいは相手の爪、歯、髪の毛などを混ぜるのも効果的である。相手が着ていた着物の断片を奪って、これを蠟人形に着せてやってもよい。いよいよ呪いを実行するに当っては、大声で相手を罵りながら、毒を塗った針を人形にぶすぶす突き通す。あるいは腐った血を滴らせたガラスの破片か植物の棘かで、人形の肌に擦り傷をつける。……

ついでだから、スタニスラス・ド・ガイタ侯爵の怖るべき呪法家としての能力に関する、当時の噂を次に御紹介しておこう。一流の文学者が二人も証言しているのだから、一概にこれを迷信として笑いとばすこともできないのである。

一八八七年、リヨンに妖術使として名高いユジェーヌ・ヴァントラスの後継者をもって任ずる、背教僧ジャン・アントワヌ・ブーラン師が一派を組織して、男女の信徒をあつめ、卑猥な黒ミサや乱交にふけっているという風評が立った。ブーラン師は別名ジョアネ博士と号し、カルメル会の大司教を僭称し、みずから洗礼者ヨハネの生まれ変りだと公言して憚らない人物であった。ただし、この男もその生涯の前半においては、真面目なモントーバンの司祭であり、高名な神学博士であって、べつに教会の忌諱にふれるような言説を吐いたり、異様な黒ミサに類する儀式を行ったりしていたわけではないのである。いつ頃からか、一つの転機があって、気に入りの巫女とともに、悪魔主義の泥沼に落ちこんで行ったものと見える。ブーラン師の学説は、ごく簡単に言えば、アダムとイヴの罪は愛の行為であり、人間は愛の行為を宗教的に実践することによって、その罪を贖わなければならぬ。とくに聖霊との性的交渉によって、罪を贖うことが必要である、といったようなものであった。

この恥ずべきブーラン師の悪魔的所業に対して、義憤を燃やしたのがスタニスラス・ド・ガイタ侯爵であった。彼はみずからリヨンに赴いて調査した末に、薔薇十字会の名において、ブーラン師に天誅を加えようと思い立った。例のモンマルトルの自宅の赤ずくめのサロンに、ガイタは「秘教法廷」なるものを招集し、そこでブーラン師の罪状を審議して、これに有罪判決を下したのである。判決はただちにブーラン師のもとに伝えられた。すなわち、一八八七年五月二十四日付の手紙によって、被告に死刑の判決の下されたことが告知されたのである。

薔薇十字会の判決がリヨンのブーラン師のもとに伝えられると、小柄な老人は怒りで「虎のように跳びあがった」（『悪魔主義と魔術』一八九六年）とジュール・ボワが書いている。ブーラン師の身辺には、透視力のあるジュリー・ティボーという巫女がいて、「ティボー夫人、やつらは何をしているかね」とブーラン師が質問すると、そのたびに彼女は、「神父さま、やつらはあなたの肖像画を棺の中へ入れております」とか、「神父さま、やつらはあなたを呪う黒ミサを唱えております」とか答えるのだった。そのとき、ブーラン師は「青い細紐で結んだヴァントラス風の赤い法衣をまとい、法衣の背中には、苦悩のキリストの支配が終ったということを示す、さかさまになった十字架を垂らしていた」という。

パリの薔薇十字会とリヨンのカルメル会とのあいだに、かくて怖ろしい戦闘が開始された。魔術師対魔術師の、秘術をつくした死闘である。つまり、秘術をつくして敵を呪い殺そうというわけである。むろん、彼らは互いに相手を「黒魔術」と呼び、自分の方は「白魔術」だと主張している。ガイタの親友のモーリス・バレスが述べているところによると、「ある晩、ガイタは蠟で小さな人形をつくり、これに針を刺し通した。リヨンの司祭を呪うためである。この司祭は、カバラの秘密を悪用しているのだった。彼は仕返しに、敵の目に呪いをかけ、敵を盲目にしてやろうとした。しかし、ガイタはあらかじめ準備をしていたから、呪いは撥ねかえって、司祭の方へ逆流して行った。」(『隠秘学の改革者スタニスラス・ド・ガイタ』一八九八年)

薔薇十字会の呪いの攻撃は、ブーラン師ばかりでなく、小説家のユイスマンスに対しても容赦なく加えられた。ユイスマンスとブーラン師との結びつきについては、小説家が野心作『彼方』(一八九一年)を書くとき、悪魔礼拝に関する資料や情報を得るために、このリヨンの背教僧に近づいたということを知っておけば足りよう。たびたび文通したり会ったりして親しくなっていたブーラン師を、ユイスマンスは次のような言葉で讃めちぎっている。すなわち、ブーラン師は「きわめて知的な、学識のふかい司祭であり、教会からも認められた神学者であり、神によって苦悩と栄光の使命を認可された予言者」である、と。しかもユイスマンスは、同じ小説のなかで、薔薇十字会の連中を「おとなしい薄馬鹿か、あるいは葬式の道化役者みたいなもの」と嘲弄し、ペラダンを「俗悪な道士」ときめつけているのだ。これでは薔薇十字会の面々が腹を立てるのも無理はないと言えるかもしれない。

ガイタの方も負けてはいず、その著『サタンの寺院』のなかで、ヴァントラスおよびブーランを悪魔主義者として、口をきわめて罵っている。もっとも、ここでガイタはブーランを本名で呼ばず、ジャン・バプティストという仮名で呼んでいる。すなわち、ガイタによると、このジャン・バプティストは「汚辱の司教、卑しいソドムの偶像、最低の呪い師、憐れむべき罪びと、妖術使、邪教の教祖」ということになるのである。そしてブーランの学説は、「(第一に)際限のない乱交と怪しげな破廉恥に、(第二に)姦淫と近親相姦と獣姦に、(第三に)夢精とオナニズムに私たちを導くものであり、しかも、こうした行為を宗教に固有な、賞讃すべき儀式に属する行為であるかのごとくに思わせる」と結んでいる。

ゴンクールの日記によると、その頃、ユイスマンスはいつも、「顔にひやりと何か冷たいものの触れるような感じがしたり、何か目に見えないものに取り巻かれているような不安な感じで、思わずぎょっとしたり」していたそうである。また『隠秘学者にして魔術師ユイスマンス』（一九一三年）を書いたジョアニ・ブリコーによると、ユイスマンスは毎晩、ガイタの送ってよこす「流体の拳固」で頭や顔を殴打されていたともいう。まことに信じかねるような奇怪な話ではあるけれども、呪いの犠牲者であるユイスマンス自身が、そのように証言しているのだから仕方がない。現代ならば、さしづめ小説家のノイローゼと診断されるのが落ちであろう。

呪いから身を護るために、ユイスマンスはブーラン師に教わった、奇妙な予防策を講ずることにした。彼は作家であるとともに内務省に勤める官吏であったから、毎日、役所に出かけるのだが、役所で事務をとっているときでも、彼は額に一個の聖体パンを当てがい、落ちないようにハンカチと細紐で鉢巻のように縛りつけておくのである。これを見た同僚が呆れ果て、思わず噴き出したであろうことは、想像するに難くない。

それ以外にも、ユイスマンスはみずから実行した予防の方法を、新聞記者の前で語っている。毎晩、流体の拳固が襲ってくる時刻になると、彼は悪魔祓いのために、聖体パンの捏粉に火をつけて燃やし、自分は床に白墨で描いた魔除けのサークルのなかにはいって、大きな声で、悪魔を追いはらう呪文を一心に読み上げているのだった。そんな風にして、おちおち安眠もできず、二年ばかりを過ごしたという。

一八九一年の夏、ユイスマンスはリヨンのブーラン師を訪れ、師の家で数日を過ごしたが、そこでもすでに恐慌状態が起っていた。小説家がリヨンからパリの女友達に宛てた手紙が残っているが、それによると、「ブーランの家は大へんな騒ぎです。まるで気違い病院にいるようで、私はこわくなるほどです。ブーランは聖体パンを手にして、山猫のように跳びあがるのです……」とある。この頃、すでにブーラン師には息切れの発作が起ったり、幻影が見えたりするようになり、身体もだんだん衰弱してきていたらしい。

ブーラン師が死んだのは一八九三年の一月である。享年六十九歳。たまたま議会で、パナマ運河事件のスキャンダルが持ちあがっている最中だった。薔薇十字会の死刑判決が下されてから、およそ六年の歳月が経過しており、本人もかなり高齢のことだから、この死が、果してスタニスラス・ド・ガイタ侯爵の呪いによって惹起せしめられた、不自然な死であったかどうかは保証の限りでなかろう。しかし、ユイスマンスは「フィガロ」その他の新聞に、ブーラン師の死因はガイタの呪いにあったと発表し、公然と名をあげてガイタを攻撃したのである。戸棚のなかにガイタの飼っている悪魔が、即効性の毒をもってリヨンまで飛んで行って、ブーラン師の息の根をとめたのだ、と言うのであった。ガイタも黙っているわけには行かず、小説家に決闘を申しこむために、モーリス・バレスとヴィクトル・エミール・ミシュレの両名を介添人として、ユイスマンスの家に決闘状を持って行かせた。しかし結局、周囲の友人たちのはからいで、この争いは有耶無耶のうちに終ってしまったらしい。当時四十五歳の実直な内務省官吏ユイスマンスが、大時代な隠秘学者の挑戦を受けるわけもなかったのである。

魔術師同士の闘争は、目に見えない呪いの流体を手段として、互いに遠く空間を隔てたまま、憎むべき相手の生命をねらうのであり、これには警察や司法の権力の介入する余地は全くないのである。なぜかといえば、かりにそれが犯罪であったとしても、その因果関係を科学的に証明することは不可能だからだ。流体などというものは、科学では認めていないのである。魔術を信じなければ、魔術による死も信じられないのは道理であろう。ユイスマンスがいかに力説しても、ガイタを逮捕したり拘留したりする法的根拠はあり得ない。ともあれ、この不吉な事件によって、隠秘学者としてのガイタの名が一躍有名になったのは皮肉であった。

ブーラン師の墓石には、「J・A・ブーラン（ジョアネ博士）気高き犠牲者」と銘が刻まれた。その敵が死んでから四年後に、ガイタ自身も、興奮剤の飲みすぎで慌しく死んでしまったことは、前に述べた通りである。魔術師、必ずしも長命ならず。

一説によると、ガイタの早すぎる死は、彼自身がブーラン師に向けて発していた呪いの流体が、いわゆる「撥ねかえり」の法則によって、自分の方へ逆流してきたためではあるまいか、と考えられている。呪いが所期の目的を果さず、発せられた流体が宙に迷うと、おそろしいエネルギーになって、呪術者のもとに逆流してくることがある。これを魔術用語で「撥ねかえり」と称するのである。

ガイタが死んで、ユイスマンスはようやく、薔薇十字会の呪いの攻撃から完全に免れ、安穏に暮らすことができるようになった、とみずから告白している。ブーラン師が死んでから後も、依然としてガイタの執拗な攻撃は小説家に向けられていたものと見える。ユイスマンスの意見では、ガイタの思いがけない死は、彼の家の戸棚のなかの例の幽霊が、反抗して主人を絞め殺してしまったためであった。

　パリのアパルトマンとアルトヴィルの城で、苦心して集めた高価な魔術の古書に囲まれて、スタニスラス・ド・ガイタ侯爵は、その友人のバレスやペラダンとは全く反対に、当時のフランス人を二派に分けて熱狂させていた、あの政治的闘争や社会問題にもいっかな関心を示さず、女や情事にも心を煩わされず、気ままな独身生活を楽しみながら、死ぬまでひたすら目に見えないものを追求することに情熱を傾けたのであった。

*

　ガイタやペラダンの薔薇十字運動が起っていた頃、パリの知識階級の一部に見られた神秘熱は、一種の時代錯誤的な流行となって、サロンからサロンへと伝わって行った。実証主義に飽き飽きした連中が、半信半疑で神秘を愛好するようになる。ユイスマンスも、そのセーヴル街の自宅に友人を集めて、しばしば降霊術や口寄せの実験を行っていたようである。最初のうち、半信半疑であったユイスマンスは、やがていちばん熱心な愛好家となり、いつしか隠然たる隠秘学および魔術の大家となり、さらに三転して、カトリックに帰依するにいたるのである。

　その頃、ユイスマンスを識ったレミ・ド・グールモンが、その『文学散歩』のなかに、彼の家で行われた交霊術の実験の模様を語っている。実験を指導したのは詩人のエドゥアール・デュビュであった。いわゆる西洋式の「こっくり」で、テーブルの脚が動くのである。その夜、テーブルはじつによく動き、じつにさまざまな質問によく答えたという。
「有名な死者が何人も呼び出された。肉体から分離して空間をさまよっている霊たちの立場について、説明してくれるような答もあった。参加した者は、みな大真面目であった。私も大いに楽しんだ。ユイスマンスは、じっと考えているかと思うと、飽くことを知らずに質問を繰り返した。最後に、テーブルは私たちのそばを離れ、滅茶苦茶に飛び跳ねながら、ひとりでに部屋のまわりを廻りはじめた。デュビュが指一本で、軽々とテーブルを操縦しているのだった。トリックがあったのかもしれないが、私にはそれを見破ることはできなかった。」(「ユイスマンスの思い出」)

当時、シャルコのヒステリーの研究がさかんに人々の話題となり、ヒステリー患者であるために悪魔に憑かれるのか、それとも悪魔に憑かれたためにヒステリーになるのか、といった問題が興味本位に論じられていたという。

ある種の狂気は、近代の心理学や医学をもってしては解明することもできなければ、また治療することもできず、ただ悪魔祓いによってのみ、そこから解放される可能性がある、とユイスマンスは確信していたようである。ジュール・ボワの『悪魔主義と魔術』の序文に、ユイスマンスは次のごとき例を報告している。

「ジフの村で、ある若い娘が、奇行を演ずるので狂気と見なされ、精神病医の検査を受けた。精神病医は、すぐ病院に入院させた方がよいと言った。家族はこれを断わった。次に、ヴェルサイユの司教から派遣された司祭がやってきて、病人をしらべた。司祭は、紛れもない悪魔憑きの徴候を認めたので、悪魔祓いを行った。するとは病人はけろりと癒ったのである。」

当時の精神医学界の金言として、「狂気は存在する。超自然は存在しない。したがって悪魔憑きや妖術使は狂気でしかない」という三段論法があったそうであるが、——どうやら私には、これは三段論法というよりも、むしろ嗤うべき同語反覆のような気がしてならない。

モンフォコン・ド・ヴィラール

——精霊と人間の交渉について

ジャック・カゾットの小説『恋する悪魔』（一七七二年）は、十九世紀にいたって花咲いたフランス・ロマン派の幻想小説の先蹤ともいうべき、このジャンルの十八世紀における唯一の早咲きの見本として、しばしば文学史家によって引合いに出される傑作であり、また悪魔と人間との交流という、隠秘学的な主題を扱った小説としても、文学史のなかで特異な地位を占める珍品となっている。すなわち、醜怪な悪魔ベルゼブルが楚々たる美女ビヨンデッタに化身して、主人公の青年アルヴァレに熱烈な恋をし、ついに大願成就して青年の愛を得るとともに、本性をあらわして立ち去ってしまうという、その物語の非凡な着想が、男女間の闘争にも比すべき恋の駈引のすぐれた心理描写と相俟って、この小説を今なお読むに足るものたらしめているのである。

カゾットは、この『恋する悪魔』を書くために、ルイ王朝下の十八世紀のパリの巷にあふれていた、鬼神論やカバラや隠秘学の参考文献を大いに利用したものと思われる。ネルヴァルの証言によれば、その当時、「人々の話題は、四大の精とか、秘密の交感とか、魔力とか、憑依とか、魂の転移とか、錬金術とか、とりわけ霊磁気説とか、そんなことばかりだった。『恋する悪魔』の女主人公は、ベッケルの『呪縛された世界』のなかの《男性夢魔あるいは淫夢女精》の項目に描かれている、あの奇怪な魑魅魍魎どもの一人にほかならない」（『幻視者たち』一八五二年）と。

魔物と人間とのエロティックな交流を描いた有名な鬼神論者のなかには、ここに名前の引用されている十七世紀オランダのバルタザール・ベッケル以外にも、十六世紀フランスのジャン・ボダンや、十七世紀イタリアのシニストラリ・ダメノ（ただし、この著者の名高い『悪魔姦について』がパリで刊行されたのは一八七五年である）などといった名前が数えられるが、ネルヴァル研究家である現代の批評家ジャン・リシェの意見によれば、カゾットの『恋する悪魔』の構想に直接のヒントをあたえたのは、おそらく、一六六八年にイタリアのベルガモで刊行された、カンディドゥス・ブロニョリの悪魔祓いの教典『アレクシカコン（魔除け）』のなかの一挿話であろう、ということである。（「『恋する悪魔』の秘教主義」「サン・ジャック塔」誌・一九六〇年）

『アレクシカコン』のなかの問題の一挿話は、十九世紀ドイツの歴史家で、ロマン派的民俗学者としても知られるヨーゼフ・フォン・ゲレスの『自然の神秘』（パリ、一八六一年）のなかに採択されているから、私たちもその内容を知ることができる。ジャン・リシェの論文から、次のゲレスの文章を引用しておこう。

「一六五〇年、ベルガモに二十二歳の青年がいて、淫夢女精に悩まされていた。ブロニョリが聞き出したところによると、もう数ヵ月も以前、青年がベッドに寝ていたとき、悪魔が青年の恋人の姿をして現われたのだった。恋人の姿を見て、青年はあっと驚いた。すると化けものは、《大きな声を立てないで下さい。あたしはあなたの恋人ですが、母親にいじめられて、家を逃げ出していたのです。でも、あなたに一目会いたくてやってまいりました》と言った。青年には、この女が自分の恋人ではなくて、悪魔にちがいないことがよく分っていたのに、甘い言葉や愛撫の誘惑に打ち勝ちがたく、おのれの欲望に屈服してしまった。すると化けものは、《あたしはあなたのテレザではなくて、じつは悪魔なのです。でも、あなたをお慕い申しており、そのために夜となく昼となく、あなたにつきまとっていたのでした》と言った。この悪魔との交渉は何ヵ月間もつづいた、とブロニョリが書いている。最後にようやく、ブロニョリの援助で、青年は悪魔から解放され、おのれの罪を償った。」

なるほど、このイタリアの《恋する悪魔》の物語の単純な筋は、カゾットの小説のそれとほぼぴったり一致する。むろん、後者においては、もっと複雑なディテールや情況設定や、何人かの副登場人物の果たす役割の重要性が見られなくもないが、それは小説であるから当然と言えば当然であろう。カゾットの小説では、主としてナポリとヴェネツィアが舞台になっており、このイタリアを舞台とした物語という点でも、両者は完全に一致している。

カゾットが鬼神論や悪魔学をいかに研究していたかということを示すために、さらにもう一つ、『恋する悪魔』に描かれた悪魔の喚び出しのシーンを検討してみよう。ボードレールの『火箭』のなかに、「動物の名を借りた呼びかけは、恋愛のなかにある悪魔的な面を示すものだ。悪魔たちは獣の姿を借りるではないか。カゾットの駱駝、悪魔、女」という短かい記述があるけれども、たしかに『恋する悪魔』のなかのベルゼブルは、青年の喚び出しに応じて、巨大な駱駝、白いスパニエル犬、さらに美女という風に、次々に姿を変えて現われるのである。ところで、十六世紀ベルギーの名高い鬼神論者マルタン・デルリオの『魔術講究』（一五九九年）のなかには、悪魔がいかなる目的で、目に見える姿をして現われるかということが、次のように明快に述べられている。すなわち、「相手に恐怖や不安の念をあたえようとするとき、悪魔は雄鶏、禿鷹、ドラゴンなどになって現われる。また相手に親愛の情や忠実さを示そうとする場合は、一般に猫や犬の姿になる。コルネリウス・アグリッパや魔術師シモンは、猫や犬を連れていた」と。デルリオの書物には駱駝の名前は出てこないが、『恋する悪魔』のベルゼブルが、最初、青年を脅すつもりで駱駝になり、次いで、彼に忠誠心を示そうとして犬になったことは明らかであろう。

隠秘学の見地から眺めて、カゾットの『恋する悪魔』にもし理論上の過ちがあるとすれば、それはネルヴァルも『幻視者たち』のなかで指摘しているように、「空気の精(シルフ)とか地の精(グノーム)とか水の精(オンダン)とか火の精(サラマンドル)とかいった四大の精を、ベルゼブルの陰険な手先どもと、念入りに区別」しなかった点であろう。古代から伝わっている隠秘学の伝統的な知識によれば、自然の要素のなかに棲んでいる無害な精霊たちと、淫夢女精や男性夢魔をも含めた恐ろしい地獄の眷族(けんぞく)たちとのあいだには、明らかな性格上の相違を認めなければならないのである。この相違を識別することを知らなかったがために、のちにカゾットは、彼の家を訪れた秘儀参入者らしい不思議な人物から、非難めいた言葉さえ頂戴しなければならなかったほどであった。

もっとも、私の想像するところでは、カゾットは小説を書くための参考資料として、前世紀のベスト・セラーであったところの、モンフォコン・ド・ヴィラール師の『ガバリス伯爵あるいは隠秘学に関する対話』なる書物に、あまりにも頼りすぎたらしいのだ。そして『ガバリス伯爵』のなかに表明された、人間と精霊との結びつきを称揚するあまり、悪魔の存在をほとんど完全に否定するかのごとき、この著者の奇矯な思想に迷わされたらしいのである。実際、現代の隠秘学研究の第一人者であるロベール・アマドゥーも述べているように、ヴィラール師の書物を果して真面目に受け取ってよいものかどうかは、発表時から三百年を経た今日においてもなお、一向に解決を見ていない問題なのであり、この書物を読んだカゾットの混乱した頭のなかで、悪魔の概念と精霊の概念とがごっちゃになったとしても、また無理からぬことと私たちには考えられるのである。

次に、問題の『ガバリス伯爵』とはいかなる書物であるか、やや詳しく述べてみたいと思う。

＊

スタニスラス・ド・ガイタによれば、「ヴィラール師は、かつて自分が入会していた薔薇十字団の奥義を冒瀆し、愚弄したために、秘密法廷で有罪を宣告され、白昼、路上において処刑された」という（『呪われた学問についての試論』）。ジェラール・ド・ネルヴァルによれば、「結社の秘密を俗世間に洩らしたと非難されたカゾットは、ヴィラール師が受けたのと同じ運命にさらされることになった。ヴィラール師は『ガバリス伯爵』を書いて、精霊の世界に関する薔薇十字団の教説の全容を、半ば本気な形で大衆の好奇心にゆだねたのである。この聖職者は、ある日、リヨンの街道で殺害されて発見されたが、その手早い兇行は、空気の精か地の精の仕業とでも考えるよりほかなかった。」(『幻視者たち』)

このように、『ガバリス伯爵』の著者ヴィラール師の奇妙な死については、『ルイ十四世の時代』のヴォルテールを初めとして、多くの同時代人や後世人がこれに触れているが、その真相は杳として分らない。ともかく、一六七五年三月、リヨンからマーコンにいたる街道で、何者かに殺されたということだけしか分っていないのである。そこで、ガイタが述べているように、秘密を暴露されたことを恨んでいた薔薇十字団の連中が、彼に天誅を加えたという伝説が広まったのであった。しかし一説では、彼は一六七五年に死んだのではなく、ノルマンディーのトラピスト修道院で、非常な高齢まで生きていたとも言われている。

その死ばかりでなく、ヴィラール師の生涯は、謎につつまれている部分がきわめて多く、曖昧模糊としている。窃盗犯であったとか、殺人事件の共犯者であったとか、あるいは名うての女たらしであったとかいう芳しからぬ噂もある。生まれたのは一六三五年、南仏トゥールーズに近いヴィラール家の領地で、正式の名前はニコラ・ピエール・アンリ・ド・モンフォコンであった。ガスコーニュ地方の名家の末裔で、親類縁者に著名人が多く、祖父は王の軍隊で名を揚げ、また甥のベルナール・ド・モンフォコンは、ベネディクト会の古典学者としてあまりにも有名な人物である。ヴィラール師は、次男であったから聖職につくための準備として、幼時から神学教育を受けた。そして、ごく若いうちから、サン・セルナンの教会で説教をする資格をあたえられたという。

一六六〇年、二十五歳でパリに出てきたが、それ以後の彼の消息には不明の部分が多い。たしかなことは、ヴィラール師が首都で、現在のサン・マルク街とリシュリュー街の角にあった居酒屋「リシュリュー門」に入り浸り、当時の「自由思想家(リベルタン)」と呼ばれた放蕩無頼の詩人たちとつき合い出した、ということである。さしづめ現在ならば、サン・ジェルマン・デ・プレの実存主義酒場に屯(たむろ)する詩人たち、といったところであろう。ただし、その頃は超現実主義の詩などといったものはなく、その代りに「マザリナード」という諷刺詩があった。つまり、宰相マザランを誹謗する自由思想家的不平分子の反政府的な戯文である。若き日のヴィラール師も、そういう文書を物したらしく、一味とともに逮捕されて、マザランが死ぬまで獄に下ることを余儀なくされる。

その後、叔父が殺害されるという不吉な事件が起り、ヴィラール師は兄弟姉妹とともに、事件の渦中に捲きこまれる。この事件は結局、下男ひとりが罪を背負って刑を受け、モンフォコン家は国内に四散するということによって終りを告げる。ヴィラール師が手を汚したかどうかは、今となっては誰にも分らない。

著者名なしで、『ガバリス伯爵あるいは隠秘学に関する対話』が刊行されたのは、一六七〇年三月のことであった。それでも作者の名前はすぐに知れ渡った。『ガバリス伯爵』は空前のベスト・セラーとなり、宮廷でも町でも、人々は争ってこれを読んだ。一六七〇年といえば、パスカルの死後八年目、ポール・ロワイヤルの友人たちが、その断片的な草稿のなかから見るべきものを選んで、初めて『パンセ』を刊行した年である。またラファイエット夫人が『ザイード』を書いた年でもあり、海峡の向うでは、盲目のミルトンが晩年の三大叙事詩をようやく完成した頃でもある。一方、ニノン・ド・ランクロが恋愛生活に見切りをつけ、自宅に哲学サロンをひらいて、その周囲に自由思想家や無神論者や、あるいは魔術師や隠秘学者たちを集めはじめたのも、やはり一六七〇年だったということを記憶しておいてもよいだろう。

『ガバリス伯爵』が、なぜこれほどの成功を収めたかということについては、その時代的背景をも考慮に入れて、いろいろな理由が考えられるであろう。まず第一には、それが明らかに一種のスキャンダルをねらった書物だった、ということである。薔薇十字団の秘密を暴露したために、ヴィラール師が秘儀参入者たちの恨みを買ったということは、すでに述べた通りであるが、それればかりでなく、彼はローマ・カトリック側からの攻撃にも身をさらさなければならなかった。『ガバリス伯爵』は、悪魔の存在を否定していたのである。悪魔との契約だとか、夜宴(サバト)だとかいった、正統教会が中世以来固く信じてきたものを、ことごとく迷妄として斥けていたのである。また、カバラによる聖書の創世記の独特な解釈(たとえば、酔った父ノアにこれ以上子供を産ませないために、その子ハムが父を去勢するという挿話が語られる)は、それだけでも教会を激怒させるに十分だったにちがいない。『ガバリス伯爵』は禁書となり、ヴィラール師は教会で説教する資格を奪われた。当時、説教の報酬は高く支払われていたから、彼は経済的に苦しい立場に追いこまれることになったはずである。

小説『ガバリス伯爵』の構成について述べれば、それは全体が五つの対話から成り、ドイツ人の秘儀参入者ガバリス伯爵が、主人公の「私」を結社に入会させるために、わざわざドイツからパリへやってきて、「私」の自宅やセーヌ河畔のリュエイ庭園で、二人で隠秘学に関するさまざまな対話を交わすという構成になっている。「私」はカンディッドのように無邪気であり、ガバリス伯爵はパングロッスのように何でも知っている。ちょっとヴォルテールやディドロの哲学小説を思わせるような、辛辣なポレミックあり、皮肉な笑いあり、痛烈な諷刺ありといったところで、文章はまことに生き生きしている。それでも作者が根本において何を言わんとしているのかは、容易に摑みにくく、おそらく作者が故意に韜晦しているのではあるまいか、とも想像される。しかし、たとえばコンスタンタン・ビラのような学者は、断定的な調子で次のように述べている。「ヴィラール師が意図したのは迷信批判である。『ガバリス伯爵』を注意深く読めば、この小説の茶化したような調子は消え去って、懐疑主義の教訓が見えてくるはずだ」(『十八世紀の魔術信仰』一九二五年)と。

ビラのように、十七世紀から十八世紀にいたる自由思想や懐疑思想の流れのなかに『ガバリス伯爵』を位置せしめようとすれば、右のごとき見解が導き出されるのは当然でもあろう。しかしまた、ロベール・アマドゥーのように、ヴィラール師がその生涯の一時期、薔薇十字の秘儀に参入していたのは確実であり、彼には「隠秘学の教訓を、人を尻ごみさせるような外観で覆っておく必要があったのだ」（『隠秘学の文学選集』一九五〇年）と推定して、前記のビラの見解とは全く逆の見解を打ち出している学者もいないわけではないということを、ぜひとも、ここに付け加えておかねばならぬであろう。

記録をしらべると、『ガバリス伯爵』はその後、一六九一年および九三年にケルンで、一七〇〇年および一七一五年にアムステルダムで、一七一八年にヘーグで、一七四二年にロンドンで、そして一七八八年にはふたたびパリで重版されている。十七世紀の後半からフランス大革命一年前の十八世紀末にいたるまで、ほとんどヨーロッパ中のすべての国の大都会で、途絶えることなく読まれつづけていたということになる。その影響も、したがって汎ヨーロッパ的な広い範囲に及んでいた。カゾットの『恋する悪魔』についてはすでに述べたが、こうした神秘主義の小説以外にも、たとえば有名な英国のポープの『髪盗み』（一七一七年）のようなパロディがあり、クレビヨン・フィスの『シルフ』（一七三〇年）のような、十八世紀の好色文学の伝統と結びついたものがある。『カゾットからボードレールにいたるフランス文学における悪魔』（一九六〇年）の著者マックス・ミルネルによれば、「『ガバリス伯爵』によって流行せしめられた驚異は、幸運にも妖精物語（たとえばラ・モット・フーケの『ウンディーネ』のような）のそれと結びついて、ルネその他ロマン主義者の夢に憑きまとう、非物質的でしかも官能的な魅惑の女性のタイプを創り出した。」

ついでながら、ウンディーネによって象徴されるような女性のタイプが、C・G・ユングのいわゆる「アニマ」の最も本能的な段階をあらわすものであることは、わざわざ私がここに断わるまでもあるまい。淫夢女精も、メリュジーヌも、ウンディーネも、やがて末期ロマン主義の女吸血鬼信仰やサロメ崇拝に到達すべき、文学史の流れのなかの素朴な「アニマ」の表現でしかなかったのである。

*

「第二の対話」において、カバラの知識を「私」に授けようとするガバリス伯爵は、「私」に向って、「もしあなたが叡知の光に浴したいと思うならば、女との肉体的な交渉を一切放棄しなければなりません」と宣言する。哲学者あるいは賢者たる者は、アダムとイヴの犯した罪をふたたび犯すことなく、四大の精霊と交わることによって、永遠の青春を保持し、人間の女から生まれる子供よりも、はるかに聡明で美貌な精霊の子供を得なければならない、と言うのである。

「あなたが《哲学者の子》の仲間になり、あなたの眼が聖なる薬液の使用によって強化されたとき、あなたには、宇宙の四大の中に棲んでいる完全な生きものの姿が見えるようになるでしょう。アダムの罪によって、不幸なアダムの子孫たちには、こうした生きものと交渉をもつことが不可能になってしまったのです。天地の間にある巨大な空間には、鳥よりも虫よりもはるかに高貴な、こうした生きものが棲んでいるのですし、広い海には、やはり海豚(いるか)とも鯨とも違った、不思議な者どもが棲んでおります。」

「サラマンドルの女は、これらの生きものの中でも、とりわけ美しいのです。それというのも、彼女たちは純粋な要素で出来ているからです。私は今まで、彼女たちについてはあまり語りませんでしたが、それはあなたがその気になれば、御自分で容易に彼女たちの姿を見ることができるだろうと思ったからでした。あなたには彼女たちの服装、食べもの、風俗習慣、掟などを知ることができるでしょう。そして彼女たちの肉体の美しさよりも、その精神の美しさにもっと魅せられることでしょう。それでも、彼女たちの魂が死すべきものであり、神のように永遠に生きることができないものだということを彼女たちから聞かされれば、この気の毒な生きものたちに、あなたも同情しないわけには行きますまい。彼女たちは純粋に一つの要素から出来ており、反対の性質がまるで含まれていないので、何百年も生きれば、やがては死ぬことになるのです。何百年といっても、永遠にくらべれば一瞬です。やがては永遠の虚無の中に還らなければならないのです。こうした考えが彼女たちをひどく悲しませるので、私たちは慰める言葉もないほどです。」

「私たちの父なる哲学者たちは、このことを神に訴えて、何とかして彼女たちの不幸を救ってやりたいと考えました。すると、限りなき慈悲の持主である神は、彼女たちがこの不幸から免れることも、必ずしも不可能ではないということをお示しになりました。つまり、人間が神と契約を結んで、神性の配分にあずかることができるように、シルフやグノームやニムフやサラマンドルも、人間と契約を結ぶことによって、不死の性質を獲得することができる、ということをお教えになったのです。こうしてニムフやシルフィードは、幸いにして賢者と結婚することができるならば、望み通り不死の性質を得ることになり、グノームやシルフは、私たち人間の娘と結婚して、死すべき運命から免れることができるようになったのです。」

「サラマンドルは、すでにあなたもお解りになったと思いますが、火の気圏のいちばん微細な部分から構成され、宇宙の火の働きによって凝固した生きものです。火は自然のあらゆる活動の原理なので、宇宙の火と呼ばれるのです。シルフもやはり、空気のいちばん純粋な原子から構成されており、ニムフもまた、水のいちばん纎細な部分から成っております。そしてグノームは、土のいちばん微細な部分で出来ています。アダムとこれらの完全な生きものとのあいだには、見事な釣合いが保たれておりました。アダムもまた、四大のいちばん純粋な部分から構成されていて、これらの四つの生きものの完全さをそっくり包含しておりましたし、彼ら自然の子たちの王だったからです。けれども、アダムが罪によって汚れ果て、要素の屑のなかに追い落されて以来、調和は失われ、これら純粋な生きものとのあいだに、もはや釣合いは保たれなくなりました。この不幸をいかにして回復したらよいか。失われた至上権をいかにして取りもどしたらよいか。……」

「とはいえ、賢者たることは容易なのです。もしサラマンドルに対する支配力を回復したいと思うならば、私たちの内部にある火の要素を純化し高揚し、ゆるんだ絃の調子を高めればよいのです。ガラス球の中の凹面鏡を利用して、世界の火を一点に集中すればよいのです。これは古代人が秘法とした技術で、神のごときテオフラスト（パラケルスス）が発見したのでした。このガラス球の中に、やがて太陽光線の粉末が形成されますが、これはもろもろの要素の混合から清められた粉末で、たちまちのうちに、私たちの内部にある火を高揚し、いわば私たちを火の性質に化さしめるという働きがあります。こうなれば、火の気圏に棲む生きものも、私たちより弱い存在になってしまいます。こうして私たちのあいだに相互の調和が回復されれば、サラマンドルも大喜びで、私たちに親愛の情や尊敬の念を示すでしょうし、私たちの力によって、不死の性質を獲得したいと真剣に熱望するようになるでしょう。」

長々と引用したが、私には、ヴィラール師の展開する皮肉な懐疑論や自由思想的な意見よりも、こうしたカバラ的神秘主義の御託宣の方が、はるかに面白いような気がしてならないのである。フランス文学に明るい方ならば、ここでガバリス伯爵の滔々と開陳する、サラマンドルが賢者との交合によって不滅の肉体を獲得するという考えが、あのアナトール・フランスの中期の傑作『鳥料理レーヌ・ペドーク亭』のなかに、そっくりそのまま、借用されているということに気がつかれるであろう。この小説のなかに、奇怪な錬金道士ダスタラックなる人物が登場して、若いジャック・トゥルヌブロシュに、カバラの宇宙観や創世記の解釈や、人間とサラマンドルとの結婚などについて語って聞かせる場面が出てくるけれども、このダスタラックの語り口は、その調子といい内容といい、ガバリス伯爵のそれときわめてよく似ており、明らかにフランスが、『ガバリス伯爵』を下敷にしたにちがいないことを示しているのである。

*

『ガバリス伯爵』全五章のなかで、とくに私が面白いと思うのは、「第四の対話」および「第五の対話」である。まず「第四の対話」においては、人間と精霊とのあいだの性的交渉から生まれる子供のことや、精霊が人間の裏切りに対していかに嫉妬するかということや、また精霊と悪魔とは別ものだということなどが、ガバリス伯爵の口から、豊富な事例とともに語られる。要点を次に引用してみよう。

「罪の子とは、普通の方法によって生まれる子供のすべてです。つまり、神の意志ではなく、肉の意志によって孕まれる子供、怒りと呪いの子供、一口に申せば、男と女から生まれる子供です。そうです、男と女が通常の方法で子供を生むのは、決して主の望むところではないのです。きわめて賢明なる造物主の意図は、もっとはるかに気高いものです。つまり造物主は、現在行われている方法とは別な方法で、この地上に生きものを満たそうと欲したのでした。もし憐れむべきアダムが、決してイヴには触れるなという神の命令に、愚かにも背いていなかったならば、そして彼が逸楽の園の果実以外のもの、つまりニムフやシルフィードの美しさだけで満足していたならば、世界にはこれほど見苦しく、人間どもが満ち満ちるということもなかったのです。人間の不完全さときたら、《哲学者の子》とくらべれば畸形児にも等しいものと言うべきでありましょう。」

ガバリス伯爵の断言するところによれば、ペルシアの賢人ゾロアストルは、オロマジスという雄のサラマンドルと、ノアの妻ヴェスタとのあいだに生まれた子供で、世界の最も賢明な君主として、千二百年間生きたのち、父のオロマジスによって、サラマンドルの国に連れて行かれたという。ヴェスタは死んでからローマの守護神となり、その聖火は彼女の恋人サラマンドルを記念するものとして、四人の処女によって見守られながら、神殿のなかで燃えつづけることになった。

ローマ神話のエゲリアも、ガバリス伯爵によれば、オロマジスとヴェスタとのあいだに生まれた娘、つまりゾロアストルの妹である。ノアは、妻とサラマンドルとの情事を知っていながら黙認していた。それというのも、アダムの罪を怒った神が、大洪水によって、彼らの一族を罰したことを知っていたからで、ノアは妻の行為をひそかに善しとしていたのである。しかし、サラマンドルとの情事によっていよいよ美しくなった妻を見ると、ノアも彼女に情欲をおぼえるようになった。ノアの子ハムは、父がこの地上にさらに罪の子を殖やすのではないかと懸念して、ある日、父が酒に酔って眠っていたとき、思い切って父を去勢してしまった。しかしゾロアストルが、オロマジスから教わった秘法を用いて、気の毒な老人の肉体を元通りにしてやった。——以上が、ガバリス伯爵の明かすカバラによる創世記の独特な解釈である。

ガバリス伯爵の意見では、人間と精霊とのあいだに生まれた子供は、ゾロアストルやエゲリア以外にも、まだまだ歴史上にたくさん見つかる。たとえば、ローマの建設者ロムルスは、伝説が語るようにシルヴィアとマルスとのあいだの子供ではなくて、じつはシルヴィアとサラマンドルとのあいだの息子なのである。ギリシアの哲人プラトンも、テュアナのアポロニオスも、英雄ヘラクレスもアキレウスもサルペドンもアイネイアスも、旧約に出てくるサレムの祭司メルキゼデクも、いずれも人間と精霊とのあいだの子供である。さらにアーサー王伝説の魔法使マーリンも、一般にはイギリスの王女と男性夢魔（インクブス）とのあいだの子供のように信じられているが、じつは王女とシルフとのあいだの子供であり、フランス古譚のメリュジーヌも、水の精霊ニムフなのである。

精霊の嫉妬がいかに激しいものであるかについては、ガバリス伯爵は、次のごときエピソードを紹介している。前に述べたアナトール・フランスの『鳥料理レーヌ・ペドーク亭』にも、このエピソードはほとんどそっくり引用されていることを付記しておこう。

「この話はパラケルススが語っており、またシュタウフェンベルクの町中の人が親しく目にした出来事なのです。ある哲学者が、ニムフと関係を結んでいたのに、これを裏切って人間の女を愛したのでした。ある日のこと、この哲学者が、新らしい情婦や数人の友人たちと食事をしていると、空中に、この上もなく美しい女の太股が見えたのです。つまり、目に見えないニムフの女が、自分を袖にして人間の女を愛するのがいかに不当であるかを、不実な恋人の友人たちに判断してもらうために、こんなことをして見せたのでした。その後、怒ったニムフは哲学者をただちに殺してしまいました。」

『ガバリス伯爵』の「第五の対話」においては、キリスト教の神学者の立場と完全に立場を逆にして、悪魔概念に対する徹底的な愚弄と否定の議論が展開される。正統教会に対する最も大胆な、最も挑戦的な姿勢が読み取れるのは、この「第五の対話」においてである。一部を引用しよう。

「悪魔は、とくにニムフ、シルフ、サラマンドルたちの宿敵なのです。ただグノームに対してだけは、悪魔はそれほど憎悪の焔を燃やしません。というのは、グノームは地中で聞く悪魔の吼え声を怖れており、悪魔に悩まされながら不死の性質を得ようと努力するよりも、むしろ死ぬべき者として止まることを好むからです。そういうわけで、グノームと悪魔とは隣り同士の関係にあります。悪魔は、もともと人間の味方であるべきグノームを説得して、人間に不死の性質をあたえない方が彼らにとって身のためである、と信じこませるのです。」

ガバリス伯爵の意見によれば、地中に棲む悪魔はグノームをそそのかして、人間とのあいだに契約を結ばせる。人間と結婚して不死の性質を得ようという精霊としての当然の望みを、放棄させるのである。おそらく、グノームは精霊としてはシルフ、サラマンドルなどよりも位階が低く、むしろ地中の悪魔に近い存在と考えられるのであろう。このグノームと人間との契約という話を聞いて、聞き役の「私」は大いに驚き、「何ですって？　人間と契約をするのは、古来の悪魔ではないのですか？」と質問する。ファウスト博士の説話を思い出すまでもなく、古来のデモノロギストが語る悪魔との契約の物語を、彼もまた、知っていたからである。これに対するガバリス伯爵の答は、次の通りである。

「もちろん悪魔ではありません。魔王はこの世の外に追い出されたではありませんか。閉じこめられ、縛られたではありませんか。悪魔が光の領域に現われ、濃縮された闇を撒き散らすなんてことができるものですか。悪魔は人間に対して何もできないのです。彼はただグノームをそそのかして、人間のなかの一部の者に契約をさせることができるだけです。それというのも、人間の魂が救われることを、彼は最も恐れているからです。」

キリスト教の本質的な二元論によれば、悪魔の存在は否定することができない。むろん、この世界の唯一の創造者は神であるが、悪魔もまた、人類をたえず誘惑するという、悪そのものの働きによって、窮極的には神の偉業に奉仕するべく運命づけられた、神の意志のための必要物とさえなるのである。悪との闘争という見地から捉えなければ、イエスの死と復活によって実現される、善の最後の勝利も意味を失ってしまうだろう。したがって、「悪魔は人間に対して何もできない」という、ガバリス伯爵の大胆不敵な断言は、由々しき反キリスト教的言辞と申さねばならないのである。

ガバリス伯爵はさらに、悪魔にそそのかされた不心得なグノームたちに対して、賢者たる者は、その不心得をさとし、彼らが悪魔の言いなりになって、みすみす不死の性質を得る権利を放棄してしまうことがないよう、彼らがすすんで人間の娘と結婚する気になるよう、善導してやらねばならないと主張する。そしてそのために、賢者はしばしば深夜の十二時に、グノームたちを集めて説教してやる必要があるのだ、と説明する。これに対して、「私」はふたたび大いに驚いて、「何ですって？　深夜の十二時と言えば、夜宴（サバト）の時間ではありませんか？」と反問する。するとガバリス伯爵は笑って、「あなたは、あの悪魔学者たちの妄想から生じた、夜宴（サバト）などというものを真面目に信じているのですか」という。つまり、悪魔の契約と同様、夜宴などというものも実在せず、それは大昔からカバラの学者がグノームを集めて行っていた、グノームと人間の娘との結婚のための集会にすぎないのだ、と説明する。

こんな具合にして、ガバリス伯爵は、古来の鬼神論者たちの固く信じていた、悪魔に関する多くの概念を、独特の論理によって一つ一つ粉砕して行くのである。その辛辣な諷刺とポレミックの混り合った筆致が、まことに生き生きとしていて、この風変りな小説の魅力の大きな部分をなしているのであろうと想像される。

＊

今まで述べてきたことを整理してみるならば、結局、このポレミックの小説は、大ざっぱに言って、次の点を主張しているように思われる。すなわち、古来、淫夢女精とか男性夢魔とかいった悪魔が人間と情交すると信じられてきたが、悪魔は人間に対して何もすることができないので、この説は全くの迷妄であり、人間と情交するのは、シルフとかグノームとかオンダンとかサラマンドルとかいった、四大の精霊にほかならないということ。そして四大の精霊と結びつくことによって、人間は賢者となり、美しい子供を生むことができるようになり、精霊もまた、不死の性質を獲得することができるようになるということ。それこそ造物主の望むところであり、アダムの堕落以前の真の楽園を再現するための、カバラ学者たちの努力すべき目標でもあるということ。――以上のごとくである。

ここで想い出されるのは、『ガバリス伯爵』の著者ヴィラール師とほぼ同じ頃に生まれ、同じ頃に著述をしたと思われるのに、その作品が陽の目を見るにいたったのは十九世紀の後半ということになったところの、イタリアの鬼神論者シニストラリ・ダメノ師の名前である。シニストラリ師もまた、その異色ある述作『悪魔姦について』のなかで、淫夢女精とか男性夢魔とかいった魔物の性質を徹底的に窮明し、結局のところ、これらの魔物は天使とか悪魔とかいった純粋な霊ではなく、古代異教のファウヌスとか、シルヴァヌスとか、サテュロスとかいった森の半獣神（後世のシルフやグノームも含まれる）にほかならないことを論証したのであった。この著者によれば、これらの魔物は、私たちと同じように理性も肉体も精神も有し、私たちと同じように生まれて死に、イエス・キリストの功徳によって救われたり、あるいは地獄に堕ちたりするところの動物的な存在なのである。

もっとも、ローマの宗教裁判所の顧問であったシニストラリ師の方は、ヴィラール師のようにカバラの学説に基づいて、人間と精霊との結びつきを称揚しているのではなく、それどころか、あくまでもこれを醜悪な所業として、断罪し処罰することを目的として著述しているのであり（といっても、彼はインクブスと人間との結びつきを「反宗教」的な行為とは見ていない）、その点が、これら二つの書物の明確な相違点であると言えば言えるであろう。シニストラリ師の所説には、完全に形而上学が脱落しており、きわめて唯物的かつ生理学的なところがある。たとえば、インクブスには生殖能力があるか否かという点について、彼は長々と論じた挙句、次のような注目すべき結論に到達している。

「以上の推論により、われわれは三十番および三十四番の問題、すなわち、女はいかにしてインクブスによって受胎させられ得るかという問題に、解決をあたえることができる。実際、通説に反して、インクブスが女を孕ませるのは、男から借りた精液によるのではないのである。したがって、女はインクブスの精液によって直接に受胎させられるのである。インクブスは動物であり、生殖能力を有し、彼自身のものである精液を用意しているのだ。かくて巨人は神の子と人間の娘との交渉の結果、発生したところの存在だということが完全に説明される。なぜかと言えば、これらの巨人は人間に似ているにもかかわらず、人間よりは背丈が高いからである。」

いささか粗雑な論理ではあるが、以上によって、シニストラリ師の推論の一端をお伝えすることができたかとも思う。このように、彼は霊的存在としての悪魔が人間と性交渉をもち得るという、在来の鬼神論の通説を片っぱしから否定し、肉体と感覚と理性とをもった、動物としてのインクブス概念を確立しようと躍起になるのである。ヴィラール師の所説とは微妙に食い違ってはいるものの、これもまた、中世の民衆の性的抑圧による妄想から生まれたところの、エロティックな魔物の真の姿を窮明せんとした、十七世紀の神学者の真摯な努力の結果と言えるであろう。

シニストラリ・ダメノ

――男性および女性の夢魔について

南方熊楠の『鶏に関する伝説』のなかに、次のような一節がある。

「婬鬼(いんき)の迷信は中古まで欧州で深く人心に浸み込み、碩学高僧まじめにこれを禦(ふせ)ぐ法を論ぜしもの少なからず。実体なき鬼が男女に化けて人と交わり、はなはだしきは子を孕ませ、また子を孕むというので、ローマの開祖ロムルスとレムス、ローマの第六王セルヴィウス・ツリウス、哲学者プラトンやアレキサンドル王、ギリシアの勇将アリストメネス、ローマの名将スキピオ・アフリカヌス、英国の術士メルリン、耶蘇新教の創立者ルーテルなど、いずれも婬鬼を父として生まれたとか。」

この南方熊楠の文章は、一八七九年パリ版、シニストラリ『婬鬼論』五十五ページより引用したものと断り書きがついている。シニストラリの名前は、昭和初年に出た酒井潔の『愛の魔術』や『降霊魔術』にも、さかんに引用されているのを御存知の方もあろう。

私がこのシニストラリ、いわゆるラテン正統派最後の鬼神論者(デモノロギスト)として知られる学者に特別の興味をおぼえるようになったのは、彼がインクブスとかスクブスとかいった、ヨーロッパの十六、十七世紀に大発展を見た悪魔学ないし鬼神論のなかで重要な役割を演ずる、正体不明のエロティックな悪魔に関して、その著書のなかで、綿密詳細な研究を行っているところの、ほとんど唯一の学者だということを知ったからである。むろん、インクブスやスクブスに関して説をなしている学者は、聖アウグスティヌスや聖トマス以来、ローマ教会側の人間にもたくさんいた。しかしながら、これについて一書を著述し、ありとあらゆる側面から、この怪しげな悪魔の正体を窮明せんと試みたのは、おそらく、シニストラリだけだったろうと思われる。
シニストラリの問題の著書は、南方熊楠によって『婬鬼論』と呼ばれたが、正しくは『悪魔姦あるいは男性および女性の夢魔について』という題であり、副題として、「地上には人間のように肉体および魂をもち、人間のように生まれて死に、われらが主イエス・キリストによって罪を贖われ、救霊あるいは地獄堕ちの運命を甘受せねばならぬ、人間とは異った理性のある生物が存在することを証明せんとするもの」という長い文章がついている。私が「悪魔姦」と訳した言葉に当るフランス語はデモニアリテ démonialité であり、ベスティアリテ bestialité を獣姦と訳するように、かりに悪魔姦と訳してみたまでのことである。言い忘れたが、シニストラリの原文はラテン語である。しかしこの本が一八七五年、初めてパリで刊行されたときには、ラテン語の原文とともにフランス語の翻訳文がついていた。

この本が刊行されるにいたった経緯について、ちょっと触れておこう。

アポリネールによって「近代エロトロギアの始祖」と呼ばれた、フランス十九世紀の珍書出版のパイオニアであったイジドール・リズーが、一八七二年、ロンドンに滞在して古書探しをしていたとき、リージェント公園の入口に近いユーストン・ロードに店を構えていた一古書店で、たまたま掘り出したのが『悪魔姦』の稿本であった。リズーはこれを六ペンスという格安の値段で手に入れた。稿本は十七世紀の紙で、イタリアの羊皮紙で製本され、保存状態はきわめて良好、全文八十六ページのテクストであった。この稿本の著者がいかなる人物であるかを知るために、リズーはずいぶん苦心したようである。これも偶然だが、古本屋で見つけた『禁書目録』をぱらぱらめくっていると、そのなかにルドヴィコ・マリア・シニストラリという、十七世紀イタリアの神学者の項目があり、これが問題の稿本の著者にちがいないという確信をリズーは得るのである。しかし、このへんの経緯は煩瑣になるから省略しよう。

リズーの翻訳が出てから、この知られざる鬼神論者の名前は、にわかに歴史の表面に浮かびあがることになった。そしてジャン・ボダン、ヨハン・ヴァイエル、ニコラス・レミイ、アンリ・ボゲ、ドランクル、デルリオなどといった、十六世紀から十七世紀へかけての名高い鬼神論者たちの系列の、最後を飾る人物として、近代の悪魔学の書物には必ず引用される名前となった。——もっとも、学者によっては、この『悪魔姦』の稿本なるものの存在に、疑いの目を向けている者もある。リズーの翻訳というよりも、リズー自身の創作の筆が大いに加わった、たとえばピエール・ルイスの『ビリティスの歌』のごとき、模作(パスティシュ)の一種ではあるまいか、と彼らは考えるのである。なるほど、そう言われてみればロンドンの古本屋のエピソードといい、著者の身元調べの苦心談といい、いずれもあまりによく出来すぎていて、眉唾物のような気がしてくるのもやむを得まい。リズーは出版業者であるとともに、古典語に造詣の深い学者でもあったから、十七世紀の神学者の名を借りて、悪魔学書の模作をつくるぐらいの力量はあったであろうし、また、そうした茶目気もあったであろう。しかしここでは、この模作問題は、一応、保留の形にしておいて、話を先へ進めよう。

ルドヴィコ・マリア・シニストラリとは、そもそもいかなる人物であったのか。

シニストラリは一六二二年二月二十六日、イタリア北部のノヴァラに近いアメノという小さな町で生まれている。それで、通称シニストラリ・ダメノという。パヴィアで古典を修め、二十五歳でフランチェスコ教団に入り、まずパヴィア大学の哲学教授、次いで神学教授となり、この町の大学に十五年間在職した。その学識や人格がきわめてすぐれていたので、ヨーロッパ中から彼を慕って、この町に集まってくる学生が多かったと言われる。シニストラリはとくに民法と教会法の権威で、ローマの宗教裁判所最高法廷の顧問でもあり、アヴィニョン大司教の総代理をも務めた。また後にはミラノ大司教直属の神学者となり、一六八八年には、フランチェスコ教団の法規を作成する委員に任命された。死んだのは一七〇一年、享年七十九歳である。

一七五三年から五四年にかけて、ローマでシニストラリ・ダメノの全集全三巻が刊行された。そのなかには、一七〇〇年にヴェネツィアで刊行されて、禁書となっていた『罪と罰について』なども含まれていたが、『悪魔姦について』は、むろん含まれていない。リズーの意見によれば、この『悪魔姦について』は、もともと大著『罪と罰について』の一部をなすもので、とくに悪魔と人間との性的交渉に関する罪の問題を独自に詳述したものであろう、ということである。

*

前にも述べたように、シニストラリ・ダメノの『悪魔姦について』は、神学上においても正しい定義のあたえられていない、曖昧なインクブス（男性夢魔）とかスクブス（女性夢魔）とかいったものの正体を、徹底的に窮明せんとした異色の労作である。ラテン語のcuboが「寝る」という意味で、インクブスが「上に寝る者」、スクブスが「下に寝る者」の義であることは周知であろう。スクブスは女性夢魔であるから、本来ならばスクバでなければならないわけであるが、この女性形の使用例は少ないそうである。一般に、女は男よりも淫欲が強いとされているので、鬼神論の書物においても、インクブスの方がスクブスよりもはるかに頻々と登場する。九対一の割合でインクブスの方が優勢だという。

宗教的見地からすれば天使崇拝の一種であり、医学的ないし心理学的見地からすれば、オナニズムや夢精を含めた性的抑圧による妄想あるいは幻覚の一種である、この非実在の悪魔と人間との交渉という観念は、しかし、聖書やカバラやエノクの書によって確認され、中世初期の神学者たちのあいだですでに論争の的となってきた。聖アウグスティヌスは次のように述べている、「俗にインクブスと呼ばれる森の精や牧羊神が、飽くことなく女を追い求めて我が物にするという事実は、多くの識者によって確認されており、疑い得ないことである」（『神の国』第十五巻）と。キリスト教会によって悪魔の仲間に分類されてしまった古代異教の偶像神が、ここで、インクブスやスクブスとして復活してきたのである。すでに聖書の創世記に、悪しき天使と人間の娘との結合から巨人族が生まれたという記述があるが、古代異教のエルフとか、グノームとか、サテュロスとか、ピグメとかいった怪物どもが、いずれもインクブスと同一化されたのであった。

人間と悪魔とが実際に肉体の営みをなし得るという考えは、カトリック教会側の神学者たち、たとえば聖トマス、聖ボナヴェントゥラ、法王インノケンティウス八世、そのほか多数の博士たちによって肯定されており、そうした結合から子供が生まれるということも、あながち不可能ではないと判断されていた。ただその場合、人間の女と交わる男性夢魔は、男が睡眠中に洩らした精液や、あるいは女性夢魔との交渉によって洩らした精液を取って使うと考えられていたので、生まれた子供の父親は、果して母親と衾をともにした悪魔インクブスであるか、それとも精液を取られた男であるか、という問題が生ずる。この点について聖トマスが、真の父はインクブスではなくて、遺精した人間の男の方だ、とはっきり断定しているのは興味ぶかい。

シニストラリ・ダメノの説は、これらの神学者たちの説と全く異った見地に立つものである。前にも述べたように、彼は、インクブスにはそれ自身の生殖能力があるので、人間の男から精液を借りなくても、彼らだけの力で女を孕ませることができる、と主張するのだ。彼の説は、いわば前に述べた聖アウグスティヌス説を受け継いだもので、それによると、スクブスとかインクブスとか呼ばれる夢魔は、実際は神の対抗者としての悪魔ではなく、ファウヌスとかサテュロスとかいう名で知られる古代の生きものだという。つまり、中世が抹殺しようとした異教の偶像神を持ち出してきて、性の潜在意識の問題に光を当てようとしたわけである。たしかに中世における妖術の流行は、マーガレット・マリー女史も述べているように（『女妖術使たちの神』一九五七年）、民衆のあいだに潜在意識として生きのびた古代の農耕儀礼や豊穣信仰が、意外に根強いことを示すものにほかならなかったのだから、このシニストラリの説は、期せずして問題の核心をついたということにもなるであろう。

*

ここで、歴史上に知られる名高い神学者や鬼神論者たちの、男性および女性夢魔に関するさまざまな見聞を少しく引用して、このような幻想的な生きものが、いかに長年にわたって彼らの頭を悩ましつづけてきたかを考察するための参考に供してみたいと思う。

ヘブライ伝説のリリトはアダムの最初の妻で、アダムはイヴをだまして彼女とのあいだに多くの鬼女を産んだというが、このリリトが、女性夢魔の最初の例だという説がある。十七世紀オランダの悪魔学者バルタザール・ベッケルの説では、このリリトから産まれた鬼女たちが、さまざまな鬼神や妖精や幽霊などを産んだという。

十三世紀の学僧ハイステルバッハのカエサリウス説によれば、フン族の男女はすべて、同民族の女とインクブスとのあいだに誕生したものだという（『不可思議問答』）。

また十七世紀フランスの高名な鬼神論者ドランクルの説によると、「古代人の信仰では、スクブスは美しい女の顔と、やさしい魅力的な眼と、豊かな胸と肉体をもつ野獣であり、蛇であった。男を惹きつけるために乳房と腹を露わにし、男が近づくと、ただちにこれをむさぼり食うのである。」

十六世紀イタリアの哲学者ジロラモ・カルダーノの語るところでは、女に化けた悪魔と四十年ないし五十年も一緒に暮らしていた僧侶がいたという。信仰心の堅い僧侶や聖者も、女性夢魔の誘惑にはしばしば抗し切れなかったという例である。

同じような例は、中世の聖ベルナルドゥスも報告している。これは女の例で、あるナントの町の女が、夜ごとに彼女を訪ねてくる美男のインクブスと、七年間近くも不潔な関係を結んでいて、どうしてもこれを断ち切れなかったのを、聖者が悪魔祓いをして救ってやったというエピソードである。

ジャン・ボダンの『鬼憑狂』(一五八〇年)には、ジャンヌ・アルヴィリエという娘のエピソードが出ている。彼女は十二歳の頃、母親によってサタンに捧げられてから、八日目ごとに黒い着物を着て彼女を訪ねてくる、悪魔との関係をどうしても断ち切ることができず、結婚してからも、隣りに寝ている夫と一つのベッドのなかで、悪魔と交わっていたという。

道心堅固のため、悪魔によって袋叩きの目に遭ったという十三世紀イタリアの聖女アンジェラ・ダ・フォリーニョのような例外もあるにはあるが、男なしの変則的な禁欲生活を送っていた中世の修道女たちのなかには、すすんでインクブスの誘惑を受け容れる者も少なくなかったようである。ヨハン・ヴァイエルの『悪魔の幻惑』(一五六三年)には、ケルンに住むゲルトルードという十四歳の修道女が、人間の姿をしたインクブスと毎晩のように情交を重ねた、という記述がある。

また、コルドバの尼僧院長であったマドレーヌ・ド・ラ・クロワは、十二歳の頃から四十年間、三匹のインクブスと情交を重ねていたが、その三匹のなかの彼女のお気に入りは、山羊の脚、人間の胴、牧神の顔をした悪魔だったという。

女性夢魔が僧侶ばかりでなく、一般の庶民にも取り憑く場合があるということは、次のヤーコブ・シュプレンガーの語る例によって知り得る。すなわち、コブレンツに住む百姓が、一種の淫欲亢進症におちいって、ついには腎虚になるまで女性夢魔を相手に精力を使いつくした、というのである。一方、デル・リオの『魔法調書』（一五九九年）に出てくるピエール・スタンという者も、二十年間スクブスと関係をつづけていたが、癒しがたい淫欲に責め苛まれ、スクブスにもらった魔法の帯の効力でしばしば狼に変身し、何人もの子供を襲ってこれを凌したという。

あの十五世紀フィレンツェの新プラトン派哲学者ピコ・デラ・ミランドラでさえ、その著『予言集』のなかで、四十年間にわたってスクブスと関係していた僧侶の話をまことしやかに報告しているのだから、時代の影響たるや恐るべきものがあろう。この七十五歳の僧侶は、いつも女の姿をして自分のあとをついて歩く可愛いスクブスを諦めるくらいならば、むしろ牢屋へ入って死んだ方がましだ、とつねづね語っていたという。

シニストラリ・ダメノの書物からも、インクブスに関する面白いエピソードを一つ抜いてお目にかけよう。

シニストラリがパヴィアのサンタ・クローチェ修道院の神学教授であった頃、同じ町に住む身持ちのよい人妻と知り合いになった。ジロニマという名前の、サン・ミケーレ小教区に住んでいる婦人である。ある日、彼女が自宅で捏ねたパンを焼いてもらうために、パン屋に渡すと、パン屋は焼けたパンと一緒に、見慣れない形のお菓子を持ってきた。「これはあたしが捏ねたパンではありません」と言って、彼女が受け取らないでいると、パン屋は、「今日はお宅のパンしか焼かなかったのですから、これはお宅のものです。お忘れになったのでしょう」と言って、パンを置いて行ってしまった。彼女は半信半疑で、それでも家族の者と一緒にパンを食べ、夜になって、夫と一緒に寝ていると、どこからともなく、まるで口笛のような鋭い声が聞えてきて、思わず目をさました。やがてその声が、彼女の耳もと近くで、「お菓子はお気に入りましたか」と、はっきりした声でささやいた。彼女が驚いて、十字を切り、イエスとマリアの名前を唱えていると、「怖がることはありません。僕はあなたに悪いことをするつもりは少しもありませんから。それどころか、僕はあなたに気に入られたいとのみ念願しているのです。あなたの美しさに恋いこがれ、あなたの抱擁を心から待ち望んでいるのです」という声がした。あと同時に、彼女は自分の頬に、誰かが接吻するのを感じた。といっても、ごく軽い接吻で、綿毛で頬を撫でられているような気持である。彼女は何にも答えず、ひたすらイエスとマリアの名前を唱えて、じっと耐えていた。誘惑は半時間ばかり続き、やがて誘惑者は去って行った。

その翌朝、彼女はさっそく懺悔聴聞僧に会いに行って、一部始終を打ち明けると、聴聞僧は信仰を堅くして、決して誘惑に負けないように、と彼女を励ました。それでも毎晩のように、悪魔の誘惑は執拗に繰り返されるので、彼女もついに根負けして、懺悔聴聞僧の意見を容れ、悪魔祓いをしてもらい、ひょっとして自分の身体に悪魔が取り憑いているのかどうか、しらべてもらうことにした。

しかし祓魔師は、どこにも悪魔を発見することができず、ただ彼女の家の寝室からベッドまで、すっかり祓い清めてから、インクブスに悪戯をやめるよう懇願するしか打つ手がなかった。果して、インクブスの誘惑はふたたび開始され、悪魔は女の同情を惹こうと、泣き声をあげたり溜息を洩らしたりするようにさえなった。そうかと思うと、縮れた金髪、輝かしい口髭、碧い瞳、それにスペイン風の粋な衣裳をまとった、すばらしい美青年の姿になって彼女の前に現われた。彼女が他の人々と一緒にいるときでも、悪魔は彼女だけの目に見え、悪魔の声は彼女だけの耳に聞えるのである。悪魔は恋人のように、泣いたり接吻を送ったり、女の歓心を買おうと、ありとあらゆる手段をつくしたりするのである。

それでも彼女が降参しないので、数ヵ月もすると、悪魔はついに腹を立て、今度は別の悪戯をやりはじめた。まず、彼女が肌身離さず持っていた、銀の十字架や祓い清めた蠟燭などを取りあげ、さらに鍵のかかった小箱の中から、指環や金銀の宝石などを盗み出した。それから彼女の身体を猛烈に打ちはじめ、顔や腕に打撲傷をつけたが、その傷は普通の傷と違って、一両日のうちに急に消えてしまうのだった。また、彼女が娘に乳を飲ませていると、膝の上から赤ん坊を取りあげて、屋根の上にのせてしまったり、赤ん坊を見えない場所に隠してしまったりした。家財道具を滅茶苦茶にひっくり返したり、皿小鉢を粉々に叩き割って、たちまちそれを元通りにして見せたりもした。ある晩などは、彼女が夫と一緒にベッドに入っていると、悪魔がいつもの姿でやってきて、どうしても言うことをきいてくれと言う。彼女がお祈りをして抵抗すると、怒ったインクブスはいったん引き上げたが、すぐまた現われて、夫婦のベッドのまわりに、天まで届くかと思われるほど高い壁を築いてしまった。夫婦は梯子を用いて脱出しなければならないほどだった。この壁は、石灰を使わずに石を積み上げただけのもので、さっそく取り壊して隅に置いておくと、その石はやがて忽然と消えてしまった。

サン・ステファノの祝日に、この女の夫が友人を招いて会食しようとしていると、その席からテーブルや御馳走がみんな消えてしまったこともあった。友人たちが諦めて帰ろうとすると、食堂で物凄い音が聞える。何だろうと思って行ってみると、消えてしまったテーブルや料理のかわりに、今まで見たこともないような、高価で贅沢な食器や酒瓶や御馳走が並んでいて、いつでも食べられるようになっている。おそるおそる食べてみると、これがまことに美味い。そこで一同むしゃむしゃ食べ、食べ終って一服していると、またもやテーブルや食器がぱっと消えて、最初の料理が目の前に現われた。しかし一同満腹しているので、もう食べる気にはならない。そんなこともあった。

こうして何ヵ月も経った頃、彼女はパヴィアの町から遠からぬ場所にある、サン・ジャコポ教会に祀られたフェルトレの聖ベルナルディーノに願をかけ、今後一年間、フランチェスコ会修道士のように縄を腰に巻きつけた、灰色の僧服を着て過ごすことにするから、どうかインクブスの迫害から免れしめてほしいと祈った。そして聖ベルナルディーノの祝日である九月二十八日、たしかに灰色の僧服を着て、その翌朝、彼女の小教区のサン・ミケーレ教会まで出かけたのであったが、彼女が教会の前庭に一歩足を踏み入れるや、その着物がたちまち地面に落ち、一陣の風に吹き飛ばされて、彼女は衆人環視のなかで真裸にされてしまったのである。幸いにも、群衆のなかに二人の騎士がいて、そのマントを彼女にかけてくれ、馬車で家まで送ってくれたので、彼女はあられもない姿を人目にさらす恥ずかしさを免れたとはいえ、インクブスに奪い去られた着物は、六ヵ月経ってようやく彼女に返されたのであった。……

シニストラリの伝える執念深いインクブスの物語は、これで終っているが、最後に彼は、結論のように次のごとく述べている。すなわち、「以上の例によってもお分りのように、インクブスは宗教に反する行為に誘いこむのでは全くなくて、ただ純潔に反する行為にのみ誘いこむのである。したがって、その誘惑に屈したとしても、背教の罪に陥るのではなく、淫乱の罪に陥るのである」と。

サド侯爵

——その生涯の最後の恋

今から二年前の一九七〇年、サド研究家のジョルジュ・ドーマによって初めて刊行された、シャラントン精神病院における晩年の侯爵の未発表日記は、これまで全く知られていなかった、死の直前の侯爵の病院生活に一条の光を投げかける貴重な資料として、読書界に大きくクローズ・アップされたものである。

信頼すべき資料のないところには、必ず伝説が出来あがる。サドの場合も、その例に洩れなかった。ジルベール・レリーの綿密周到な調査にもかかわらず、サドの伝記の或る部分には空白が多く、とくに晩年のシャラントン生活に関するそれは、病院側の記録や役所の公文書以外には、ほとんど見るべき資料とてない状態だったのである。いきおい、そこには伝記作者の予断による神話が形成された。たとえば、これまでの通説では、サドは一七九〇年、マリー・コンスタンス・ルネル（ケネー夫人）愛称「深情け（サンシブル）」なる三十歳の未亡人を知ってから、もうほかの女には目もくれず、死ぬまでひたすら彼女に愛情を捧げた、ということになっていた。少なくともこの神話は、未発表日記の公刊された今日、完膚なきまでに破壊されたと言ってよかろう。死を目前にした七十四歳の老人は、五十六歳も年の違うロリータのような小妖精（ニンフェット）に、消えなんとする最後の情火を燃やしていたのであった！

といっても、この未発表日記には、乞食女を別宅に誘いこんでは鞭で打ったり、マルセイユの娼家に娘たちを集めては性の饗宴を行ったりするといったような、かつての日の颯爽とした大貴族、リベルタンたる侯爵の姿はすでにない。また、ヴァンセンヌやバスティーユの牢獄で、怒り狂った獣のように獄吏を罵ったり、革命前夜の民衆を窓から煽動したり、さては憑かれたように紙の上に、満たされぬ欲望から生じたところの血みどろの幻影を定着させようと躍起になったりしていた頃の、天に向って咆哮する魔王のような侯爵の姿もすでにない。さよう、ここに発見されるのは、波瀾万丈の時代を生き永らえた老人の、きわめて散文的な日常なのである。ナポレオン体制下の権力により、精神病院の一室に閉じこめられ、庭の散歩や、ペンや紙の使用さえ禁じられようとしていた老侯爵の、たわいない愚痴の連続である。金の心配、入院患者たちとの些細な喧嘩、ケネー夫人の病気、自分の健康状態、自分はいつ釈放されるだろうかという疑心暗鬼の推測、——そんなことばかりが書きならべてある。閉ざされた小さな世界の、小さな日常である。問題の最後の恋にしても、それは義理にも華々しいものとは言えず、同じ病院内に住みこんでいた（娘という名目で）ケネー夫人の目をかすめて、ほぼ一週間ごとに相手と短かい逢瀬を重ねるといった、いささか意地のわるい見方をすれば、あわれにも衰弱した老人性欲の発露でしかない。文字通り、ちっぽけなアヴァンチュールでしかないのである。

ただ、ここで私たちが注意すべきは、この日記が決して公刊を目標にしたものではない、ということであろう。日記だから当り前といえば当り前の話であるが、現代の私たちは、死後に公開された著名な文学者の日記というものに慣れ親しみすぎている。荷風の日記、ジイドの日記を眺めるのと同じ目で、サドの日記を眺めてはいけない。第一に、サドは生前、著名な文学者ではなかったし、その当時、いわゆる「秘められた日記」を片っぱしから活字にして、公衆の目にさらすというジャーナリズムの風習はまだ行われていなかったからである。サドは単なる備忘録のために日記を書いていたにすぎないのであり、これを一個の「作品」だなどとは、少しも思っていなかったにちがいないのである。それが証拠に、この日記には、極端に省略された表現や、読みにくい字や、解読しなければならない謎のような表記法がいっぱいある。仮名や暗示を用いて、わざと記述を曖昧にしているようなところもある。その理由は、サドがしばしば苦杯を喫してきた、警察の押収に対する用心深さのあらわれであろう。要するに、サドは読者を予想せず、自分一個のために日記を書いていたのであって、もし想像力をめぐらして「作品」を書くとすれば、たとえ老いたりとはいえ、内容においても形式においても、これとは全く違った書き方をしたにちがいない、ということを確認しておくべきであろう。つまらない俗事ばかりだからといって、私たち後世の読者が文句を言う権利はないのである。

日記の草稿は、これまでに発見された多くの未発表書簡と同じく、侯爵から数えて五代目の直系の子孫たるグザヴィエ・ド・サド氏の住んでいる、北仏エーヌ県のコンデ・アン・ブリの城中の文庫から発見された。それは二冊の手帖であり、最初の手帖は一八〇七年六月五日から一八〇八年八月二十六日まで、二番目の手帖は一八一四年七月十八日から同年十一月三十日（死の二日前！）までの記述である。前者は一年二ヵ月、後者は五ヵ月の短かい期間だ。

ここで当然起ってもよい疑問は、前者と後者とのあいだの空白期間を埋める手帖が存在したのではあるまいか、という疑問であろう。事実、前者には「第一の手帖」と書いてあり、後者には「第四の手帖」と書いてある。つまり、第二および第三の手帖が存在したにちがいないのである。しかも「第一の手帖」の冒頭には、「この日記は、没収された日記の続きをなすものである」という作者の断り書きがあるのを見れば、「第一の手帖」よりさらに以前にも、すでに何冊かの手帖が存在していたということになる。これらの貴重なドキュメントはどこに紛失してしまったのか。申すまでもあるまい、警察あるいは病院の院長に押収され、火中に投ぜられてしまったのだ。

おそらく、「第二の手帖」は一八一〇年十月十八日、内務大臣モンタリヴェのきびしい勧告により、警察が侯爵の部屋を捜索した際に押収されたのであろうし、「第三の手帖」は一八一四年六月一日、クールミエの後任としてシャラントン精神病院の新院長となったルラック・デュ・モーパの手により、没収湮滅されたのであろう。二冊の手帖が破壊を免れ、私たちの目に触れ得るようになったのは、むしろ奇蹟的というべきかもしれないのである。

＊

サドの最後の恋の相手は、その名をマドレーヌ・ルクレールという。死ぬまで付き合ったのだから、正真正銘の最後の恋であろう。死の直前の日記のなかに、「彼女は来月の十九日に十八歳になる」と書いてあるから、逆算すれば、この少女は一七九六年十二月十九日に生まれたことになる。何と、サドとのあいだの年齢のひらきは五十六歳であり、初めてサドが彼女の姿を見たのは一八〇八年一月九日、ケネー夫人の病気中と推定されるので、当時、彼女はまだ十二歳にも満たない小娘だったはずなのだ！　私がロリータを思い出したとしても無理はあるまい。

周知のように、ウラジーミル・ナボコフのいわゆる「ニンフェット」は、九歳から十四歳までの年齢の少女に限られており、しかも「男がニンフェットの呪縛にとらえられるには、少女と男とのあいだの年齢のひらきが、少なくとも十数年、一般的には三十年から四十年は必要」なのである。サドの場合はそれ以上だった。——一つの神話をこわしておいて、またもや新らしい神話を捏造するのは私の本意ではないが、サドとニンフェットとの取り合わせは、まんざら悪い思いつきではあるまいと思うが如何。

サドがきわめて几帳面な性格の持主で、一種の計算マニア（ハインツ・シュマイドラーの意見によると、オナニスト特有の性癖であるが）ではないかと思われるほど、日常の些事をこまごまと正確に記録したり計算したり、あるいはまた、この計算から割り出した数値に好んで神秘的な意味を認めたりするという傾向があったことは、その生涯を一瞥すればただちに明らかになることである。この晩年の日記においても、こうした彼の偏執狂的傾向は遺憾なく発揮され、いちいちマドレーヌと会った日には、それが何回目かということが克明に記録されている。おもしろいのは、その回数が visite（来訪）と chambre（閨事）の二つに分けてあることで、二人が親密な関係になってからは「閨事」として数えるらしいのである。たとえば、一八一四年八月二十日には、「彼女、通算八十五回目の来訪。六十一回目の閨事」と書いてある。そしてマドレーヌの来訪は、ほぼ一週間おきに規則正しく続けられたものと考えられるので、彼女が初めてサドの部屋を訪ねたのは一八一二年十一月十五日頃、二人が初めて親密な関係になったのは一八一三年五月十五日頃と推定されるのである。サドはやがて七十四歳になろうとし、娘はようやく十六歳になったばかりの頃であった。

マドレーヌ・ルクレールの母親は、たぶんシャラントン精神病院に勤める貧しい雑役婦か何かだったと思われる。驚くべきことには、彼女は娘と老人との関係を黙認している。いや黙認どころか、まるで女衒のように、すすんで娘を老人のそばへ行かせようとさえしているらしいのだ。若い頃から、同じような手段で何人もの娘を物にしている侯爵にとっては、この母親の態度も、べつに驚くべきことではなかったかもしれない。

マドレーヌはおそらく、仕立屋か洗濯屋に見習奉公をしている娘で、一週間に一日だけ休暇をとって、老人の部屋を訪ねることにしていたのであろう。彼女が部屋にいる時間は、いつもほんの一時間か二時間である。彼女が老人に対して、たわいない肉体的な接触を許すことによって、何がしかの金銭的な報酬を得ていたことは疑い得まい。老来、サドはその男性的機能をとみに低下させていたはずだから、その肉体的な接触なるものも、とても満足な性行為ではあり得なかったにちがいない。文字通りの性的玩弄、あるいは性的遊戯のようなものだったろうか。しかしマドレーヌの方も、まんざら金銭的な報酬のみによってサドと結ばれていたのではなかったようで、この孤独な老人に対して、或る種の愛着をいだいていたのではないかと信じられる節がある。誕生日のお祝いに「兎の毛の靴下」を贈る、などと可愛らしいことを彼女は言っている。

サドの方はどうかというと、「第四の手帖」から以後、マドレーヌに関する記述が圧倒的に多くなってくるので、その執心ぶりが思い知らされるというものだ。老人は大そう嫉妬ぶかく、マドレーヌが仲間と一緒に舞踏会に行ったり、水浴びに行ったりしやしないかといつも気に病んでいる。母親に娘の行状をこっそり聞き質して、やれやれと安心したりしている。「マドレーヌは今日、どこの舞踏会にも決して行かないと私に約束してくれた」などと日記に、まるで天下の一大事のように書いているのだから、その惚気（のろけ）ぶりも相当なものと言わねばならぬ。晩年のサドが激しい悪魔的な性情を失い、すっかり好々爺のようになってしまったらしいことは、彼が訪ねてきたマドレーヌに、部屋で読み書きや歌などを教えていることからも察せられよう。あの『閨房哲学』の悪徳の教師は、年とともに美徳の教師に変貌してしまったのであろうか。

それでもサドが少女とともにする快楽は、少なくとも本人にとっては、この上もなく貴重な、禁を犯す秘密の快楽でもあったかのようである。病院内の噂になることを、彼が極度に怖れていたことは当然であったろう。少女と一緒に部屋に閉じこもっているとき、ドアをノックされて、肝を冷やしたようなことも一再ならずあった。愛戯のあいだ、マドレーヌがやさしかったとか、冷淡であったとかいうことも書きとめてあり、彼女のメンスについても、彼はその都度、忘れずに記録している。

サドは日記のなかに、不思議な記号φを用いている。ジョルジュ・ドーマの註解によると、これは「エロティックな意味を有する」記号らしい。なるほど、そう言われてみれば、それで初めて納得できるようなコンテキストも幾つかある。計算マニアの男のなかに、オナニーや夢精の回数、あるいはコイトゥスの回数などを、記号によって記録する習癖のある者が多く見出されるのは、心理学上からもよく知られている事実であろう。燃え残った燠火(おきび)のように、サドの性欲はまだくすぶりつづけているのだ。

ところで、シャラントンのサドの部屋の隣りには、一八〇四年七月頃から、事実上の彼の妻であったケネー夫人が移ってきて住んでいるはずであった。「第一の手帖」によると、彼女は一八〇八年六月頃、熱や嘔吐を伴なう重い病気にかかり、サドもいたく心配して看病に努めているが、「第四の手帖」では、それもすでに完全に癒えて、しばしば金策のため一人でパリへ出かけたりしている。このケネー夫人が、年甲斐もないサドの情事を黙って見過ごしていたとは信じられない。事実、日記にも、彼女とサドとのあいだが一時険悪になったらしいことが記されているのである。しかし、いつ頃からか、二人の仲は丸くおさまったもののようで、サドはもっぱらマドレーヌを相手に、将来自分が釈放されたら、マドレーヌとケネー夫人と自分との三人で新家庭を営みたいという、夢のような希望を楽しげに語り出すようになる。ケネー夫人はともかくとして、マドレーヌも、また彼女の母親も、この計画には異存がなかったはずである。が、このあまりにも夢のような計画は、ついに永久に実現されることがなかった。近づく死の手が、突然、甘い希望を無慈悲に叩きつぶしてしまったからである。

一八一四年十一月二十七日（死の五日前）の項には、次のような記述がある。

「マドレーヌ、九十六回目の来訪。私が自分の身体の痛みをくわしく話して聞かせると、彼女はとても心配そうな様子を見せる。そして、どこの舞踏会にも決して行かないと約束してくれる。それから将来のことを話す。来月十九日には、彼女、十八歳になると言う。いつものように、私たちのささやかな遊びに耽る。来週の日曜日か月曜日に、彼女はまた来ると約束する。そして私が彼女のためにしてやったことについて、お礼を述べる。私を裏切ってもいないし、裏切るつもりもないことを彼女は示してくれた。彼女は二時間いた。私は非常に満足だった。」

すでに半月ほど前から、老人は身体に原因不明の激痛をおぼえるようになっていたのである。このマドレーヌの最後の来訪となった十一月二十七日から三日後、「十一月三十日、初めて革の脱腸帯をしてもらう」という短かい記述によって、侯爵の日記はぷつりと断ち切られている。死んだのは十二月二日、午後十時頃であった。「来週の日曜日か月曜日（十二月四日）にまた来る」と約束したマドレーヌは、この突然の死によって、思いもかけず、二度とふたたび侯爵と会うことができなくなってしまった。……

これまでサドの死因は、ルラック・デュ・モーパの診断による「壊疽性衰弱熱」とか、あるいはラモン医師の診断による「喘息性肺栓塞」とかいった、近代病理学では何とも解釈しがたい、わけの分らぬ病名によってのみ知られていたのに、この日記の最後に出てくる「革の脱腸帯」という記述によって、少なくともサドが、下腹部あるいは睾丸に痛みを感じていたのであろう、ということだけは明らかになった。ジョルジュ・ドーマの推測によると、死因は癌か、嵌頓性(かんとんせい)のヘルニアか、もしくは腸閉塞ではあるまいか、ということである。この点については、なお専門家の意見を俟たねばならぬであろう。

*

ジョルジュ・ドーマの刊行したサド侯爵の未発表日記には、もう一つ、補遺として、当時の内務省の秘密調査に関係したイポリット・ド・コランという者の書いた、シャラントン精神病院における精神病治療の方法についての意見書(一八一二年)なるものが併録されている。これも初めて陽の目を見たもので、サド個人の晩年の病院生活を知る上にも、あるいは当時のフランスの代表的な精神病院の実態を知る上にも、きわめて貴重なドキュメントとなっている。

世界的な成功をおさめたペーター・ヴァイスの戯曲によって、サドがシャラントンの病院で精神病患者たちの劇団を組織し、みずからその台本を書き、その演出に当ったということが、あたかも史実であるかのごとくに流布されるにいたった。またジルベール・レリーの伝記においても、精神病治療のための精神療法としての芝居という観点から、進歩的な院長が患者たちの劇団活動を援助した、ということになっていて、レリーはこの演劇活動に積極的な意味を認めているようである。これらはむろん、史実と完全に背反するというわけではないが、細かなニュアンスとしてはやはり違っていることを認めなければならぬであろう。イポリット・ド・コランの証言によると、まず第一に、サドが書いた戯曲は、単なる院長の誕生日のためのお祝いの芝居だったし、それに出演した役者は、素人の精神病患者などではなくて、パリの芝居小屋から駆り集めてきた、売れない俳優が大部分だったのである。患者たちは芝居には全く参加していなくて、ただ恢復期にある患者や、おとなしい憂鬱病の患者だけが、観客席に坐ることを許されていた。兇暴性のある患者や白痴などには、芝居見物は許されなかった。観客のほとんどすべては、院長が招待した上流階級の貴婦人で、彼女たちは、観客席の一部に坐っている患者たちを、気味悪そうにじろじろ眺めるのだった。彼らは要するに見世物だったのである。

——こうしてみると、精神病治療のための精神療法としての芝居などという観点は、後世人が勝手につくりあげた、実態にそぐわない、全くの虚像でしかなかったということになる。当時の精神病院には、それだけ進んだ治療法の観念などは、あり得べくもなかったのだろう。

しかしイポリット・ド・コランの報告が私たちを驚かすのは、そんなことよりも、むしろ当時の精神病院の設備の悪さと、患者に対する病院側の態度の、想像を絶した苛酷さであろう。ミシェル・フーコーが多くの著作のなかで、これまで隠蔽されていた、人間文化と狂気との関係を明らかにする仕事を精力的に推し進めているが、この新発見の資料もまた、それらと同じ認識の光のもとに私たちを導き入れる役割を果たすであろう。

「患者たちはほとんどすべて藁の上に、掛蒲団もなしに寝るのだった」とコランは書いている、

「いたるところに不潔が支配していた。壁は汚れ、何年も前からの汚物で覆われていた。患者たちの発散する悪臭と、便所からの臭気とで、堪えがたい空気があたりに充満していた……」

浴室では、もっぱら懲罰のために、「不意打のシャワー」と称して、激しい勢いで冷水のシャワーを患者たちに浴びせかけることが行われていたらしい。「衝撃のために、しばしば呼吸が止まるほどだった」という。本来ならば、病人の精神や神経を慰撫するために行われるべきはずのシャワーが、ここでは、一種の水の拷問として利用されていたわけである。

『精神疾患と心理学』（一九五四年）のなかで、ミシェル・フーコーが次のように述べている。

「これらの病院は医学的使命を全くもっていない。つまり病院で看護を受けるために入院を許されるのではなく、入院するのは、もはや社会の一員であることができないか、その見込みがないからなのである。古典主義時代において、他の多くの人々とともに狂人がとらえられた監禁という事実においては、狂気と疾患との関係が問題にされているわけではなく、社会とそれ自体、つまり、社会が個人の行為において認めること、および認めないこと、との関係が問題なのである。」

「監禁状態に置かれた狂気は、新らしい、奇妙な親戚関係を結んだ。この排他的空間は、狂人、性病患者、自由思想家、多くの成年あるいは未成年の罪人を一群としてまとめたのであるが、一種曖昧な同一視を惹き起した。つまり、狂気は道徳的、社会的罪悪と、ほとんど断ちがたい親戚関係を結んだのである。」

十八世紀の末から十九世紀の初頭にかけて、サドは政体が変るごとに、ソーミュール、ピエール・アンシーズ、ミオラン、ヴァンセンヌ、バスティーユ、シャラントン、サント・ペラジー、ビセートルなど、十指にあまる牢獄から牢獄を経めぐり、通算して三十年に近い幽囚生活を送ることを余儀なくされたのである。しかしながら、よくよく考えてみると、いったいなぜ、サドがそれほど長い期間を監禁されていなければならなかったのかという理由は、きわめて曖昧になってくる。何人かの情婦をもったためか？　乞食女を鞭打ったためか？　娼婦に媚薬を飲ませたためか？　義妹を誘惑したためか？　馬鹿馬鹿しい話だ。そんなことは、封建時代の道楽者の大貴族たちの日常茶飯事ではないか。もっとはるかに残酷なこと、たとえば、女を狩の獲物のように弓矢で追いつめて、火にかけて炙ることを趣味としていたような道楽者の大貴族だって、この時代には、さして珍らしくはなかったのである。第一、サドは人間を一人も殺してはいないのである。

といっても、女を痛めつけることなどは、べつに社会にとって危険なことでも何でもありはしない。サドにおいて、社会が発見した罪なるものは、おそらく、「仮借ない論理」という名の罪だったのである。すべてを明からさまに言うことは、いつの時代においても罪だったのである。十八世紀は理性の時代と呼ばれるが、誰がサドのように、その論理を極限まで、止まるところなく徹底的に推し進めたろうか。ヴォルテールは宗教を破壊したが、神を温存した。ジャン・ジャックは社会を告発したが、自然人と「善良な野蛮人」の神話をでっちあげた。ラ・

メトリは人間を機械に還元したが、モラルを棄て切れなかった。こうした弱さに由来する桎梏（しっこく）をことごとく取り払い、仮借ない論理の歯車を極限にまで廻転させたのがサドであった。そして自由の恐怖、自由の目くるめく深淵をのぞいたのである。

むろん、軽佻浮薄な伊達男でしかなかった青年時代のサドが、そういうことをすべて意識していたわけではなかろう。すべてを言う権利を失うくらいならば、むしろ牢獄を選ぼう、という殉教者の気概が青年サドにあったわけではない。しかし結果として、彼は牢獄を選んでしまったのである。バスティーユの重い扉が目の前で閉まったとき、真のサド侯爵が誕生したのだった。おそらく、サドはこのとき、すべてを言う特権、自由の恐怖に酔う特権が、じつは牢獄のなかにしかないことを無意識のうちに覚ったのである。

こうして、彼は死ぬまで有罪の立場を選ばざるを得ないことになった。「すべてを明からさまに言う」という単純なことが、いかに体制にとって恐怖すべきことであったかは、サドの数々の受難の歴史を振り返ってみれば一目瞭然であろう。すなわち、王の体制下では、サドは風俗壊乱罪の犯人であった。革命政権のもとでは、彼は穏健主義者であった。そして執政政治および第一帝政下では、彼は精神病院に閉じこめられるべき狂人であった。自分の身に禍いの降りかかってこないような文章を、じつにサドは一行も書かなかったのである。逆説的に言うならば（いや、決して逆説ではあるまい）、彼はみずからの理性によって監禁されたのである！

理性を突破する理性は狂気と見なされる。「理性の時代」に有罪宣告を受けた理性の人、

——それが文学者としてのサドである。このあたりの事情は、彼が殺人の弁護をしながら、しかも死刑に対して断乎たる反対の立場を表明したというようなことからも、あるいは容易に推測されるかもしれない。

ザッヘル・マゾッホ
——あるエピソード

レオポルド・フォン・ザッヘル・マゾッホの死後、彼の最初の妻であったワンダ（本名はオーロラ・リューメリン）の書いた『告白録』は、筆者がどこまで包み隠さず真実をさらけ出しているかについて、とかく疑いをもたれるような内容の書物ではあるが、いずれにせよ独特な契約結婚なるものを十年以上もつづけた異常な夫婦のドキュメントとして、また、十九世紀末の国際的な作家の私生活や交際範囲を知る上にも、幾多の興味ぶかい事実を私たちに提供してくれる書物であることに変りはない。この『告白録』のなかで、とくに私の興味を惹いた、あるエピソードを次に御紹介することから始めたいと思う。それは、私がこれまでに何度か書いたことのある、バヴァリアの狂王ルドヴィヒ二世と思われる謎の人物と、マゾッホ夫妻とのあいだに行われた不思議な交渉に関するエピソードである。

一八七七年十一月の初め、当時オーストリアのグラーツに住んでいたザッヘル・マゾッホのもとに、次のような短かい文面の手紙が舞いこんだ。

「君の裡なる《新らしきプラトン》はいまだ死なずや？　君の心には、愛には愛を報いるの用意ありや？　もし君の望みの偽りでなければ、君は求むるものを得たことになろう。君のものたらんが故に、君のものなる、

アナトール。」

手紙はイシュルから来ていたが、ザルツブルグで局留めになっていた形跡がある。品のある見事な筆跡であるが、男の字か女の字かは分らない。差出人の署名の「アナトール」というのは、それより七年前に出版されたマゾッホの小説『プラトンの愛』に出てくる登場人物の名前であり、文中にも「新らしきプラトン」という言葉が出てくるから、この手紙の筆者がマゾッホの小説の愛読者で、手紙が一種のファン・レターであることは間違いなかろう。ちなみに、『プラトンの愛』という中篇小説は、享楽的な男装の娼婦アナトールと、彼女を男として愛する同性愛者ヘンリックとの交渉を描いた書簡体小説である。ヘンリックは、男女間の恋愛には必ずエゴイズムの影がさすもので、男同士の友情こそ最も純粋な、最も精神的なものだという信念の持主なのであった。——そう思って読むならば、この男女不詳の未知なる人物からの手紙が、一種の求愛の手紙でもあり、しかも同性愛の相手を求める手紙でもあることは明瞭であろう。

この謎のような手紙を受け取って、マゾッホは大いに好奇心を刺激されたらしい。といっても、彼には同性愛の趣味は全くないので、相手が女性であることを期待しつつ、かなり熱心な返事を書いたのである。すると、アナトールからも矢継早に返事がくる。二人は短かい期間に頻々と文通した。奇妙なのは、アナトールの手紙の発信地がいつも違っていて、ザルツブルグ、ウィーン、パリ、ブリュッセル、あるいはロンドンなどと、ヨーロッパ中の諸都市を転々とすることであった。明らかに、アナトールは自分の身分を知られることを怖れているのであり、文通による精神的な、いわゆるプラトン的な友情だけを求めていたらしいのである。しかし、マゾッホの方は違っていた。彼は、これまでにもファン・レターをもらった経験はたびたびあったけれども、これほど熱烈な、これほど長文の、これほど文学的な修辞や表現にすぐれた、これほど教養ありげな筆蹟で書かれた手紙をもらったことは初めてだったので、てっきり相手が身分の高い、いかにも自分の好みにぴったりの、欲求不満に悩む女王然とした、たとえばポンパドゥール夫人とか、マリア・テレジアとか、エカテリーナ女王とかいった種類の貴族の女、あるいはローラ・モンテスのような、ヨーロッパを跨にかけて歩く国際的な高級娼婦ではあるまいか、と勝手に想像を逞しくし、できれば現実の彼女の前に拝跪(はいき)したい、と考えていたらしいのである。

やがてマゾッホの側からの強い希望にとうとう負けて、アナトールは会見の場所を指定してきた。しかも、いろいろな細かい条件がついている。まず、場所はミュルツ河畔の小都会ブルックで、マゾッホは指定の時間に汽車に乗り、指定のホテル・ベルナウエルに部屋をとる。部屋はカーテンをぴったり閉めて真暗にしておき、マゾッホは目かくしをして待っていなければならない。そして深夜の十二時に、ドアを三回ノックする音が聞えたら、三回目のノックの時に「どうぞ」と言う。ただし、椅子を離れて動いてはいけない。――こうした細かな条件が、いかにも世間の目を憚かる貴婦人の慎み深さ、あるいは気むずかしさを表わしているように思われて、マゾッホはいよいよ相手を女だと思いこんでしまったのである。

かくてマゾッホがブルックの町へ出かけたのは、最初の手紙を受け取ってから約二ヵ月後の一八七八年一月十三日、おそろしく寒い冬の一日であった。彼は言われた通り、ホテルに部屋をとった。十二時より大分前に、ホテルのボーイがアナトールからの手紙を届けにきた。三枚の紙に余白もなくびっしり書かれた手紙で、ようやくお目にかかれるかと思うと、嬉しいような怖ろしいような気持でいっぱいだ、といったような意味のことが綿々と書きつらねてある。十二時が近づくと、マゾッホは期待に胸を躍らせて、カーテンを閉めきり、目かくしをして、全身の神経を緊張させて待っていた。

時計が十二時を打ち終ると、階段をのぼってくる足音が聞えた。足音は、マゾッホのいる部屋の方へ近づいてくる。しかし明らかに男の足音である。マゾッホは、またボーイが手紙を届けにきたのだろうと思って、目かくしを外そうとした。そのとき、用心ぶかくドアを三回ノックする音が聞えた。「どうぞ」と彼は震える声で言った。入ってきたのは、やはり男であった。マゾッホの失望は大きかった。

それから二人はソファーに並んで腰をおろして、会話をはじめた。「あなたは女がくることを期待していたのではありませんか」と男がきれいな声で言った。マゾッホは失望をかくして、すばやく平静を取りもどすと、相手が自分の望んだような女でないならば、せめて「ギリシア人」の役を振り当ててやろう、と心中ひそかに計算をめぐらしていた。「ギリシア人」というのは、マゾッホの気に入りの男女三人の愛戯を成立せしめる、三番目の男のことである。アナトールはそれほど若くはないが、マゾッホよりはずっと若く、背もマゾッホよりは高いようであった。巧みな弁舌によって、マゾッホは自分の妻がいかに美しく、いかに魅力があるかということを力説し、この男にワンダに対する興味をもたせようと努力した。しかし男の方は、もっぱら精神的な、プラトニックな友情のことを話題にするのみで、その躊躇いがちに告白するところでは、まだ一度も女性に接したことがない、というのであった。結局、二人の考えていたことがあまりにも違っていたので、このときの会見は、互いに不得要領のままに終ったようである。別れるとき、男はマゾッホの手に熱い接吻をしたが、これにはマゾッホも驚かされたにちがいない。

その後は、ふたたび手紙のやりとりが繰り返された。マゾッホは、どうしてもアナトールを理想的な「ギリシア人」にしたいらしく、ワンダにも協力させて、家族ぐるみの交際を相手に呼びかけたりする。夫婦や息子の写真を相手に送るが、むろん、アナトールの方からは写真など送ってこない。ただ純粋な男同士の愛情を訴える、切々たる手紙が毎日のように届くだけである。この生真面目な相手に、マゾッホ夫妻の方は、いくらかうんざりしはじめたらしい。そんなとき、アナトールからの観劇の招待があった。グラーツのタリア劇場に一家揃ってきてほしい、桟敷に坐っているあなたがた一家の幸福そうな姿を、自分はこっそり遠くから眺めていたい、という手紙が添えられている。

マゾッホ夫妻は四歳の息子アレクサンダーを連れて、盛装して劇場へ出かけた。自分の存在には気づかれないようにして、ただ相手の姿を心ゆくまで観察していたいというとき、劇場はまことに打ってつけの場所である。どこかからアナトールに見られているということを意識しながら、マゾッホ夫妻は落着かない思いで桟敷にじっと坐っているよりほかなかった。それはかなり肩の凝ることであったらしく、ワンダはようやく芝居が終って解放されたとき、ほっとしたと告白している。

その翌日、またアナトールから手紙がきて、今晩、ホテル・エレファントの食堂で待っていてほしいという申し出であった。指定の場所で夫妻が待っていると、やがてボーイが迎えにきた。そのとき、マゾッホの強い勧めで、今度はワンダが一人で、アナトールの待っているホテルの一室へ、ボーイに案内されて行ったのである。ワンダの書いているところによると、彼女は莫迦莫迦しい遊びに決着をつけるつもりだった。もういい加減うんざりしていたのである。ボーイに案内されたホテルの一室は、やはり真暗だった。彼女はアナトールに手を取られて、室内へ導かれ、ソファーに並んで腰をおろした。アナトールの声は、子供の声のように甲高かった。そればかりか、近くに並んで坐ってみると、アナトールはワンダよりもはるかに背が小さく、暗闇のなかでも、彼が明らかに傴僂の畸形であることが分るのだった。前にマゾッホがブルックのホテルで会った背の高い相手とは、たしかに別人にちがいない。だまされた、と思ったワンダは、すぐに憤然として夫の待っている食堂に引き返した。そして夫にすべてを話し、その日のうちに、厳重な抗議の手紙をアナトールに送った。

その翌日、マゾッホ一家が自宅で朝食をしていると、玄関で呼び鈴が鳴った。取次ぎに出た女中が手紙をもってきて、お客様が外で返事を待っていると言う。手紙は昨日の畸形児からのもので、ぜひ奥様一人だけとお目にかかりたい、と書いてある。ワンダは仕方なく、自分の私室に彼を迎え入れた。赤味がかった金髪の、蒼白い悲しげな顔をした青年であった。青年は感情の昂ぶりを抑えられず、全身を震わせながら、哀願するような、おどおどした眼でワンダを見あげた。ワンダはすっかり可哀想になって、青年の前に走り寄ると、その両手をやさしく握ってやった。小さな畸形児は膝まずくと、その顔をワンダのスカートに埋めて、激しい嗚咽をこらえ出した。その金髪の頭を、ワンダが撫でてやった。

やがて青年が顔をあげて、涙ながらに言うことには、「もう今日で永久にお別れするつもりなので、もう一度、今晩、御夫妻で国立劇場へ来ていただけまいか。そして芝居が終ったら、大聖堂(カテドラル)の壁の前に馬車をとめて待っているから、そこで最後の握手を交したい」というのであった。

芝居がはねてから、マゾッホ夫妻がグラーツ市の大聖堂の付近に行くと、果して、暗がりに一台の馬車がとまっていた。そして夫妻が近づくと、馬車の窓があいて、仮装舞踏会用の黒ビロードの仮面をかぶった顔が現われ、二本の腕が差し出された。それは長い逞ましい男の腕で、あの畸形児の子供のような腕ではあり得なかった。仮面の男は、まずマゾッホの手に長い接吻をし、それからワンダの手にも熱い唇を押しつけた。次いで、ふたたび顔がひっこみ、窓が閉ざされ、馬車は静かに動き出した。その間、誰も口をきく者はなかった。馬車が闇のなかに消えてしまうまで、マゾッホ夫婦はそこに茫然と立ちすくんでいた。……

以上で、アナトールと名乗る謎の人物とマゾッホ夫妻、それに最後に加わった畸形児とのあいだの交渉は、完全に終止符を打たれることになる。ただ、ワンダの『告白録』には、そのあとに後日譚めいた注目すべきエピソードが語られているので、それをも次に引用しておかねばならぬ。

アナトールとしばしば文通していた年から約三年後の一八八一年の夏、マゾッホ夫妻は、バヴァリアのパッサウの近くのホイバッハというところへ避暑に行き、その地でグランダウアー博士という人物と識り合った。博士はもと医者だったが、その当時はミュンヘンの宮廷劇場の支配人で、芸術に理解があり、きわめて学殖豊かな人物だったから、マゾッホ夫妻とよく話が合った。ある日、三人で芸術論をしているうちに、話がバヴァリアの王ルドヴィヒ二世の人柄のことに移って行った。博士は、この名高いワグナーのパトロンである芸術愛好家の王が、孤独を好み、女を遠ざけ、ひたすら理想的生活に憧れつつ、現在ではもっぱら築城にのみ情熱を燃やしているという、極端な病的傾向の持主であるという話をして聞かせた。聞いているうちに、マゾッホ夫妻は思わず目と目を見合わせ、アナトールという名前が口まで出そうになった。そこで、博士がちょっと口をつぐんだとき、ワンダが何食わぬ顔をして質問した。「噂によりますと、王様のお友達で、畸形の方がいらっしゃるとかいうことですが？……」「ああ、それはたぶん、オランダ王の御長男のアレクサンデル王子のことでしょう」と博士は言下に答えた、「お気の毒な方です……」

ずっと後になって、ワンダはパリで暮らしていた頃、このオランダのヴィレム三世の長男、アレクサンデル王子の噂をふたたび耳にする機会をもったという。彼は、パリでは「レモン王子」という渾名(おそらく顔の色が黄色かったのであろう)で呼ばれ、全く孤独な生活を送ることを余儀なくされていた。その肉体的欠陥のため、王位には到底つけないものと判断されて、周囲の者すべてから、冷たい目で見られていたからである。王子は一八八四年、三十三歳の若さで死んだ。その二年後に、バヴァリアの狂王も王位を剝奪され、精神錯乱者として幽閉生活中、一夜、シュタルンベルク湖に溺れて死んだ。こちらは享年四十一歳である。

*

ザッヘル・マゾッホとルドヴィヒ二世との交渉が、果して『告白録』の著者の推定するように事実であったか否かは、たとえば一八七八年一月十三日の夜、バヴァリアの王がどこにいたかを資料によって調べることが可能であるならば、ただちに決着のつくことではあろう。しかし、私のひそかに想像するのに、お気に入りの俳優エミール・ローデやヨーゼフ・カインツらとともに、しばしばスイスその他の地方をお忍びで放浪することを好んだという王は、そのクロニックに幾つもの大きな空白の部分を残したまま、生涯を終えたのではなかったろうか。一八七七年の秋といえば、王がバイロイトにワグナーを訪ね、音楽家とともに『ニーベルンゲンの指環』の総稽古に列席したという、あの記念すべき年の約一年後である。チャップマン・ヒユーストンの伝記によれば、この年の九月には、王は少なくともリンダーホフの城に滞在していたということが明らかになっているが、その後のことは一切不明である。王の厭人癖がだんだん激しくなるとともに、大臣や政府首脳との連絡も、もっぱら王の直属の召使（一八七八年当時から以後はアルフォンス・ウェルカーという男だった）がこれを行っていたというから、不明の部分が多くなるのも当然というべきだったろう。

フランス構造主義哲学界におけるマゾッホ復活の口火を切ったと称せられる、ジル・ドルーズの『ザッヘル・マゾッホ紹介』（一九六七年）にも、しかし、このワンダの『告白録』のなかのルドヴィヒ二世に関するエピソードは、批判なしに資料として引用されているほどだから、私たちとしては、その信憑性を軽々しく否定し去ることは少なくともできまい。

マゾッホとルドヴィヒ二世との奇妙な神秘的な繋がりを、私がとくに面白く思うのは、この二人の名前が、十九世紀末の西ヨーロッパのある特徴的な雰囲気を、最も色濃く象徴しているような気がしてならないからである。申すまでもなく、それはエロティシズムと性的倒錯の雰囲気である。時代はやや下るが、あのマイヤーリングの悲劇として有名な心中事件の張本人、ハプスブルグ一家のルドルフ王子の名前をも、これに付け加えてよいかもしれない。

マゾッホはウィーンに長く住んだわけではないが、彼の知的活動の中心ともなった文化都市は、やはり当時のウィーンであったにちがいない。世紀末のウィーンの頽廃、悪徳、ノスタルジー、ハプスブルグ王朝治下のオーストリア・ハンガリー帝国のコスモポリタニズムについては、すでに多く語られており、ここで私が繰り返すまでもあるまいが、いささか視角を変えて、ザッヘル・マゾッホが小説家としてデビューしたちょうどその頃、クラフト・エビングがウィーン大学で講義をはじめ、ジクムント・フロイトがウィーン大学に入学し、アルフレッド・アドラーがこの町で生まれているという年代記的事実を思い返してみるのも悪くはなかろう。アドラーの十年後には、さらにオットー・ワイニンガーが生まれている。ウィーンは、十九世紀末にその基礎の置かれた性科学の発祥の地でもあり、またサディズムと並ぶ性の力学がその名を仰ぐところの小説家と、きわめて縁の深い都市でもあったのだ。

＊

次に、マゾッホの生涯をごく簡単に跡づけてみよう。

いま、私の目の前に、マゾッホ関係の伝記や評論が十冊ばかり積み重ねてあるが、驚くべきことには、マゾッホの生まれた年が、それぞれの著者によって甚だしく食い違っているのである。さきほど名前をあげたジル・ドルーズは一八三五年、フランソワズ・ドーボンヌおよび英国の伝記作者ジェイムス・クルーグは一八三六年、精神分析学者S・ナハトは一八三七年、そしてジョルジュ・ポール・ヴィラは（呆れたことに！）『醜の美学』の序文では一八三八年、仏訳『マゾッホ作品集』全三巻の序文では一八三六年という具合に、二様の説を採択している始末なのである。要するに、一八三五年から一八三八年まで、四年の開きがあるわけであって、果していずれが正しいマゾッホの生年であるか、私には何とも決定いたしかねるとしか言いようがない。ただ、すべてのマゾッホの伝記が依拠しなければならない根本資料としては、彼の生前の秘書であったシュリヒテグロールの書いたものと、彼の最初の妻であったワンダの『告白録』しか残っていないので、ここでは、シュリヒテグロールの一八三六年説というのを、一応、最も妥当なものとして挙げておこう。

それはともかく、レオポルド・フォン・ザッヘル・マゾッホは、旧オーストリア・ハンガリー帝国内のガリシア地方の政庁所在地レンベルク（現在のリヴォフ）に生まれた。先祖はスラヴ系、スペイン系、あるいはボヘミア系と言われるが、はっきりしない。自分では、好んで先祖はスペイン貴族だと語っていた。

父はレンベルクの警察署長であった。そのためか、レオポルドは少年時代から、農民一揆を弾圧する帝国官憲の血なまぐさい暴力行為を見慣れており、それが彼の精神生活にあたえた影響は大きかったと言われる。「ガリシア農民蜂起」と言えば、史上有名である。後年、レオポルドは民族問題や革命運動や、農民一揆や共営農場や、あるいは汎スラヴ主義の問題などに興味をもつようになり、その初期の民話風な作品『ガリシア物語』『ユダヤ物語』『ハンガリア物語』などにも、そうした思想を反映させるが、政治的な実践活動にはついに一度も参加しなかった。彼の尊敬する作家は、ゲーテとともにプーシキンであり、レールモントフであった。彼自身は「小ロシアのトゥルゲーネフ」と呼ばれたことがある。

父の転任とともに、レンベルクからプラハへ移り、さらにプラハから一八五三年、オーストリア第二の都会グラーツに移った。プラハおよびグラーツの大学で法律と歴史を学び、きわめて短期間に試験を通って、一八五六年には、わずか二十歳でグラーツ大学の助手となった。最初の著書は歴史の論文『皇帝カルル五世治下におけるガンの反乱』（一八五六年）である。学界の反響は冷たかった。

やがてレオポルドは、歴史から歴史小説へ、さらに歴史小説から恋愛小説へという風に、執筆活動の領域を拡げて行き、急速に作家としての声名を高めて行った。彼の初期の小説の一つ『離婚した女』（一八七〇年）は、アメリカにまで非常な反響を呼んだ。『毛皮を着たウェヌス』（一八七三年）は最も評判になり、その主人公の男女ゼヴェリンとワンダは、のちに斯道のバーの名前やプロスティテュートの源氏名にまで用いられるようになった。

マゾッホの文名は、まずドイツ、次いでオーストリアで確立したが、やがてフランスの有名出版社でも、その作品を次々に刊行するようになった。パスカル・ピアの意見によると、当時、フランスの出版社は、いわゆる「マゾヒスティック」なマゾッホの作品は用心ぶかくこれを避けて、民話風なエキゾティックな作品のみを刊行していたから、検閲にもひっかからずに無事に通っていたのだという。一方、ジル・ドルーズの意見によると、当時は検閲の観念がまるで違っていて、たとえばマゾッホの場合におけるように、歴史とフォークロアと神秘主義とエロティックとナショナルなものとが渾然一体となっているような言葉で語る作家は、検閲の対象にはなり得なかったのだという。マゾッホはあくまで民話作家、歴史小説作家であって、その作品のエロティックな性格に気づくような者は、ほとんど一人もいなかったのだという。

実際、マゾッホのどの作品を見ても、きわどい官能的な描写だとか、ポルノグラフィックな表現だとかいったようなものは、まず一ヵ所もないことに気がつくだろう。彼は自分をモラリストだと信じていたし、繊細な審美家だと信じていた。

だから、クラフト・エビングが『性の精神病理学』のなかで、はじめてマゾヒズムなるものの概念を明らかにし、このいわゆる性的倒錯を言葉で表わすために、まだ生存中のザッヘル・マゾッホの名前を利用したとき、マゾッホ自身はこれを喜ばなかった。彼は、自分の性的傾向を病気だと思ったことも、恥辱だと思ったことも一度もなかったからである。たしかに、病名のないところに病気はなかったのである。

マゾッホは破廉恥な後暗い作家であるどころか、生存中は有名な、尊敬された作家でさえあった。その点が、サド侯爵と全く違うところであろう。一八八三年、彼の文筆活動二十五年の祝賀の際には、当時の世界各国の有名人たち、ユゴー、ゾラ、デュマ・フィス、サン・サーンス、イプセン、ビョルンソン、パストゥール、ドーデ、グノー、フランソワ・コッペなどが、それぞれ彼に祝辞を寄せたのである。また一八八六年には、はじめてパリを訪れて文壇人の大歓迎を受け、「フィガロ」や「両世界評論」に記事が載り、当時の陸軍大臣ブーランジェ将軍に面会する栄に浴したばかりか、レジョン・ドヌール勲章まで受領しているのだ。

そういう公的な名誉とは別に、マゾッホの性的奇癖なるものも、ひろく知れ渡っているのは事実であろう。彼はみずから熊になって、狩人に追いまわされる遊びを好んだし、屈辱や罰を受けることを好んだ。毛皮を着、鞭を手にした驕慢な貴族的な女から、生ま生ましい肉体的苦痛を受けることをさえ好んだ。召使や奴隷に扮装し、こうした女たちの前に拝跪することをも好んだ。鞭と毛皮こそ、マゾッホ文学の千篇一律の小道具であり、フェティッシュであった。また、自分の女を他の男の腕にゆだねて、それを眺めていることを好んだ。独特な「契約結婚」なるものも、要するに、自分がつねに女の奴隷の地位にいたいという、彼の永遠の願いから発したところの工夫にほかなるまい。

さらに彼には、自分の体験を小説にし、またその小説を追体験したいという、現実と虚構の同化を目ざすような傾向があった。『離婚した女』は、夫と子供を棄ててマゾッホのもとに来た、アンナ・フォン・コトヴィッツとの最初の情事を下敷にしたものであり、『毛皮を着たウェヌス』は、みずからボグダノフ男爵夫人と称したファニー・フォン・ピストールとの、最初の契約結婚を下敷にしたものである。やがてオーロラ・リューメリンが、『毛皮を着たウェヌス』の女主人公ワンダの名を名乗って、マゾッホの前に立ち現われると、このワンダを相手に彼はふたたび契約結婚を実現し、自分が書いた小説の世界を追体験しようとする。一八七三年、彼はワンダと正式に結婚する。

しかしマゾッホは、つねに裏切られる。その幻想世界は、つねに破綻を生じる。すなわち、彼は夫婦のあいだに、彼が「ギリシア人」と呼ぶところの三番目の男を、どうしても導入しなくては気がすまないのだ。すでにコトヴィッツ夫人とのあいだの関係で失敗し、ファニーとのあいだの契約でも、この「ギリシア人」のために、彼は煮え湯を呑まされているのである。女はマゾッホの共犯者になるよりは、むしろ三番目の男の愛人になって、マゾッホのもとを去って行く方を選ぶものらしかった。

本稿の前半にくわしく紹介した、バヴァリア王との奇妙な交渉も、ワンダと「ギリシア人」とを接近させようとする、マゾッホの苦心の顚末より以外の何物でもあるまい。ただ、ここでは、登場人物が四人になって互いに交錯したり、ホテルからホテルへと会見の場所を移したり、目かくしをつけたり仮面をかぶったりすることによって、道具立てが一層派手になり、一層神秘めかされているということはあろう。しかし結局、それも最後にはマゾッホの見果てぬ夢に終るのである。

一八八一年、マゾッホはライプツィヒで発刊された国際文芸雑誌「頂上にて」の編集長に迎えられる。パリ、ロンドン、ウィーン、ベルリン、ローマ、アテネ、コペンハーゲン、ローザンヌ、プラハ、ブダペストにそれぞれ支所を置き、寄稿者にドストエフスキー、ユゴー、ドーデなどの大家をかかえていた「頂上にて」は、まさに国際雑誌の名に値していたと言えるだろう。この雑誌が数年後に経営難に陥るとともに、しかし、マゾッホとワンダのあいだも、あたかも宿命によるかのように次第に疎遠になって行くのである。ワンダの前に現われたのは、雑誌に資金を提供しようという触れこみでやってきた、ジャック・アルマンなる筆名で活躍しているジャーナリスト、ローゼンタールであった。これは「ギリシア人」ではなくて、正真正銘のマゾッホのライヴァルである。ところで、マゾッホの方もこの頃、同じ雑誌に関係していた若い女性編集者、フルダ・マイスターと愛し合うようになっていたというから、まことに不思議な偶然である。かつて契約結婚をした夫婦は、今はむしろ、さばさばした気持で別れられるような心境になっていたらしい。

かくてマゾッホがフルダと結婚したのは、一八八七年である。フランクフルトの北の、ヘッセン大公領の小さな町、リンドハイムというところへ引っこんで、一八九五年に五十九歳で死ぬまで、マゾッホは若い妻と平穏無事に暮らす。晩年には、文壇からも世間からも忘れられ、創作力もとみに衰えていたようである。(一説には、マゾッホは晩年に錯乱して、一九〇五年までマンハイムの精神病院で生ける屍になっていたともいう。) むしろマゾッホの名前は、一八八六年にクラフト・エビングが「マゾヒズム」という用語を創始して以来、人間文化の歴史に、確固として揺るぎない地位を得たかの観がある。

『ザッヘル・マゾッホ紹介』のなかで、ジル・ドルーズは、従来の性病理学で使われている曖昧なサド＝マゾヒズムという用語をしりぞけ、この両者の区別をこそ明確にすべきだと主張した。ドルーズの論文は、論旨明快で、まことに面白いが、ここでは、その結論の部分だけを引用するにとどめよう。

「さて、要約してみよう。第一に、サディズムは思弁的・論証的機能であり、マゾヒズムは弁証法的・想像的機能である。第二に、サディズムのなかには否定性と否定とがあり、マゾヒズムのなかには拒否と中止とがある。第三に、前者は量的反復であり、後者は質的未決定である。第四に、サディストに特有なマゾヒズムというものがあり、マゾヒズムに特有なサディズムというものがあって、両者は決して互いに結びつかない。第五に、サディズムには母の否定と父の拡張とがあり、マゾヒズムには母の《拒否》と父の廃絶とがある。第六に、双方の場合においてフェティッシュの役割と意味は反対であるが、幻覚(ファンタスム)のそれは一致する。第七に、サディズムは反審美主義であり、マゾヒズムは審美主義である。第八に、前者は《制度的》方向をめざし、後者は契約的方向を目ざす。第九に、サディズムには超自我と自己同一化とがあり、マゾヒズムには自我と理想化とがある。第十に、両者は脱性化と再性化とにおいて対立する。第十一に、全体を要約すると、サディスティックな無感動(アパシー)とマゾヒスティックな冷淡とは根本的に相異なる。この十一の命題が、サドおよびマゾッホの方法の文学的相異とひとしく、サディズムとマゾヒズムのあいだの相異をも表現しているはずである。」

アンドレ・ブルトン
——シュルレアリスムと錬金術の伝統

パリの街で　向日葵(ひまわり)のように
よろめく　サン・ジャックの塔

右の引用文は、アンドレ・ブルトンの詩集『白髪の拳銃』（一九三二年）のなかの、「警戒」と題された詩の最初の二行である。のちにブルトンは『狂気の愛』（一九三七年）のなかでも、「この孤独な、向日葵のように暗欝な華麗さで立っている」塔、「金属変成の至福千年の夢が緊密に結びついている」塔について、愛惜をこめて語っている。すなわち、パリの街に後期ゴシック様式の威容を誇って今なおそそり立つサン・ジャックの塔のある辺りは、錬金術の歴史と切っても切れない関係にある土地柄なのであり、この塔がかつてその一部をなしていた、サン・ジャック教会の正面玄関を建設した十四世紀の錬金道士ニコラ・フラメルは、ブルトンがつねづね、並み並みならぬ関心を寄せているところの人物だったのである。

ここで、『シュルレアリスム第二宣言』（一九三〇年）をはじめとして、ブルトンの著作にしばしば名前の出てくる、数々の伝説の光輝に取り巻かれた、錬金術の歴史の上で最も興味ぶかい、ニコラ・フラメルという過去の人物の上に、少しばかり照明をあててみたいと思う。

＊

おそらく一三三〇年頃、ニコラ・フラメルは、パリの近くのポントワズという町で生まれている。青春時代の彼については、ラテン語を習ったという以外に、まったく何も知られていない。一三五五年、つまり彼が二十五歳のとき、彼は二人の夫に先立たれたペルネルという未亡人と結婚しているが、このペルネルが先夫から莫大な遺産を受け継いでいたので、彼らの結婚生活はきわめて豊かであった。パリに出て、フラメルはサン・ジャック教会の前に、代書屋の店と本屋の店をひらき、百合の花の形をした看板を掲げて、大いに商売が繁昌していたという。しかし彼の名を一躍有名にしたのは、その信心深い妻とともに行った数々の慈善事業であり、建築事業であった。パリだけでも十四の病院と、三つの礼拝堂と、七つの教会を建設したり修復したりしたというから、いかに彼らの財産の莫大であったかを知ることができよう。

フラメルの建築事業のなかでも、とくに錬金術の歴史の上で名高いのは、彼が一三八九年に建てた、自分の家の正面に位置していたサン・ジャック・ラ・ブーシュリ教会の正面玄関であり、また一四〇七年に建てた聖イノサン墓地の共同納骨堂のアーケードである。(ブルトンの愛惜措く能わざる、現在もなお残存しているゴシック様式の塔は、フラメルの死後、一五〇八年から建てはじめられ、十四年を費して完成したところの、このサン・ジャック・ラ・ブーシュリ教会の鐘楼だったのである。教会堂はフランス革命の際に倒壊したが、フランボワイヤン式の塔だけは難を免かれ、十九世紀の改造を経て、今なお五十二メートルの高さを誇ってパリのマレー地区に立っている。)

さて、この二つの建物の半月形に、フラメルは謎のような象徴的な壁画を描かせたのであるが、当時の一般の意見によると、これこそ金属変成の秘密を寓意によって図解したものであり、後年、錬金術の奥義をきわめんと志す者は、いずれもこの地へ足を運び、あたかもサン・ジャック教会と聖イノサン墓地は、彼らにとっての巡礼の目的地になったかのようであったという。残念ながら、これらの壁画は二つとも現存しないが、多くの学者の議論の的になった、フラメルの著書とされている『聖刻図』のなかに、それらの壁画をそっくりそのまま模したものがある。（『聖刻図』には多くの稿本があり、それらはパリの国立図書館やアルスナル図書館に現在も所蔵されているという。）

　ところで、この『聖刻図』なるものは　フラメル自身の語るところによると、一三五七年、彼が偶然に手に入れた、ユダヤ人アブラハムの手になる、きわめて古いユダヤの原本をみずから複写したもので、フラメルが二十五年間にわたる苦心惨憺（さんたん）の末に、ついに「賢者の石」（卑金属を貴金属に化せしめるための媒介の物質）を発見するにいたったのも、すべてこの、原本にある寓意画を正しく解釈することができたためだった。その原本は「金泥を塗った、非常に古くて大きな書物で、ほかの書物のように羊皮紙ではなく、若い樹の皮の繊維で織ったものであり、表紙はごく薄い銅で、文字や奇妙な形がびっしり彫られていた」という。

　そもそも、ユダヤ人アブラハムとは何者であろうか。十九世紀の魔法道士で、ブルトンもしばしばその名を引用するエリファス・レヴィの意見によると、それは古いユダヤ教の律法博士（ラビ）で、『聖なる知恵』という本も書いているアッシュ・メザレフという者の匿名であるそうだ。

いずれにせよ、ユダヤの秘伝であるカバラの原理と、象徴と隠喩によって世界の秘密を表現するヘルメス学の原理に通暁していなければ、とても歯の立たない書物なのである。だから、フラメルも最初、この書物の内容をなしている神秘的な七枚の寓意画（この寓意画が聖イノサン墓地の壁画に描かれていたわけである）が何を意味するか、さっぱり解らず、妻とともに途方に暮れるばかりであった。しかし、やがて二十一年目の年に、意を決して出立したスペイン巡礼旅行の途次、スペイン北部のレオンの町で、さるユダヤ人の大学者に紹介され、この学者の懇切な教示を得て、カバラとヘルメス学に関する深い知識を積み、何度かにわたる金属変成の実験の末、ようやく原本の絵を正しく解釈する端緒をつかむのである。しかも、この二十五年間に及ぶ寝食を忘れた研究と実験の生活のかげには、忠実な妻ペルネルの熱心な援助があったことを忘れてはなるまい。

ニコラ・フラメルが錬金術の秘密を発見したという評判は、すでに当時から喧伝されていたものらしい。ひとつには、彼の財産があまりに巨大であり、彼の建築事業があまりに大規模かつ派手であったためもあろう。しかし十九世紀の錬金術研究家アルベール・ポワッソンによれば、「フラメルはその生涯の大部分の時期を、錬金術の探求によって過ごし、たしかに錬金術から財源を得ていた」（『十四世紀、錬金術の歴史』一八九三年）のであり、同じく十九世紀の錬金術研究の権威者ルイ・フィギエによれば、「かりにフラメルは錬金術を実行していなかったにしても、民衆に対しては、実行していると信じこませるための最大の努力をしていた」（『錬金術と錬金術師たち』一八六〇年、新版一九七〇年）のである。ともあれ、最初の錬金術の成功者としてのフラメルの名は、十五世紀以後の斯道の学者たちの口から口へ連綿と語り継がれ、次第に伝説によって、大きくふくれあがったかの観があった。そして彼の『聖刻図』の原典である『ユダヤ人アブラハムの書』は、錬金術理論書の最も権威ある古典として、年月とともに、その神秘の光輝をますます高めて行ったのである。

アンドレ・ブルトンは『シュルレアリスム第二宣言』のなかに、この『ユダヤ人アブラハムの書』に出てくる七枚の寓意画のうちの、第一の絵と第四の絵に註として付けられた、ニコラ・フラメルの説明の文章をそのまま引用している。第一の絵の説明文を、次に掲げてみよう。「踵に翼のある靴をはき、二匹の蛇の巻きついた杖を手にした一人の若者が、その杖で、自分の頭にかぶった兜(かぶと)を打っている。この若者を目がけて、巨大な老人が翼をひろげ、空から飛びかかろうとしているが、老人の頭上には一個の砂時計があり、その手には死神の大鎌がある。」

この文章を引用したあとで、ブルトンは、これこそ「まさにシュルレアリスム絵画とは言えないだろうか」などと述べているけれども、じつを申せば、これらの象徴の多くは、べつに珍らしくもない、錬金術では最も普通の形式なのである。蛇の巻きついた杖を手にした青年がメルクリウス（水銀）を表わし、大鎌をもった老人がサトゥルヌス（鉛）を表わすことは一目瞭然であろう。問題はその解釈であって、ここに微妙な違いが出てくるのである。たとえば、前にも引用したアルベール・ポワッソンの解釈によれば、サトゥルヌスは大鎌でメルクリウスの足を切り落そうとしているのであって、これは取りも直さず、水銀の「固定」を象徴するものにほかならない。一方、名著とされる『妖術使、道士、錬金術師の美術館』(一九二九年)を書いたグリヨ・ド・ジヴリの意見によれば、これは塩と硫酸を加えられて、卑しい金属である水銀が「壊死」したことを象徴しているのであり、やがてこの「壊死」から、新らしいメルクリウスが復活するはずなのである。

このような象徴と隠喩の非実用的な理論やら解釈やらを読まされると、読者のなかには、あるいは奇異の念をおぼえられる方もあるのではなかろうか。しかし、そもそもヘルメス学(錬金術)なるものは、単なる化学や冶金学ではないのである。卑金属を貴金属に変えるための、単なる化学的な技術ではないのである。そういう面も含まれているにはちがいないが、さらにその核心に、哲学、倫理、宗教などといった、思弁的な面が伏在しているのである。したがって、この『ユダヤ人アブラハムの書』も、大部分のヘルメス学の理論書と同様、単なる黄金を製するための技術書ではなくて、いわば精神の訓練、精神の修行のための書なのであり、その理論の最も根本的な奥義は、決して言葉によっては表現され得ず、つねに秘密のヴェールによって隠されていなければならないという、いわゆる「秘伝」の形をとらざるを得なくなっているのである。フラメルが「賢者の石」を発見するまでに、いかに熱心に神に祈り、その身を潔く保ち、忠実な伴侶との美しい協力を通して、数々の難関を切り抜けたかということは、そのまま、錬金術師の守らねばならない、きびしい倫理を暗示しているように思われる。

フラメルは一四一七年、八十八歳の高齢で死んだ。妻ペルネルはすでに一三九七年に死んでいたが、彼は聖イノサン墓地の壁画を描かせたときも、中央の半月形のなかに、キリストの足下に膝まずき、聖者に守られた自分と妻の像を配することを忘れなかった。錬金術の思想で注目すべきことは、自然の象徴である女性の役割を、非常に重要視していることであろう。ニコラ・フラメルとペルネルの夫婦愛は、この典型的かつ完璧な例のように思われる。一般に、錬金道士は女性（自然）の足跡を追いながら、徐々に完成に導かれる。彼らはしばしば、寓意によって両性の原型である太陽と月の婚姻を表わした。また錬金術の実験に用いられる竈やレトルトは、子宮の象徴と見なされることもある。かように、グノーシス派の流れを汲むヘルメス学の象徴主義は、すべてエロティシズムの二元論、すなわち、両性の結合の原理によって支配されており、魂と精神の統一、男性的要素と女性的要素との統一が、そこでは何よりも必要とされたのである。

最後に、ニコラ・フラメルは、そのありあまる財産を決して自分一個の利益のために用いず、つねに慈善事業や教会への寄進や、また貧しい画家や職人の福祉のためにのみ使用したということを付け加えておくべきだろう。彼は一種の芸術家の大パトロンで、職人たちに仕事をあたえるために、その建築事業を行っていたのではないか、と思われる節もあるほどだ。

フラメルが死ぬと、サン・ジャック教会の前にあった彼の家は、当時パリにいた多くの錬金術師たちの、宝探しの場所になった。黄金の断片か、あるいは何か不思議な遺品が発見されればしないかという期待に燃えて、彼らは家の中から地下室まで、隈なく探しまわったのである。この宝探しは、フラメルが死んでから百年後、二百年後まで蜿蜒と続けられた。一六二四年、つまりフラメルの死後二百七年目に、カプチン会修士で化学者のパシフィック師という者が、地下室の土を掘り返したところ、酸化した金属物質の詰まった陶土の壺が発見された、という嘘のような話まである。

ブルトンの詩のなかに出てくる「向日葵のようによろめくサン・ジャックの塔」とは、要するに、このような因縁のある、十四世紀以来のヘルメス学の至聖所だったわけだ。

*

私はこれまでに、ニコラ・フラメルの錬金術のさまざまな局面や、それにまつわる伝説を考察の対象としながら、古来のヘルメス学というものが本質的にもっている、幾つかの特質を明らかにしようと努めてきた。すなわち、それはまず第一に、かの聖杯の探求にも似た、「賢者の石」によって象徴される絶対の探求であり、また、それに伴なう極度の倫理的潔癖の姿勢である。さらにまた、錬金術師たちの哲学的象徴主義と現実生活の両面にわたる、顕著な女性崇拝の思想をもこれに付け加えてよいであろう。これらのヘルメス学の特質と、二十世紀におけるシュルレアリスムのそれとが、どのような面において係わり合い、どのような一致点や共通点を見出すかということを、以下に述べて行きたいと思う。

ところで、アンドレ・ブルトンの書いたものを読めば、シュルレアリスム運動の発展が、つねに錬金術的探求と無縁ではなかったということは、私たちにも容易に理解されるにちがいない。よく使われる表現を用いれば、この頑固一徹なシュルレアリスムの「法王」は、好んでカバラやヘルメス学のテキストや、アグリッパやラモン・ルルやエリファス・レヴィなどを引用するのである。ブルトンによれば、マックス・エルンストの「稚気（エスプリ・アンファン）」は「偉大なコルネリウス・アグリッパ」のそれと同じものであったし、ヴォルフガンク・パーレンの絵のなかには、「クリスティアン・ローゼンクロイツの『化学の婚姻』のなかを通り過ぎる鳥、生き返らせる力のある霊鳥の羽」が認められるのだ。

前述のように、『第二宣言』でニコラ・フラメルを引用するにあたっては、ブルトンは論議の余地なく、きわめて明瞭な口調で、「シュルレアリスムの探求は錬金術の探求と、目的において著しく似通っていることに注意せられたい。賢者の石とは、人間の想像力が一切の事物に対して輝かしい復讐をとげることを可能にするものにほかならない」と述べているほどだ。

錬金術が近代科学の母胎であったことは認めるとしても、それは単なる近代科学の未熟な先駆者ではなかったし、いわんや十九世紀以後のブルジョワの生産性の哲学とは何ら関係がなかったのである。「賢者の石の産業化の欲求、私たちは同種の欲求を近頃随所で見るのですが、そしてまた、フラメルに向けられた異議は主にこの問題をめぐっているのですが、こうした欲求は、精神の敗北という事態を惹き起す主要な要因の一つなのです」（「女見者への手紙」一九二九年）

とブルトンは書いている。中世からルネサンス期にかけての、道士（マージュ）と呼ばれる神秘哲学者や魔術師や錬金術師たちのなかに、ブルトンが好んで眺めているものは、シュルレアリスムによって宣言された、あの至高点をめざす努力ときわめてよく似た、ある絶対の探求の姿勢であったと思われるが、それとともに、「精神の敗北という事態を惹き起す」「賢者の石の産業化」を断乎として排せんとする、倫理的潔癖性の要求でもあったと思われる。かくて、かつての魔術師たちの「衣服ならびに魂の輝くばかりに清潔な状態」（『第二宣言』）が、ブルトンによってシュルレアリストたちに要求されることになる。

ブルトンが錬金術に特別な関心をいだいているということは、まず、以上のごときことから明瞭に窺い知れるのであるが、それは——ふたたび繰り返すまでもなく——隠秘学（オカルティズム）に対するディレッタントの知的関心などでは全くなく、シュルレアリスムの精神を萌芽として含んでいるグノーシス（霊的認識）に対する、いわば切迫した、のっぴきならぬ関心からだった。詩的直観のみが、「永遠の神秘のなかに見えない形で見える、超感覚的実在の認識としての、グノーシスの道へ復帰させる糸を私たちに供給する」（『吃水部におけるシュルレアリスム』一九五三年）とブルトンは言う。また、「芸術家はそれぞれ単独で金羊毛の探求をつづけねばならぬ」（『第三宣言』一九四二年）とも言う。こうして、錬金術師を探求へ駆り立てる精神と同じ精神を、ブルトンは弟子たちに要求するのである。

『近代詩と聖なるもの』（一九四五年）のなかで、ジュール・モヌロは、シュルレアリスムとグノーシス派とを比較しているけれども、たしかにブルトンは、あたかも砂漠の苦行僧聖アントワヌのように、隠秘学の神秘主義にたえず誘惑されていたと見てよいだろう。ユングの隠秘学への接近を警告して、「神秘主義の真黒な泥水に対する防壁」を作らなければならない、と言ったのはフロイトであった。『秘法十七番』（一九四五年）のなかで、ブルトンは次のように書いている、「芸術的発見のプロセスは、高等魔術の形式や進歩の方法そのものに従っている」と。ただし、この場合、ブルトンはあくまで慎重に、「高等魔術の形而上学的な野心」をばっさり切り捨てるのである。

ブルトンのいわゆる「至高点」の思想が、西欧の伝統的なヘルメス学の系譜のなかに位置づけ得るものであることを指摘したのは、ミシェル・カルージュ（『アンドレ・ブルトンとシュルレアリスムの基本的思想』一九五〇年）であった。イギリスの魔鏡博士ジョン・ディーやドイツの薔薇十字団員クンラートの唱えた象形文字のモナド、カバラの『壮麗の書(ゾハール)』におけるY（ヨッド）、錬金術師たちの黄金の象徴などは、いずれも神の世界創造の行われる最初の一点を意味している。錬金術の作業のために必要とされる第一物質(プリマ・マテリア)は、パラケルススによれば「幼児たちが持っている」ということであるが、そういえばブルトンの幼児崇拝、未開人崇拝は読者も周知であろう。なるほど、シュルレアリストたちの多くは神の観念を一掃してしまったが、それでも彼らは、あの「一点へ向う存在の漸進的集中」とでもいったものを捨て去ることができなかったのである。形而上学的な野心は捨てたが、超越への志向は保持しておいたのである。ブルトン流の言葉に言い直すならば、この超越への志向は、むしろ「私たちの内部への目くるめく下降」（『第二宣言』）であろう。「シュルレアリスムの理念が目ざすのは、もっぱら私たちの精神の力を全面的に回復することであり、そのために用いられる手段は、私たちの内部への目くるめく下降より以外のものではない」と書くとき、ブルトンはもしかしたら、エリファス・レヴィの錬金術の定義、すなわち「平衡をとる力の存する中心点を手に入れること」（『魔術の歴史』）を思い出していたのではあるまいか。けだし、ブルトンが錬金道士のように、精神の力を蘇らせるために用いる手段は、普遍的無意識の井戸の底へと降りて行くことであった。

ところで、もしシュルレアリスムが二十世紀に復活したグノーシス派だったとすれば、この比較がいちばん妥当性を見出すのは、やはり何と言っても愛の局面においてではあるまいか。ブルトンの諸作品における性本能の讃美、欲望の肯定、情熱恋愛の称揚、世界における女性の役割の強調は、ドニ・ド・ルージュモンが綿密に解説して見せた、あの中世のカタリ派やトルバドゥールのソフィア崇拝をすら思わせるものがある。むろん、ブルトン自身はこれらの愛の秘伝的教義の「彼岸」性を否定しているけれども、愛や女の美について語るときのブルトンの昂揚した調子には、ほとんど神秘的と言ってもよいほどの憧憬と熱情が認められるのだ。「性行為の完了は、両性間の愛の電圧（ポテンシャル）の降下を必然的に伴なうという考えに拠って立つ詭弁ほど、おぞましい詭弁はない」（『狂気の愛』）とか、男はこれまでに愛した何人の女の顔を記憶しているとしても、窮極的には、「これらすべての女の顔のうちから一つの顔だけしか、すなわち最後に愛した顔だけしか見出すことができない」(同上)とかいった、愛の不滅性に関する断定的な文章を読まされると、私はブルトンのために、あの永久革命という言葉をもじって、永久恋愛という新造語(ネオロジスム)を用いたくなるほどである。

いずれにせよ、男は女の導きによるのでなければ、ついに世界も人類も解放することができないという、やがて『狂気の愛』から『秘法十七番』にいたって絶頂にまで高まった女の使命の重大さは、やがて男女の二元論を克服する錬金術的アンドロギュヌスの観念を要請せずにはいないであろう。「あらゆる伝承が私たちに語っている、あの原初的両性具有の再建の必要」(『吃水部におけるシュルレアリスム』)を、一九五〇年代になってブルトンが説くにいたったのは、当然の成行きだったと思われる。無意識であり自然であり謎であるという点で男よりもはるかにすぐれている、ブルトンにおける「女」は、『秘法十七番』ではメリュジーヌ(土曜日ごとに脚が蛇に化したという仙女)の象徴的な姿によって表わされており、ここにもヘルメス学の象徴主義の復活をまざまざと見る思いがする。

錬金術における賢者の石の探求と、詩におけるメタモルフォーシス(言語の実験)とを一体化して捉えようとするところに、それ以前のロマン主義や象徴主義の詩人たちと完全に袂を分かつ、シュルレアリスムの真に独創的な姿勢があったと考えるべきだろう。前にも述べたように、それは哲学、倫理、美学のすべてを含むトータルな探求なのである。ブルトンの言う通り、「呪われた」科学と「呪われた」詩とのあいだには、つねに暗黙の接触が保たれていたとはいえ、ランボーの言葉の錬金術は、やはり限られた狭い意味でしか使われていなかったのである。「言葉の錬金術。この言葉は文字通りに受け取ることが必要である」(『第二宣言』)とブルトンが言っているのは、ともすると自動記述とかデペイズマンとかいった詩的技法のみを、シュルレアリスムの本質と見なす俗論に対する、きびしい警告であり抗議であると思って差支えあるまい。

*

錬金術は通常、いわゆる隠秘科学(オカルト・サイエンス)の三本の柱の一つと見なされ、不当な蔑視を受けているようであるけれども、その精神的な意図が、他の二本の柱、すなわち魔術および占星術よりはるかに高いものであることは、その歴史を少しでも調べれば、ただちに納得されることであるにちがいない。そのなかに少数のいかさま師が紛れこんでいたとしても(通俗的な錬金術の解説書は、このいかさま師のエピソードのみを綴り合わせたものだ!)、なおかつ錬金術の探求は、人類の歴史のなかで、かつて人類の精神の企て得た、最も崇高な精神的冒険であることに変りはないのである。今日、その遺産を受け継いでいる学者の数は、じつに寥々たるものではあろう。しかし私たちは、そのことを必ずしも深く歎くには及ばない。そもそもヘルメス学は、ブルトンがシュルレアリスムに対して希望したように、隠蔽されなければならないものだからであり、また現代の隠秘学者たちも、そのことは十分に承知しているはずだろうからである。人目につく必要は毛頭ないのである。

るにとどめよう。

ここでは、現代の隠秘学者ではなく、あまねく知られた隠秘学の研究家の名前を二、三あげ

ガストン・バシュラールは、夢想のなかの詩的イメージを分析するのに、しばしば科学の前史としての錬金術、地水火風の四大元素がまだ生きていた時代の錬金術から生まれた、豊富なイメージを存分に利用している。カール・グスタフ・ユングもまた、集合的無意識の層における錬金術的夢想の深い底流に、精神分析による探りを入れている。一方、ミルチャ・エリアーデは、その古典的名著となった『鍛冶屋と錬金術師』（一九五六年）のなかで、錬金術の神話と、アジアやギリシアの山嶽地方に住む金属精錬業者のそれとを対比させている。さらに、ルネ・アロー（ブルトンを錬金術に接近させるのに一役買った人物）や、A・J・フェステュギエールの実証的な研究をも付け加えておこう。貶められた錬金術が、その美しい本然の姿を回復するのに、これらの碩学の研究が決定的な寄与をなしていることは、今さら申すまでもあるまい。

一九五七年、アンドレ・ブルトンがジェラール・ルグランとの共著で出版した、シュルレアリスムの観点から眺めた新らしい美術史『魔術的芸術』は、おそらく、このようなすぐれた学者たちによる深層心理学、人類学、民俗学などの、二十世紀における飛躍的な発展に促されて、誕生することになったのではあるまいかと想像される。それというのも、この図版とアンケートをふくんだ、二三〇ページばかりの大判の書物には、美術史家のほかに、これらの二十世紀の心理学者、哲学者、歴史家、民俗学者、社会学者、宗教学者、人類学者、錬金術研究家など

の著作からのおびただしい引用文があるからである。彼らのなかの目ぼしい名前を拾ってみれば、フレーザー、ロベール・アマドゥー、フロイト、E・B・タイラー、マルセル・モース、レヴィ=ストロース、デュルケーム、ルイ・ショショド、ホイジンガ、エリアーデ、サロモン・レーナック、ロジェ・カイヨワ、ルネ・ユイグ、レヴィ=ブリュール、オットー・ランク、W・F・オットー、C・G・ユング、P・M・シュール、バルトルシャイティス、ゲザ・ローハイムなどがある。

先に『黒いユーモア選集』(一九四〇年)を刊行して、シュルレアリスム美学による新たな文学史の再編成を試みたブルトンは、美術史の面においても、これと同じことをやっておく必要があると考えたのかもしれない。ただし、美術史においては、ヘーゲルとフロイトの美学的原理に基礎をおいた「黒いユーモア」という統一的な観点は斥けられて、魔術の観点が前面に立ちはだかる。すなわち、古代の魔術師と近代の芸術家とは、前者が現実変革を目ざし、後者が想像的なものを目ざすという違いはあるにしても、その手段および可能性において、全く同じ足どりを示すものではあるまいか、という前提のもとに眺められた美術史なのである。

『魔術的芸術』のなかで、ブルトンはまず、ノヴァーリスにおける魔術という観念の、きわめて高い精神的な価値に注目し、それと同じ観念がすでにパラケルスス、ヤーコブ・ベーメ、スウェーデンボルグなどといった、往古の道士(マージュ)のもとにおいても見出されることを確認する。ユゴー、ネルヴァル、ボードレール、ロートレアモン、ランボー、マラルメ、それにドイツ・ロ触れている魔術師や隠秘学者や神秘哲学者の名前を列挙すれば、プロティノス、エリファス・レヴィ、フーリエ、ラヴァーテル、アレクサンドレイアのヴァレンティヌス、プリニウス、ルネ・ゲノン、グリヨ・ド・ジヴリ、イアンブリコス、ピコ・デラ・ミランドラ、ロバート・フラッド、バジリウス・ヴァレンティヌスなどが数えられる。

さらに面白いのは、この本のなかで、ブルトンが七十六名の学者や芸術家にアンケートを送って、魔術の今日における意義や、その復活の可能性などについて質問している点であろう。回答を寄せた人々のなかには、哲学者マルティン・ハイデッガー、ジョルジュ・バタイユ、ロジェ・カイヨワ、ジャン・ヴァール、美術史家ハーバート・リード、アンドレ・マルロー、ルネ・ユイグ、文化人類学者レヴィ=ストロース、画家レオノラ・カリントン、ルネ・マグリット、文芸評論家ジャン・ポーラン、ピエール・クロソウスキー、モーリス・ブランショ、小説家ミシェル・ビュトール、ジュリアン・グラック、アンドレ・ピエール・ド・マンディアルグ、詩人ジョイス・マンスール、オクタヴィオ・パスなどの著名人があり、否定的な意見の者もあれば、また逆に肯定的な意見の者もある。いずれにせよ、この重大な課題をひろく江湖に問おうとしたブルトンの姿勢は、賞讃されてしかるべきであろう。芸術作品は、今日、いまだに効果を失っていない唯一の魔術的活動ではあるまいか。——これが『魔術的芸術』の全篇をつらぬくモティーフだ。この立場が失われれば、「錬金術の探求と、目的において著しく似通っている」シュルレアリスムの活動は、根柢から疑われなければならないのである。

このような意図のもとに集められた、先史美術や未開美術をふくむ、人類の魔術的衝動の多種多様な現われが、個々の作品に対する著者の考察とともに、各時代を追って順次に紹介されるのである。レオナルドもボッシュも、ウッチェロもデューラーも、ホルバインもアルチンボルドも、ハンス・バルドゥンクもジョルジョーネも、モンス・デシデリオもアントワヌ・カロンも、バルデス・レアルもアルトドルファーも、ワットーもゴヤも、ギュスターヴ・モローもフュスリも、ゴーガンもルッソーも、ムンクもキリコも、エルンストもミロも、タンギーもマグリットも、ダリもトイエンも、レオノラ・カリントンもブローネルも、ラムもマッタも、ゴーキーもスワンベルクも、モリニエも郵便屋シュヴァルも、さらに映画『フランケンシュタイン』も『ゴーレム』も、また精神分裂病者の怪しげな絵も、ここでは、ことごとく魔術的芸術の系譜に位置づけられるのだ。

また、古い錬金術の寓意をあらわした銅版画や、タロット・カードや、魔法書の挿絵や、カバラの象徴などといった、正統的な美術史の書物のページを飾るにはふさわしくない、魔術そのものに奉仕すべく制作された胡散くさい美術品も、かなり多くの点数が収録されている。

考えてみれば、マックス・エルンストも自分の創始したコラージュという新らしい技法を、つとに「視覚的イメージの錬金術」(『絵画の彼岸』)と呼んでいたではないか。幻覚の物質化、ダブル・イメージの発見という意味では、コラージュばかりでなく、フロッタージュも、デカルコマニーも、またダリのいわゆる「手づくりの色彩写真」も、ひとしくイメージの錬金術と称することができるにちがいない。

『魔術的芸術』に引用されているロベール・ルベル（『二重の顔と組み合わされた頭』一九五四年）の文章によれば、「ダブル・イメージは、ボッシュおよびレオナルドにとって、世界の組織の基礎となるもの、真の造形的カバラの鍵となるもの」であった。このルネサンス期の二人の大芸術家――一方はダブル・イメージが外界に拡散し、他方は内部に凝集する――が、ともに魔術的芸術の最高峰を形づくっているのは、ひとえに、このダブル・イメージの最も効果的な、ほとんど倫理的な欲求と一体になった利用法のためであろうと思われる。

……こうして、私たちは十四世紀の錬金道士ニコラ・フラメルのひそかな熱望が、少数のすぐれた詩人のもとにおいても、また画家のもとにおいても、今なお脈々と生きつづけているのを知るのである。

あとがき

窮極的には「否定する者」でしかないところの悪魔は、必ずしも中世の神学書や魔法書の中ばかりでなく、さまざまに形姿を変えて、たとえば十八世紀の哲学の中にも、十九世紀初頭のロマン主義の詩文の中にも、あるいは世紀末の蒼ざめた美学の中にも、同時にひそんでいるように思われる。神と同様に、悪魔も文学史の中に遍在しているにちがいない。

昆虫標本でも作るように、観念の捕虫網を手にして、古ぼけた書物のページのあいだに、長いこと、ひらひら飛び舞う変幻きわまりない悪魔の姿を追い求めてきた私の、これは最新の採集成果を叙した、ささやかな報告書だと思っていただきたい。

ここに採り上げた十数名の西欧の作家たちは、その大部分が日本では未紹介もしくは未知の作家たちであるから、最初の予定では、巻末に資料篇として、それぞれの作家のテキストの一部を訳出して併録し、もって読者の参考とするつもりであった。しかしながら、あまりにも量が多くなりすぎる懸念があったため、この計画は取りやめた。いずれ機会があれば、洒落た一篇の詞華集でも編んでみたいと考えている。

本書は研究論文ではなく、あくまでエッセイのつもりで楽しみながら書いたので、参考文献目録や索引はつけなかった。それでも、できるだけ出典を明らかにすべく、煩瑣にならない程度に、引用した数々の書物は本文中に邦訳題名を記しておいた。いわば道しるべのための石のようなものである。読者はそれぞれの好みにしたがって、さらに「悪魔のいる文学史」の森の小径に深く分け入ることを得るであろう。

本書を構成する大部分のエッセイは、雑誌「ユリイカ」に連載（昭和四十五年七月より四十七年一月まで）したものであり、その他は「現代の眼」、「美術手帖」、それに「ユリイカ」の特集号や臨時増刊などのために書いたものである。一本にまとめるに際しては、雑誌に発表した原稿に大幅の加筆増補を行った。勝手気ままな連載を許してくれた青土社の清水康氏、「ユリイカ」編集担当の三浦雅士氏、それに中央公論社出版部の方々に深く感謝する。

昭和四十七年九月

澁澤龍彦

（お断り）


本書は1972年に中央公論社より発刊された単行本を底本としております。

あきらかに間違いと思われるものについては訂正いたしましたが、基本的には底本にしたがっております。また、一部の固有名詞や難読漢字には編集部で振り仮名を振っています。

本文中には八百屋、片手落ち、ジプシー、私生児、白痴、乞食、情婦、女工、桶屋、百姓、気違い、トルコ風呂、男娼、男色家、商売女、淫売婦、癩病、女中、黒白混血、支那、インド支那、聾唖学校、ニグロ、ユダヤ女、畸形、蛮族、雑役婦、女衒、仕立屋、洗濯屋、召使、奴隷、未開人、精神分裂病者などの言葉や人種・身分・職業・身体等に関する表現で、現在からみれば、不当、不適切と思われる箇所がありますが、著者に差別的意図のないこと、時代背景と作品価値とを鑑み、著者が故人でもあるため、原文のままにしております。

差別や侮蔑の助長、温存を意図するものでないことをご理解ください。

澁澤 龍彦（しぶさわ たつひこ）
1928年（昭和３年）５月８日―1987年（昭和62年）８月５日、享年59。本名、龍雄（たつお）。東京都出身。1981年『唐草物語』で第９回泉鏡花文学賞受賞。代表作に『高丘親王航海記』など。

P+D BOOKS とは

P+D BOOKS（ピー プラス ディー ブックス）とは
P+Dとはペーパーバックとデジタルの略称です。
後世に受け継がれるべき名作でありながら、現在入手困難となっている作品を、
B6判ペーパーバック書籍と電子書籍を、同時かつ同価格で発売・発信する、
小学館のまったく新しいスタイルのブックレーベルです。

悪魔のいる文学史

2022年7月19日　初版第1刷発行

著者　澁澤龍彥
発行人　飯田昌宏
発行所　株式会社　小学館
〒101-8001
東京都千代田区一ツ橋2-3-1
電話　編集　03-3230-9355
販売　03-5281-3555
印刷所　大日本印刷株式会社
製本所　大日本印刷株式会社
装丁　おおうちおさむ（ナノナノグラフィックス）

ISBN978-4-09-352444-5

P+D BOOKS